LIANE
MORIARTY

Лиана Мориарти

Большая маленькая ложь

Издательство «Иностранка»
МОСКВА

УДК 821(94)
ББК 84(8Авс)-44
М79

Liane Moriarty
BIG LITTLE LIES

This edition is published by arrangement with Curtis Brown UK and The Van Lear Agency LLC

Перевод с английского Ирины Иванченко

Оформление обложки Вадима Пожидаева

Издание подготовлено при участии издательства «Азбука».

ISBN 978-5-389-08399-8

Маргарет с любовью

Эй, приятель, не балуй!
Если стукнул — поцелуй!

Школьная песенка

ГОСУДАРСТВЕННАЯ ШКОЛА ПИРРИВИ

...где мы живем и учимся на берегу океана!

Школа Пирриви — МЕСТО БЕЗ ЗАБИЯК!

Мы никого не запугиваем.

Мы не допустим, чтобы нас запугивали.

Мы всегда говорим, когда нас запугивают.

Если мы видим, что наших друзей запугивают,
у нас хватит смелости громко сказать об этом.

Мы говорим забиякам НЕТ!

Глава 1

— Это не похоже на школьный вечер викторин, — обратилась миссис Пэтти Пондер к Марии-Антуанетте. — Это скорее похоже на погром.

Кошка не отвечала. Подремывая на диване, она совершенно игнорировала школьные мероприятия.

— Тебе это неинтересно, а? Пусть лопают пирожные! Ты об этом думаешь? Они кушают много пирожных, правда? Все эти киоски с выпечкой! Боже мой! Но вот, пожалуй, мамаши этого не едят. Они все такие поджарые и стройные. Вроде тебя.

В ответ на комплимент Мария-Антуанетта фыркнула. Фраза «пусть лопают пирожные» давным-давно устарела. Как-то она слышала от одного из внуков миссис Пондер, что теперь это звучит как «пусть лопают булочки».

Миссис Пондер взяла пульт от телевизора и убавила громкость «Танцев со звездами». Чуть раньше она прибавляла громкость из-за оглушительного ливня, но сейчас ливень утих.

В прозрачном вечернем воздухе разносились сердитые выкрики. Миссис Пондер неприятно было их слышать, как будто сердились на нее. Мать миссис Пондер всегда была недовольна дочерью.

— Боже правый! Думаешь, они спорят по поводу столицы Гватемалы? Знаешь столицу Гватемалы? Нет? Я тоже. Надо заглянуть в Интернет. И нечего фыркать!

Мария-Антуанетта фыркнула.

— Пойдем посмотрим, что там творится, — оживленно произнесла миссис Пондер.

Она занервничала и засуетилась перед кошкой, как однажды суетилась перед детьми, когда мужа не было дома, а ей ночью почудился странный шум.

Миссис Пондер поднялась, опираясь на ходунки. Мария-Антуанетта недовольно соскользнула с коленей хозяйки, когда та, подталкивая перед собой ходунки, пошла по коридору в заднюю часть дома.

Окна ее швейной комнаты выходили прямо во двор школы Пирриви.

— Мама, ты с ума сошла? Невозможно жить так близко от начальной школы, — говорила ее дочь, когда миссис Пондер начала подумывать о приобретении этого дома.

Но ей нравилось слышать в течение дня нестройный гомон ребячьих голосов. Она уже не водила машину, и ее не волновало, что улица забита огромными, почти как грузовики, автомобилями с женщинами в темных очках за рулем. Высунувшись из окна, эти женщины обмениваются важной информацией о балетном кружке Харриет и логопедических занятиях Чарли.

В наше время матери весьма серьезно относятся к своим обязанностям. Посмотреть хотя бы на эти одержимые лица. На то, с каким достоинством они несут в школу свои подтянутые зады. Развеваются конские хвосты. Глаза устремлены на сотовые, которые они держат на ладонях, как компасы. Это вызывало у миссис Пондер смех. Добродушный, конечно. Три ее дочери, хотя и постарше, точно такие же. И все хорошенькие.

— Как у вас сегодня дела? — выкрикивала она, сидя за чашкой чая на переднем крыльце или поливая палисадник, когда мимо проходили мамы.

— Очень заняты, миссис Пондер! Просто жуть! — выкрикивали они в ответ, торопливо проходя мимо и таща детей за руку.

Приятные и дружелюбные, но капельку снисходительные. И ничего с этим не поделаешь. Она такая старая! А они так сильно заняты!

Отцы, приводившие детей в школу и встречавшие их после занятий, вели себя по-другому. Редко спешили, проходя мимо нее с показной небрежностью, словно говоря всем своим видом: «Подумаешь, делов-то! Все под контролем». Над ними миссис Пондер тоже добродушно подсмеивалась.

Но сейчас ей показалось, что родители школы Пирриви ведут себя как-то странно. Подойдя к окну, она отодвинула кружевную занавеску. Недавно, после того как крикетный мяч разбил стекло и едва не пришиб Марию-Антуанетту, за счет школы ей установили решетки на окнах, а третьеклассники подарили ей самодельную открытку с извинением, которую она хранила на холодильнике.

На той стороне детской площадки стояло двухэтажное здание из песчаника, на втором этаже которого располагался актовый зал с большим балконом, выходящим на океан. Миссис Пондер бывала здесь по разным поводам: провести беседу в качестве местного историка, посетить обед, организованный друзьями библиотеки. Зал был очень красивым. Иногда бывшие ученики устраивали в нем свадебные торжества. Здесь должен был состояться вечер викторин для сбора средств на интерактивные доски, что бы это ни было. Ясное дело, миссис Пондер пригласили. Близость ее дома к школе обеспечивала ей несколько странный почетный статус, хотя ее никогда не навещали чьи-нибудь дети или внуки. От этого приглашения она отказалась, поскольку школьные мероприятия без детей считала бессмысленными.

Здесь же дети проводили еженедельные школьные собрания. Утром в пятницу миссис Пондер устраивалась в швейной комнате с чашкой чая и орехово-имбирным печеньем. Детское пение, доносящееся со второго этажа школы, всегда вызывало у нее слезы. Она верила в Бога только тогда, когда слышала детское пение.

Сейчас никакого пения не было.

Зато миссис Пондер услышала много бранных словечек. У нее не было ханжеского отношения к сквернословию, ее старшая дочь ругалась как извозчик, но неприятно было слышать, как кто-то неистово выкрикивает слово из трех букв в местс, где обычно звучали детские крики и смех.

— Вы напились там, что ли? — спросила она.

Ее забрызганное дождем окно было на одном уровне с входной дверью в здание, и вдруг из дверей высыпала толпа. Вымощенная плиткой площадка перед входом в школу освещалась фонарями, создавая впечатление сцены, на которой должно развернуться действо. Эффект усиливали клубы тумана.

Странное это было зрелище.

Родители учащихся школы Пирриви питали непостижимое пристрастие к костюмированным вечеринкам. Им было мало просто вечера викторин. Из приглашения миссис Пондер узнала, что какой-то умник решил устроить вечеринку а-ля Одри и Элвис, а это означало, что все женщины должны были одеться как Одри Хепбёрн, а мужчины — как Элвис Пресли. Она отклонила приглашение еще и по этой причине, поскольку терпеть не могла маскарадные костюмы. Похоже, самой большой популярностью пользовался образ Одри Хепбёрн в «Завтраке у Тиффани». На всех женщинах были длинные черные платья, белые перчатки и жемчужные ожерелья. А вот мужчины в основном воздали должное Элвису последних лет жизни. Блестящие белые комбинезоны, сверкающие камни и глубокие вырезы. Женщины выглядели очаровательно. Бедные мужчины — по-настоящему смехотворно.

Миссис Пондер было видно, как один Элвис заехал другому кулаком в челюсть. Пошатнувшись, тот наткнулся на одну из Одри. Два Элвиса подхватили его сзади и уволокли прочь. Одри спрятала лицо в ладонях и отвернулась, словно была не в силах смотреть на происходящее. Кто-то выкрикнул: «Прекратите это!»

Действительно. Что подумали бы ваши замечательные дети?

— Может, вызвать полицию? — произнесла миссис Пондер, но затем услышала в отдалении вой полицейской сирены.

В тот же миг на балконе истошно закричала какая-то женщина.

* * *

Габриэль. Понимаете, дело было не только в мамах. Без папочек подобного не случилось бы. Похоже, с мам все и началось. Мы были, так сказать, основными игроками. Мамаши. Терпеть не могу это слово. Оно старомодное. Мама лучше. Представляешь себе этакую стройняшку. Между прочим, у меня проблемы с похудением. А у кого их нет?

Бонни. Все это какое-то ужасное недоразумение. Были задеты чувства людей, а потом все вышло из-под контроля. Обычно так и бывает. Любой конфликт возникает, когда задеты чувства людей, разве нет? Развод. Мировые войны. Судебный процесс. Ну, может быть, не всякий судебный процесс. Могу я предложить вам травяного чая?

Стью. Я скажу вам, почему это произошло. Женщины не хотят пускать все на самотек. Ну а парни не склонны разделять с ними ответственность. Но если девчонки не привыкли держать себя в узде, что может показаться сексистским подходом, а это не так, потому что это жизнь. Спросите любого настоящего мужика, а не тех претенциозных хлюпиков, которые мажутся увлажняющим кремом, и он скажет вам, что по злости и напористости женщин можно сравнить с олимпийскими атлетами. Видсли бы вы мою жену в действии. И она еще не худший вариант.

Мисс Барнс. Одержимые родители. До работы в школе Пирриви я считала это преувеличением — то, как родители чрезмерно опекают своих детей. К слову, мои мама и папа любили меня, интересовались моими делами, когда я росла в девяностые, но не были одержимыми родителями.

Миссис Липман. Произошла трагедия, и это весьма прискорбно. Все же мы пытаемся двигаться вперед. Больше никаких комментариев.

Кэрол. Виноват Клуб эротической книги. Таково мое мнение.

Джонатан. Уверяю вас, в Клубе эротической книги не было никакой эротики.

Джеки. Знаете что? Тут дело в феминистском подходе.

Харпер. Кто сказал про феминистский подход? Какого черта! Я вам скажу, с чего все началось. С инцидента на ознакомительном дне для подготовишек.

Грэм. В моем представлении, это возврат к конфликту между неработающими и работающими мамашами. Как это называется? Война между матерями. Моя жена в этом не участвовала. У нее не было времени на подобные вещи.

Теа. Вы, журналисты, любите затрагивать тему французских нянь. Сегодня я слышала по радио передачу о французских горничных, каковой Джульетта определенно не была. У Ренаты к тому же была домработница. Везет некоторым. У меня четверо детей и никакой прислуги в помощь! Разумеется, у меня в принципе нет проблем с работающими матерями, меня лишь удивляет, зачем они вообще заводят детей.

Мелисса. Знаете, из-за чего, по-моему, все разволновались? Из-за головных вшей. О господи, не позволяйте мне снова затрагивать тему вшей!

Саманта. Вши? Какое они имеют к этому отношение? Кто вам такое сказал? Готова поспорить, это Мелисса, верно? После повторного заражения ее детей у бедной девочки наступил синдром посттравматического стресса. Простите. Это не смешно. Это совсем не смешно.

Эдриан Куинлан, сержант уголовной полиции. Позвольте внести ясность. Здесь вам не цирк. Мы расследуем убийство.

Глава 2

За полгода до вечера викторин

Сорок. Сегодня Мадлен Марте Маккензи исполняется сорок лет.

— Мне сорок, — сидя за рулем, вслух произнесла она. Потом повторила, растягивая слоги: — Со-о-орок.

В зеркале заднего вида она поймала взгляд дочери. Улыбнувшись, Хлоя передразнила мать:

— Мне пять. Пя-а-ать.

— Сорок! — Мадлен вывела трель, как оперная певица. — Тра-ла-ла!

— Пять! — пропела Хлоя.

Мадлен попробовала пропеть рэп, выбивая ритм на руле:

— Мне сорок, е-е, сорок...

— Хватит, мамочка, — строго произнесла Хлоя.

— Извини, — сказала Мадлен.

Она повезла Хлою на ознакомительный день. Хотя та вряд ли нуждалась в ознакомительном дне, поскольку уже и так твердо знала, в какую школу поступит в январе — в школу Пирриви. И все утро Хлоя опекала брата Фреда, который был старше ее на два года, но часто казался младше.

— Фред, ты забыл положить на место рюкзак! Вот так. Туда. Хороший мальчик.

Фред послушно положил рюкзак, а потом подбежал к Джексону и применил захват. Мадлен сделала вид, что ничего не заметила. Возможно, Джексон этого заслуживал. Мама Джексона, Рената, тоже ничего не заметила, поскольку была увлечена разговором с Харпер. Обе были всерьез озабочены образованием своих одаренных детей. Рената и Харпер посещали еженедельные занятия для родителей одаренных детей. Мадлен представила себе, как они сидят в кружок, взявшись за руки, с сияющими от потаенной гордости глазами.

Пока Хлоя будет командовать другими детьми из группы (у нее были задатки командирши, и она намеревалась стать в будущем руководителем корпорации), Мадлен планировала выпить кофе с подругой Селестой. Мальчики-близнецы Селесты тоже на будущий год собирались в школу, а в детском саду вовсю бесились. Они вообще были ужасно крикливыми. После пяти минут в их обществе у Мадлен начинала болеть голова. Селеста всегда дарила на день рождения изысканные и очень дорогие подарки, так что все складывалось замечательно. После этого Мадлен собиралась завести Хлою к свекрови и пообедать с друзьями, а потом помчаться встречать детей из школы. Сияло солнце. На Мадлен были новые великолепные туфли на шпильке от «Дольче и Габбана», купленные онлайн с тридцатипроцентной скидкой. День обещал быть просто изумительным.

— Пусть начнется Праздник Мадлен! — произнес утром ее муж Эд, когда принес ей кофе в постель.

Мадлен была известна пристрастием к празднованию дней рождения и прочим торжествам. Любой предлог выпить шампанского.

И все-таки. Сорок.

Подъезжая знакомой дорогой к школе, она размышляла об этой внушительной дате. Сорок. Сорок она ощущала почти так же, как пятнадцать. Какой-то бесцветный возраст. Ты словно затерялась посреди жизни. Когда тебе сорок, мало что имеет значение. Когда тебе сорок, подлинные чувства уходят, потому что в этом скучном возрасте все потрясения словно смягчаются подушкой безопасности.

Найдена мертвой женщина сорока лет. О господи!

Найдена мертвой женщина двадцати лет. Трагедия! Горе! Разыскать убийцу!

Когда в последнее время Мадлен слышала в новостях о какой-нибудь женщине, умершей в сорок лет, у нее в голове что-то поворачивалось. Но постойте, это могла быть и я! Это было бы грустно! Если бы я умерла, то многие опечалились бы. Некоторые даже были бы потрясены. Ах, этот мир, помешанный на возрасте людей! Может быть, мне и сорок, но меня холят и лелеют.

С другой стороны, пожалуй, вполне естественно сильнее горевать о смерти двадцатилетней женщины, чем сорокалетней. Сорокалетняя женщина успела вкусить на двадцать лет больше радостей жизни. Поэтому, появись перед ней вооруженный бандит, Мадлен почувствовала бы себя обязанной прикрыть своим средневозрастным телом двадцатилетнюю девушку. Принять на себя удар, спасая юность. Это было бы только справедливо.

Что ж, она бы так и сделала, если бы точно знала, что это милое юное создание, а не одна из несносных девиц наподобие той, что ехала впереди Мадлен в миниатюрном голубом «мицубиси». Девица и не думала скрывать то, что пользуется за рулем мобильником, вероятно посылая эсэмэску или просматривая «Фейсбук».

Вы только посмотрите! Эта девчонка даже не заметила бы вооруженного бандита! И пока Мадлен жертвовала бы для нее жизнью, она бессмысленно пялилась бы в телефон! Возмутительно!

Оказалось, что маленький автомобиль со штрафной квитанцией на заднем стекле набит молодежью. По меньшей мере трое сзади — мотающиеся головы, жестикулирующие руки. Неужели кто-то размахивает там ногой? Сейчас может произойти трагедия. Им всем следует сосредоточиться. Как раз на прошлой неделе Мадлен пила кофе после занятия по ударно-волновой терапии, просматривая газетную статью о том, как молодые люди подчас разбиваются на машинах, когда во время езды посылают эсэмэски. «Еду. Скоро буду!» Таковы бывают их последние глупые слова, часто написанные с ошибками. Мадлен плакала над фотоснимком одной убитой горем матери, которая, словно предостерегая читателей, нелепо подносит к камере мобильник дочери.

— Маленькая дурочка, — вслух произнесла Мадлен, рискованно перестраиваясь в соседний ряд.

— Кто дурочка? — с заднего сиденья спросила Хлоя.

— Девушка в машине передо мной, потому что она ведет машину и одновременно пользуется телефоном.

— Как в тот раз, когда ты звонила папе сказать, что мы опоздаем, — заметила Хлоя.

— Это было только один раз! — запротестовала Мадлен. — И я сделала это очень осторожно и быстро! К тому же мне сорок лет!

— Сегодня, — уверенно произнесла Хлоя. — Тебе исполнилось сорок сегодня.

— Да! И я только позвонила, а не посылала эсэмэску! Чтобы послать эсэмэску, приходится отрывать глаза от дороги. Посылать эсэмэски за рулем запрещено. Обещай мне, что, когда вырастешь, никогда не будешь этого делать. — Стоило ей представить себе Хлою-подростка за рулем, и у нее задрожал голос.

— Но разрешается быстро позвонить, — уточнила Хлоя.

— Нет! Это тоже запрещено.

— Получается, ты нарушила закон, — удовлетворенно сказала Хлоя. — Как бандит.

В настоящее время Хлою привлекали бандиты. Когда-нибудь она определенно начнет встречаться с плохими парнями. Плохими парнями на мотобайках.

— Дружи с хорошими мальчиками, Хлоя! — немного помолчав, сказала Мадлен. — Такими, как папа. Плохие парни не приносят кофе в постель, уж это точно.

— Что ты там лепечешь, женщина? — со вздохом спросила Хлоя.

Она переняла эту фразу от отца, идеально копируя его усталый тон. Они совершили ошибку, засмеявшись в первый раз, как услышали это, и теперь девочка часто повторяла фразу, причем в подходящий момент, и им ничего не оставалось, как смеяться.

На этот раз Мадлен удалось не рассмеяться. Хлоя, будучи очаровательным ребенком, иногда становилась несносной. Пожалуй, то же самое относилось и к Мадлен.

Мадлен подъехала сзади к маленькому голубому «мицубиси», стоящему у светофора. Девушка за рулем по-прежнему не сводила глаз с мобильника. Мадлен погудела и увидела, как девушка посмотрела в зеркало заднего вида, а все пассажиры завертели головами.

— Уберите телефон! — завопила Мадлен, пальцем на ладони изображая набор текста. — Это запрещено и очень опасно!

Девушка подняла средний палец классическим жестом, обозначающим «отстань от меня!».

— Ну хорошо же! — Мадлен поставила на ручник и включила аварийки.

— Что ты делаешь? — спросила Хлоя.

Мадлен отстегнула ремень безопасности и распахнула дверь машины.

— Но нам надо ехать! — в панике воскликнула Хлоя. — Мы опоздаем! О горе мне!

«О горе мне!» были слова из одной детской книги, которую читали Фреду, когда он был маленьким. Теперь их повторяла вся семья. Их переняли даже родители Мадлен и некоторые из ее подруг. Фраза оказалась весьма заразительной.

— Все в порядке, — сказала Мадлен. — Это займет секунду. Я спасаю юные жизни.

Она подошла на новых шпильках к «мицубиси» и постучала в окно.

Окно опустилось, и на месте водителя вместо неясного силуэта нарисовалась реальная молодая девица с белой кожей, сверкающим кольцом в носу и небрежно наложенной косметикой.

Она взглянула на Мадлен со смесью страха и враждебности:

— У вас какие-то проблемы? — Девушка все так же держала в левой руке телефон.

— Уберите телефон! А не то погубите себя и своих друзей! — Мадлен говорила тем же тоном, что и с Хлоей, когда та плохо себя вела. Потянувшись, она выхватила телефон и швырнула его какой-то девице на заднем сиденье, которая открыла рот от изумления. — Ладно? Просто прекратите это!

Направляясь к своей машине, она услышала взрывы хохота. Ей было наплевать. Она ощущала приятное возбуждение. К ее машине подъехал сзади другой автомобиль. Мадлен примирительно подняла руку и, пока не переключились сигналы светофора, заспешила к своей машине.

И тут у нее подвернулась нога. В какой-то момент все было нормально, а в следующий — лодыжка как-то неестественно вывернулась. Мадлен тяжело упала на бок. О горе мне!

Вся история началась именно с этого момента.

С неловко подвернутой лодыжки.

Глава 3

Джейн встала у светофора за большим сверкающим внедорожником с мигающей аварийной сигнализацией и стала наблюдать за темноволосой женщиной, которая спешила к своему автомобилю. На той было легкое летнее платье синего цвета и туфли с ремешками на высоком каблуке. Она, словно извиняясь, дружелюбно помахала Джейн. Лучик утреннего солнца упал на одну из ее сережек, которая засияла каким-то небесным светом.

Ослепительная женщина. Старше Джейн, но определенно привлекательная. Всю жизнь Джейн чуть ли не с научным интересом присматривалась к подобным женщинам. Может быть, с некоторым благоговением. Может быть, немного завистливо. Им необязательно быть самыми красивыми, но они с такой любовью украшают себя, как елку на Рождество, свисающими серьгами, звенящими браслетами и изящными бесполезными шарфиками. Разговаривая, они часто притрагиваются к вашей руке. Лучшая школьная подруга Джейн была такой вот ослепительной. Джейн испытывала к ним слабость.

Потом эта женщина упала, словно из-под нее вытащили коврик.

— Ой! — вскрикнула Джейн и быстро отвела глаза, чтобы не смущать женщину.

— Ты ушиблась, мамочка? — спросил Зигги с заднего сиденья.

Он всегда очень беспокоился о маме.

— Нет, — ответила Джейн. — Ушиблась вон та женщина. Она споткнулась и упала.

Джейн ожидала, что женщина поднимется и вернется к машине, но она не вставала. Женщина запрокинула голову, и по лицу было видно, что ей очень больно. Светофор переключился на зеленый, и маленький голубой автомобиль перед внедорожником с визгом шин рванул вперед.

Джейн включила указатель поворота, чтобы объехать ту машину. Они направлялись на ознакомительный день в новую школу, а она понятия не имела, как туда ехать. Они с Зигги оба нервничали, но делали вид, что все в порядке. Она хотела приехать туда заранее.

— С этой тетей все хорошо? — спросил Зигги.

Джейн словно что-то толкнуло. Такое с ней время от времени случалось, когда она погружалась в пучину житейских забот, а потом что-то — часто это бывал Зигги — заставляло ее вовремя вспомнить, как следует себя вести обыкновенному симпатичному и воспитанному взрослому.

Если бы не Зигги, она бы уехала. Она была настолько сосредоточена на том, чтобы доставить сына вовремя, что оставила бы сидящую на дороге, скорчившуюся от боли женщину!

— Пойду посмотрю, как она там, — сказала Джейн, словно с самого начала собиралась это сделать.

Включая аварийки и открывая дверь машины, она поймала себя на эгоистичном недовольстве. *Вы мне помешали, ослепительная леди!*

— Как вы там? — спросила Джейн.

— Все хорошо! — Женщина попыталась выпрямиться, но застонала, прижав руку к лодыжке. — Ах, черт! Подвернула лодыжку. Я такая идиотка. Вышла из машины — хотела сказать девушке за рулем в машине передо мной, чтобы перестала посылать эсэмэски. Поделом мне. Нечего было строить из себя дежурную по школе.

Джейн присела на корточки рядом с женщиной. У той были хорошо подстриженные темные волосы до плеч, на носу — россыпь еле заметных веснушек. Эти веснушки навевали какие-то детские летние воспоминания и очень мило дополнялись тонкой подводкой вокруг глаз и нелепыми свисающими серьгами.

Недовольство Джейн совершенно улетучилось.

Ей нравилась женщина. Она хотела ей помочь.

И о чем это говорит? Если бы на ее месте была беззубая старая карга с носом в бородавках, то Джейн по-прежнему испытывала бы недовольство? Как это несправедливо! Как жестоко! Она готова проявить добрую волю, потому что ей нравятся веснушки этой женщины.

Вырез платья женщины был украшен замысловатым вышитым орнаментом из цветов. Сквозь лепестки просвечивала загорелая веснушчатая кожа.

— Необходимо сразу приложить лед, — сказала Джейн. Она узнала о травмах лодыжки, когда играла в нетбол. Было заметно, что лодыжка женщины начинает распухать. — И надо приподнять ногу.

Прикусив губу, Джейн огляделась в поисках помощников. Она не имела представления, как осуществить это на деле.

— Сегодня у меня день рождения, — с грустью произнесла женщина. — Мне сорок.

— С днем рождения, — сказала Джейн.

Ее приятно удивило, что женщина сорока лет упоминает о своем дне рождения.

Джейн взглянула на открытые туфли женщины, ногти которой были покрыты ярко-бирюзовым лаком. Тонкие, как зубочистки, каблуки-шпильки были опасно высокими.

— Неудивительно, что вы подвернули ногу, — заметила Джейн. — На таких каблуках невозможно ходить!

— Знаю, но разве они не великолепны? — Женщина повернула ногу, чтобы еще раз полюбоваться босоножкой. — Ой! Блин, как больно. Извините меня.

— Мамочка! — Из окна машины высунулась головка маленькой девочки с темными вьющимися волосами, стянутыми сверкающим обручем. — Что ты делаешь? Вставай! Мы опоздаем!

Ослепительная мать. Ослепительная дочь.

— Спасибо за участие, дорогая! — Женщина печально улыбнулась Джейн. — Мы едем в школу на ознакомительную встречу. Она очень волнуется.

— В школу Пирриви? — с изумлением спросила Джейн. — Мы тоже едем туда. Мой сын Зигги на будущий год пойдет в школу. Мы переедем сюда в декабре.

Казалось невероятным, что у нее есть что-то общее с этой женщиной или что их жизни могут пересечься.

— Зигги! Как Зигги Стардаст? Классное имя! — сказала женщина. — Между прочим, меня зовут Мадлен. Мадлен Марта Маккензи. Почему-то я всегда упоминаю Марту. Не спрашивайте зачем. — Она протянула руку.

— Джейн, — представилась Джейн. — Джейн без второго имени, Чепмен.

* * *

Габриэль. В конечном итоге школа разделилась на два лагеря. Это было нечто вроде, ну не знаю, гражданской войны. Человек мог быть в команде либо Мадлен, либо Ренаты.

Бонни. Нет-нет, это было ужасно. Но ничего такого. Лагерей не было. Мы весьма сплоченная община. Слишком много выпивки. К тому же полная луна. Во время полной луны все немного сходят с ума. Я серьезно. Этот феномен можно фактически доказать.

Саманта. Разве была полная луна? Лило как из ведра, я точно помню. Потом у меня волосы стояли дыбом.

Миссис Липман. Это нелепо и позорно. Без дальнейших комментариев.

Кэрол. Да, я все время твержу о Клубе эротической книги, но я уверена: что-то произошло на одном из их маленьких собраний.

Харпер. Послушайте, я рыдала, когда мы узнали, что Эмили — одаренный ребенок. И подумала: ну вот, опять! Я уже прошла все это с Софией, поэтому знала, что мне предстоит! Рената оказалась в одной лодке со мной. Двое одаренных детей. Никто не понимает, какой это стресс. Рената беспокоилась, как Амабелла приживется в школе, хватит ли у нее мотивации и так далее. Так что, когда тот ребенок с нелепым именем Зигги натворил такое, причем утром ознакомительного дня, она, понятно, очень расстроилась. Вот с этого все и началось.

Глава 4

Джейн захватила с собой книгу, чтобы почитать, пока Зигги будет в школе, но вместо этого она с Мадлен Мартой Маккензи (это звучало как имя какой-нибудь вздорной девчушки из детской книжки) отправилась в приморское кафе под названием «Блю блюз».

Кафе, странное небольшое и бесформенное сооружение, напоминающее грот, стояло прямо на деревянном настиле, идущем вдоль пляжа Пирриви. Мадлен ковыляла босиком, без всякого стеснения тяжело опираясь на руку Джейн, словно они были давнишними подругами. Возникало чувство близости. Она чуяла восхитительный цитрусовый аромат духов Мадлен. За последние пять лет взрослые нечасто прикасались к Джейн.

Едва они открыли дверь кафе, как к ним, раскинув руки, вышел из-за прилавка моложавый мужчина с вьющимися светлыми волосами и пирсингом в носу. Одет он был во все черное.

— Мадлен! Что с тобой стряслось?

— Я серьезно травмирована, Том, — сказала Мадлен. — А у меня сегодня день рождения.

— О горе мне! — откликнулся Том и подмигнул Джейн.

Пока Том усаживал Мадлен в угловую кабинку и прикладывал к ее ноге, положенной на кресло с подушкой, лед в полотенце, Джейн разглядывала кафе. Оно было «совершенно очаровательным», как сказала бы ее мать. Ярко-голубые неровные стены увешаны шаткими полками, забитыми подержанными книгами. Деревянные половицы сияли золотом в утреннем солнце, и Джейн вдыхала пьянящую смесь ароматов кофе, выпечки, моря и старых книг. Столики стояли так, что сквозь полностью застекленную переднюю часть кафе был виден пляж, словно вы пришли сюда посмотреть морское шоу. Осматриваясь по сторонам, Джейн почувствовала досаду. Такое частенько случалось с ней в новом и симпатичном месте. Объяснить это она могла лишь словами: «Если бы только я была здесь». Это маленькое приморское кафе было столь изысканным, что она действительно жаждала быть там. Правда, она и так уже находилась там, а потому все это не имело смысла.

— Джейн, что желаешь? — спросила Мадлен. — В знак благодарности угощаю тебя кофе! — Она повернулась к суетящемуся баристе. — Том! Это Джейн. Она мой рыцарь в сияющих доспехах. Моя рыцарша.

Джейн подвезла Мадлен и ее дочь в школу, а перед тем с замиранием сердца припарковала громоздкий автомобиль Мадлен на боковой улочке. Она вынула из машины Мадлен детское сиденье для Хлои и установила его в своем небольшом хэтчбеке рядом с сиденьем Зигги.

Это было нечто. Она справилась.

Печально, но монотонная жизнь Джейн была виной тому, что происшествие показалось ей волнующим.

Зигги тоже смущенно таращил глаза на незнакомую девочку, сидящую с ним на заднем сиденье, в особенности такую живую и очаровательную, как Хлоя. Девчушка без умолку болтала всю дорогу, объясняя Зигги то, что ему следовало знать про школу: и какие будут учителя, и что им надо мыть руки, перед тем как войти в класс, и где они будут сидеть за обедом, и что нельзя приносить арахисовое масло, потому что у некоторых бывает на него аллергия и они могут умереть, и что у нее уже есть ланчбокс с Дорой Следопытом на нем. А что у Зигги на ланчбоксе?

— Баз Лайтер, — поспешно и вежливо ответил Зигги, но это было вранье, потому что Джейн еще не купила ему ланчбокс и они даже не обсуждали потребность в нем.

Зигги три дня в неделю посещал детскую группу, где его кормили. Джейн еще предстояло освоить комплектацию ланчбокса.

Когда они подъехали к школе, Мадлен осталась в машине, а Джейн отвела детей. По сути дела, отвела их Хлоя, вышагивая впереди с сияющей в солнечных лучах диадемой в волосах. В какой-то момент Зигги и Джейн обменялись взглядами, как бы спрашивая: «Кто эти удивительные люди?»

Джейн немного нервничала по поводу ознакомительного дня Зигги, сознавая, что ей следует скрывать свою нервозность от сына, у которого тоже была тревожная психика. Было такое чувство, что она приступает к новой работе — работе мамы ученика начальной школы. Будут новые правила, бумажная работа и новые процедуры.

Тем не менее они вошли в школу с Хлоей как будто по золотому билету. Их сразу же приветствовали две другие мамы:

— Хлоя! Где твоя мама?

Они представились Джейн, и Джейн поведала им историю про лодыжку Мадлен, а потом эту историю захотела услышать учительница подготовительного класса мисс Барнс, и Джейн оказалась в центре внимания, что было, честно говоря, очень приятно.

Красивое здание школы возвышалось на оконечности мыса, и краем глаза Джейн постоянно видела синеву далекого океана. Классные комнаты размещались в длинных низких зданиях из песчаника. Обсаженная деревьями игровая площадка таила в себе укромные места, подстегивающие воображение: уютные уголки среди деревьев, тайные тропинки и даже крошечный лабиринт для детей.

Когда Джейн ушла, Зигги вошел в класс, держа Хлою за руку и зардевшись от счастья, а Джейн, подойдя к машине, с восторгом увидела Мадлен на пассажирском месте, которая махала ей рукой и радостно улыбалась, словно Джейн была ее лучшей подругой. Джейн почувствовала, как напряжение внутри ее ослабевает.

А теперь она сидела в кафе «Блю блюз» в ожидании кофе, глядя на воду и ощущая на лице солнечный свет.

Может быть, их переезд сюда будет началом чего-то нового или концом старого, что даже и лучше.

— Скоро сюда приедет моя подруга Селеста, — сказала Мадлен. — Возможно, ты видела, как она привезла в школу своих мальчиков. Двух маленьких белокурых бандитов. Она высокая блондинка, красивая и беспокойная.

— Вряд ли, — сказала Джейн. — О чем ей беспокоиться, если она высокая красивая блондинка?

— Точно, — откликнулась Мадлен, словно это было ответом на вопрос. — У нее такой же замечательный и богатый муж. Они по-прежнему держатся за руки. И он милый. Он покупает подарки *мне*! Честно говоря, понятия не имею, почему я продолжаю с ней дружить. — Мадлен взглянула на часы. — Ах, она неисправима. Всегда опаздывает! Ну ладно, пока ждем, порасспрошу-ка я тебя. — Подавшись вперед, она обратила на Джейн все свое внимание. — Ты ведь новый человек на полуострове? Мне совсем незнакомо твое лицо. У нас дети одного возраста, и мы наверняка должны были бы пересекаться на развивающих занятиях или еще где-нибудь.

— Мы переезжаем сюда в декабре, — сказала Джейн. — Сейчас мы живем в Ньютауне, но я подумала, что неплохо какое-то время пожить на побережье. Пожалуй, это был своего рода каприз.

Слово «каприз» возникло неизвестно откуда, обрадовав и одновременно смутив ее.

Она попыталась сочинить причудливую историю, как будто и в самом деле была эксцентричной женщиной. Она рассказала Мадлен, что однажды несколько месяцев назад она поехала с Зигги на побережье и, увидев объявление об аренде квартир, подумала: «А почему бы не пожить на побережье?»

В конце концов, это не было ложью. Не совсем ложью.

День на побережье, снова и снова повторяла она себе, пока ехала за рулем по этой длинной извилистой дороге, словно кто-то подслушивал ее мысли, расспрашивал о планах.

Пляж Пирриви входит в десятку самых красивых пляжей мира! Она где-то об этом читала. Ее сын заслуживает того, чтобы увидеть один из десяти самых красивых пляжей мира. Ее чудесный, необыкновенный сын. Она то и дело с замиранием сердца поглядывала на него в зеркало заднего вида.

Она не рассказала Мадлен о том, что, когда они, облепленные песком, рука об руку шли к машине, у нее в голове пронзительно звучало слово «помогите», словно она о чем-то умоляла — о решении, исцелении, передышке. Передышки от чего? Исцеления от чего? Решения для чего? Ей стало трудно дышать. Она ощутила на лбу капельки пота.

Потом она увидела объявление. Срок аренды их квартиры в Ньютауне истек. Квартира с двумя спальнями помещалась в некрасивом, скучном многоквартирном доме из красного кирпича, но всего в пяти минутах ходьбы от побережья. «А что, если мы переедем сюда?» — спросила она у Зигги, и у него загорелись глаза. Сразу показалось, что эта квартира решит все ее проблемы. Люди называют это резкой переменой. Почему бы ей с Зигги не решиться на резкую перемену?

Джейн не рассказала Мадлен, что, пытаясь как-то устроить свою жизнь, она с младенчества Зигги снимала квартиры на полгода по всему Сиднею. Она не сказала ей, что все это время она, может статься, ходила кругами вокруг побережья Пирриви.

И она не сказала Мадлен о том, что, выйдя из агентства недвижимости после подписания договора, она впервые обратила внимание на живущих на полуострове людей с их золотистой кожей и выгоревшими на солнце волосами. И еще подумала о своих бледных ногах под джинсами, а потом представила себе, как будут нервничать ее родители, проезжая по этой извилистой дороге, и как побелеют костяшки пальцев отца на руле, несмотря на то что они, не жалуясь, сделают это. И сразу же к Джейн пришло убеждение, что она совершила достойную порицания ошибку. Но было уже слишком поздно.

— И вот я здесь, — запинаясь, закончила она.

— Тебе здесь понравится, — с энтузиазмом заметила Мадлен. Поморщившись, она поправила лед на лодыжке. — Ох! Ты занимаешься сёрфингом? А твой муж? Или партнер, следовало сказать. Или парень? Подруга? Я приемлю любые варианты.

— Мужа нет, — ответила Джейн. — И партнера. Только я сама. Я мать-одиночка.

— Неужели? — произнесла Мадлен таким тоном, словно Джейн объявила о чем-то дерзком и чудесном.

— Да. — Джейн глупо улыбнулась.

— Знаешь, люди обычно предпочитают забыть о таком, но я тоже была матерью-одиночкой. — Мадлен вздернула подбородок, словно обращалась к толпе не согласных с ней людей. — Мой бывший муж бросил меня, когда моя старшая дочь была крошкой. Абигейл. Сейчас ей четырнадцать. Я была тогда совсем молодой, как ты. Двадцать шесть. Хотя мне казалось, что у меня все позади. Было трудно. Трудно быть матерью-одиночкой.

— Но у меня есть мама и...

— Ну конечно, конечно. Я не говорю, что у меня не было поддержки. Мне тоже помогали родители. Но, боже правый, иногда выдавались ночи, когда Абигейл болела, или заболевала я, или хуже того — когда мы обе болели, и... — Замолчав, Мадлен пожала плечами. — Мой бывший теперь женат на другой. У них девочка того же возраста, что и Хлоя, и Натана выбрали «отцом года». Мужчины часто меняются, когда им предоставляется второй шанс. Абигейл считает отца замечательным. Только одна я затаила на него обиду. Говорят, лучше забывать обиды. Ну не знаю... Я лелею свою, как любимую зверушку.

— Я тоже не готова все прощать, — заметила Джейн.

Улыбнувшись, Мадлен ткнула в ее сторону чайной ложкой:

— Это хорошо. Никогда не прощай. Никогда не забывай. Таков мой девиз. — (Джейн не могла понять, насколько серьезно это сказано.) — Ну а папа Зигги? — продолжала Мадлен. — Он, вообще-то, показывается?

Джейн и глазом не моргнула. За пять лет она преуспела в этом. Она словно оцепенела.

— Нет. Фактически мы не были вместе. — Джейн идеально вела свою роль. — Я не знала даже, как его зовут. Это было... — Молчание. Пауза. Взгляд в сторону, словно от смущения. — Всего один раз.

— Ты хочешь сказать, одна ночь? — моментально и с симпатией спросила Мадлен.

От удивления Джейн чуть не рассмеялась. Обычно на лицах людей, в особенности возраста Мадлен, появлялось сдержанно-неприязненное выражение, как бы говорящее: я все понимаю, но теперь вы становитесь для меня человеком другого сорта. Джейн никогда не обижалась на их неприязнь, которая вызывала у нее ответную неприязнь. Ей лишь хотелось, чтобы эта тема была раз и навсегда закрыта, и в основном так оно и случалось. Зигги сам по себе. Папы нет. И оставьте меня в покое.

— Почему бы тебе не говорить, что ты рассталась с его отцом? — спрашивала, бывало, ее мать.

— Мама, вранье все усложняет, — отвечала Джейн. У матери было мало опыта по части лжи. — А так разговор окончен.

— Помню я эти ночи любви, — с тоской произнесла Мадлен. — То, что я вытворяла в девяностые. Господи помилуй! Надеюсь, Хлоя никогда не узнает. О горе мне! У тебя кайфово было?

Джейн не сразу поняла вопрос. Мадлен спрашивала, кайфовая ли была ее единственная ночь.

На миг Джейн перенеслась в стеклянную кабину лифта, бесшумно скользящую внутри здания отеля. У него в руке бутылка шампанского. Другой рукой, лежащей на ее пояснице, он прижимает ее к себе. Они оба громко хохочут. В углах его глаз глубокие морщинки. Она слабеет от смеха и желания. Дорогие ароматы.

Джейн откашлялась:

— Пожалуй, да — кайфово.

— Извини, — произнесла Мадлен. — Я позволила себе лишнее. Это потому, что я вспомнила свою бесшабашную юность. Или потому, что ты такая молодая, а я такая старая и корчу из себя крутую. Сколько тебе лет? Ничего, что я спросила?

— Двадцать четыре, — ответила Джейн.

— Двадцать четыре, — выдохнула Мадлен. — А мне сегодня сорок. Я уже тебе говорила, верно? Наверное, ты думаешь, тебе никогда не будет сорока, а?

— Ну, надеюсь, что доживу до сорока, — сказала Джейн.

Она и раньше замечала, что женщины средних лет одержимы темой возраста, то высмеивая этот предмет, то сокрушаясь о нем, они постоянно возвращались к этой теме, словно процесс старения — мудреная головоломка, ждущая разгадки. И почему это так сильно озадачивает их? У приятельниц матери Джейн, казалось, не было другой темы для разговора, по крайней мере когда они общались с Джейн. «Ах, Джейн, ты такая молодая и красивая, Джейн!» Однако это было неправдой. По их мысли, одно автоматически вытекает из другого: если ты молода, значит красива. «О, ты такая молодая, Джейн, и поможешь мне разобраться с телефоном / компьютером / камерой». На самом деле многие из маминых друзей лучше Джейн разбирались в технике. «О, ты такая молодая, Джейн, и у тебя столько энергии!» А на самом деле она так устала, так сильно устала.

— Послушай, а на что же вы живете? — обеспокоенно спросила Мадлен и выпрямилась на стуле, словно эта проблема требовала ее немедленного разрешения. — Ты работаешь?

Джейн кивнула:

— Да, я работаю внештатным бухгалтером. У меня сейчас хорошая клиентура, масса мелких предприятий. Я шустрая и быстро проворачиваю дела. Этого хватает на ренту.

— Умница, — похвалила ее Мадлен. — Когда Абигейл была маленькая, я тоже обеспечивала себя сама. По большей части. Время от времени Натан присылал мне чек. Было трудно, но радовало то, что можно послать его подальше. Ты ведь понимаешь, о чем я?

— Конечно, — ответила Джейн.

Жизнь Джейн в роли матери-одиночки не позволяла ей послать кого-нибудь подальше. Или, по крайней мере, не в том смысле, который подразумевала Мадлен.

— Ты наверняка будешь одной из самых юных мам в подготовительном классе, — задумчиво произнесла Мадлен. Отхлебнув кофе, она язвительно усмехнулась. — Ты даже моложе восхитительной новой жены моего бывшего мужа. Обещай, что не станешь с ней дружить, ладно? Я первая тебя нашла.

— Уверена, что даже не встречусь с ней, — сказала Джейн со смущением.

— Встретишься, — с ухмылкой откликнулась Мадлен. — Ее дочь пойдет в школу одновременно с Хлоей. Представляешь? — (Джейн не могла себе этого представить.) — Все мамочки будут пить кофе, а жена моего бывшего будет сидеть напротив, прихлебывая травяной чай. Не волнуйся, потасовки не будет. К несчастью, все такие скучные, приветливые и жутко взрослые. Бонни даже чмокает меня при встрече. Она занимается йогой, чакрами и всей этой фигней. Знаешь, а ведь полагается ненавидеть злобную мачеху. Моя дочь обожает ее. Бонни, видишь ли, такая спокойная. Полная противоположность мне. Она разговаривает таким приятным... тихим... мелодичным голосом, от которого хочется двинуть кулаком по стене.

Услышав, как Мадлен подражает тихому мелодичному голосу, Джейн рассмеялась.

— Не исключено, что ты подружишься с Бонни, — сказала Мадлен. — Ее невозможно ненавидеть. Я здорово умею ненавидеть, но даже мне это сложно.

Мне и в самом деле приходится вкладывать в это всю душу. — Она вновь поправила лед на лодыжке. — Когда Бонни узнает о моей лодыжке, то принесет мне угощение. Она пользуется любым предлогом, чтобы принести мне домашней еды. Вероятно, потому, что Натан сказал ей, что я ужасная стряпуха, и она хочет что-то доказать. Хотя самое противное в Бонни то, что она, пожалуй, ничего никому не доказывает. Просто она до одури мила. Мне захочется выбросить ее стряпню в мусорное ведро, но у нее все чертовски вкусное. Мой муж и дети убили бы меня за это. — Но тут выражение лица Мадлен изменилось. Просияв, она помахала кому-то. — О-о! Наконец-то пришла! Селеста! Иди сюда! Посмотри, что я натворила!

Джейн подняла глаза, и сердце у нее упало.

Не стоит придавать этому значения. Она знала, не стоит придавать этому значения. Но тот факт, что некоторые люди так непозволительно, до обидного красивы, заставляет стыдиться себя. Всему свету напоказ выставлять собственную неполноценность. Вот как должна выглядеть женщина. Именно так. Она права, а Джейн — нет.

«Ах ты, жирная, безобразная девчонка», — настойчиво бубнил ей в ухо голос, обдавая запахом перегара.

Вздрогнув, она постаралась улыбнуться направляющейся к ним жутко красивой женщине.

* * *

Теа. Полагаю, вам уже говорили, что Бонни замужем за бывшим мужем Мадлен, Натаном? В этом сложность. Возможно, вы захотите это расследовать. Я, разумеется, не собираюсь учить вас, как работать.

Бонни. Это никак не относится к делу. У нас вполне приятельские отношения. Только этим утром я оставила у них на крыльце вегетарианскую лазанью для ее бедного мужа.

Габриэль. Я была в этой школе новичком. Не знала там ни души. «О, в нашей школе все такие сплоченные», — сказала мне директриса. Все это вздор. Знаете, первое, что я заметила, придя на игровую площадку в тот ознакомительный день, — это разделение родителей на группы. Группки, группки, группки. Неудивительно, что все закончилось чьей-то смертью. Ну ладно, это преувеличение. Я, конечно, немного удивилась.

Глава 5

Селеста толкнула стеклянную дверь «Блю блюз» и сразу увидела Мадлен. Та сидела за столом с невысокой худощавой девушкой, одетой в голубую джинсовую юбку и простую белую футболку. Селеста не знала эту девушку. На миг она испытала недовольство. «Только мы с тобой», — говорила перед встречей Мадлен.

Селесте пришлось пересматривать утренние ожидания. Она сделала глубокий вдох. В последнее время она стала замечать, что во время разговора с людьми в компании с ней происходит что-то странное. Она не вполне понимала, как себя вести. Иногда ловила себя на мысли: «Я слишком громко рассмеялась? Не засмеялась вовремя? Повторяюсь?»

Почему-то, когда они были вдвоем с Мадлен, все было хорошо и ничто ее не травмировало. Наверное, потому, что они уже давно знакомы.

Может быть, ей нужно какое-то укрепляющее средство. Так сказала бы ее бабушка. Какого рода укрепляющее средство?

Селеста стала пробираться к ним между столиками. Поглощенные разговором, они пока не замечали ее.

Она хорошо рассмотрела профиль девушки. Слишком молодая для школьной мамочки. Няня или au pair[1]. Вероятно, au pair. Может быть, из Европы? Не очень сильна в английском? Это объяснило бы ее несколько напряженную позу. Конечно, может быть, она не имеет к школе никакого отношения. Мадлен с легкостью вращалась в смежных социальных кругах, по ходу дела приобретая пожизненных друзей и пожизненных врагов — последних, пожалуй, больше. Она упивалась конфликтами и любила дать волю гневу.

Мадлен увидела Селесту, и лицо ее осветилось. Одной из приятных черт Мадлен было то, как менялось ее лицо при виде вас, словно вы единственный на свете человек, которого она рада видеть.

— Привет новорожденной! — выкрикнула Селеста.

Собеседница Мадлен обернулась. Ее каштановые волосы были гладко зачесаны назад, словно она служит в армии или полиции.

— Мадлен, что случилось? — спросила Селеста, подойдя ближе и увидев ногу Мадлен на стуле.

Она вежливо улыбнулась девушке, которая в ответ сжалась, словно Селеста не улыбнулась, а усмехнулась. Господи, она ведь улыбнулась ей, да?

— Это Джейн, — сказала Мадлен. — Она помогла мне, когда я подвернула ногу, пытаясь спасти молодые жизни. Джейн, это Селеста.

— Привет, — сказала Джейн.

Кожа на лице Джейн казалась какой-то незащищенной и грубой, как будто ее только что скребли щеткой.

---

1 Девушка-иностранка, живущая в семье с целью изучения языка. — *Здесь и далее прим. пер.*

Незаметно двигая челюстями, словно стараясь скрыть это, она жевала жвачку.

— Джейн — новая мама подготовительного класса, — сказала Мадлен, когда Селеста села. — Как и ты. Так что мне предстоит познакомить вас обеих со школьной политикой в Пирриви. Это минное поле, девочки. Говорю вам, минное поле.

— Школьной политикой? — Нахмурившись, Джейн обеими руками еще крепче затянула конский хвост. — Я не буду участвовать в школьной политике.

— Я тоже, — согласилась Селеста.

Джейн всегда будет помнить, как в тот день опрометчиво искушала судьбу. «Я не буду участвовать в школьной политике», — сказала она. Кто-то наверху услышал это, и ему не понравилось ее отношение. Чересчур самоуверенно. «Мы займемся этим», — сказал некто, откинувшись на стуле и от души рассмеявшись.

Селеста подарила Мадлен комплект бокалов для шампанского из уотерфордского хрусталя.

— О господи, какая прелесть! Они восхитительны! — воскликнула Мадлен. Осторожно вынув один бокал из коробки, она поднесла его к свету, восхищаясь изысканной формой и рядами крошечных лун. — Наверное, ты потратила на них целое состояние.

Она едва не сказала: «Слава богу, ты такая богатая, дорогая», но вовремя остановилась. Будь они вдвоем, могла бы и сказать, но, очевидно, Джейн, молодая мать-одиночка, малообеспечена. Кроме того, говорить о деньгах в компании невежливо. Конечно, она это знала. Словно защищаясь, она мысленно сказала это мужу, который всегда напоминал ей о социальных нормах, которые она стремилась нарушить.

Почему им всем приходится деликатничать с темой денег Селесты? Словно богатство — сложный медицинский случай. То же самое относилось к красоте Селесты. Незнакомые люди бросали на Селесту взгляды украдкой, как на безрукую или безногую калеку. Если же Мадлен говорила что-то о внешности Селесты, та ужасно смущалась. «Ш-ш-ш», — говорила она, в страхе оглядываясь по сторонам — не слышал ли кто. Каждый хочет быть богатым и красивым, но по-настоящему богатым и красивым приходится притворяться, что они такие же, как все. Ах, этот чудной старый мир!

— Итак, школьная политика, девочки, — осторожно поместив бокал в коробку, сказала Мадлен. — Начнем с блондинок с модной стрижкой.

— Модные Стрижки? — Селеста посмотрела искоса, словно ей предстоял какой-то тест.

— Модные Стрижки правят школой. Если хочешь состоять в школьном совете, ты должна иметь такую стрижку. — Мадлен показала рукой длину стрижки. — Это как устав.

Джейн фыркнула, и Мадлен сразу же захотелось снова заставить ее смеяться.

— Так эти женщины симпатичные? — спросила Селеста. — Или нам следует избегать их?

— Ну, у них хорошие намерения, — ответила Мадлен. — У них очень, очень хорошие намерения. Они нечто вроде... мам-старост класса. У них очень четкие представления о роли школьных мам. Это у них как религия. Они матери-фундаменталистки.

— А среди детсадовских мам есть Модные Стрижки? — поинтересовалась Джейн.

— Ну-ка, посмотрим, — начала Мадлен. — О да, Харпер. Она типичная Модная Стрижка. Она входит в школьный совет, и у нее страшно одаренная дочь со слабой аллергией на орехи. Она счастливица, олицетворение духа времени.

— Ладно тебе, Мадлен, какое счастье в том, что у тебя ребенок с аллергией на орехи? — спросила Селеста.

— Знаю, — сказала Мадлен, которая в своем желании рассмешить Джейн немного рисовалась. — Шучу. Посмотрим. Кто еще? Есть еще Кэрол Куигли. Она помешана на чистоте. Все время бегает туда-сюда с флаконом моющей жидкости.

— Неправда, — возразила Селеста.

— Правда!

— А как насчет папаш?

Джейн распечатала пачку жвачки и, как незаконную контрабанду, отправила себе в рот очередную пластинку. Казалось, она помешана на жвачке, хотя было совсем незаметно, что она жует. Задавая этот вопрос, она избегала взгляда Мадлен. Надеется ли она встретить отца-одиночку?

— До меня дошли слухи, что в этом году в подготовительном классе у нас есть как минимум один неработающий отец, — сообщила Мадлен. — Его жена — важная птица в корпоративном мире. Джеки Какая-То-Там. По-моему, она исполнительный директор банка.

— Не Джеки Монтгомери? — спросила Селеста.

— Точно.

— Боже правый, — пробормотала Селеста.

— Вероятно, мы ее даже не увидим. Для матерей, работающих полный рабочий день, это сложно. Кто у нас еще работает полный рабочий день? А-а, Рената. Занимается финансами — акциями или фондовым опционом, не знаю. Так это называется? Или, может быть, она аналитик. Анализирует всякую всячину. Каждый раз, когда спрашиваю ее про работу, забываю выслушать ответ. Ее дети тоже гении. Очевидно.

— Так Рената — Модная Стрижка? — спросила Джейн.

— Нет-нет! Она бизнес-леди. У нее няня на полном рабочем дне. Кажется, она только что привезла новую из Франции. Ей нравится все европейское. У Ренаты нет времени на помощь по школе. Когда бы с ней ни говорили, она или только что была на собрании членов правления, или отправляется на собрание, или готовится к собранию. Интересно, как часто проводятся эти собрания?

— Ну, это зависит от... — начала Селеста.

— Вопрос был риторический, — прервала ее Мадлен. — Просто я хотела сказать, что она каждые пять минут поминает собрание членов правления, точно так же, как Теа Каннингем без конца повторяет, что у нее четверо детей. Кстати, она тоже детсадовская мама. Ей никак не свыкнуться с мыслью, что у нее четверо детей. Я стерва, да?

— Да, — согласилась Селеста.

— Извините, — с искренним сожалением сказала Мадлен. — Просто я пыталась развеселить вас. Виновата моя нога. Серьезно, школа чудесная, и все такие чудесные, и мы будем прекрасно проводить время и познакомимся с новыми чудесными друзьями.

Джейн фыркнула, не переставая тактично жевать жвачку. Похоже, она одновременно пила кофе и жевала резинку. В этом было нечто своеобразное.

— Ну а эти одаренные и талантливые дети? — спросила Джейн. — Их тестируют или что-то еще?

— Существует целая система определения способностей, — сказала Мадлен. — А дети занимаются по специальным программам. Они остаются в том же классе, но им дают более сложные задания, а иногда для них проводят занятия учителя-предметники. Послушайте, вы же не захотите, чтобы ваш ребенок скучал на уроке, ожидая, пока все подтянутся. Я-то это понимаю. Просто я начинаю немного... Ну, например, в прошлом году у меня был небольшой конфликт с Ренатой.

— Мадлен обожает конфликты, — сообщила Селеста Джейн.

— Ренате как-то удалось выкроить время между собраниями членов правления и организовать эксклюзивный поход в театр для одаренных детей. Да ладно, для посещения театра необязательно быть чертовски одаренным. Я менеджер по маркетингу театра Пиррриви, поэтому я об этом пронюхала.

— Она, конечно, выиграла, — усмехнулась Селеста.

— Выиграла, конечно, я, — откликнулась Мадлен. — Я получила специальную групповую скидку, и все дети пошли в театр, а в антракте родители пили шампанское за полцены. Мы отлично провели время.

— Кстати, об этом! — воскликнула Селеста. — Чуть не забыла подарить тебе шампанское! Взяла я его... Вот и оно. — Суетливо покопавшись в объемистой сумке из соломки, она извлекла бутылку «Боланже». —

Я же не могла подарить тебе бокалы для шампанского без шампанского.

— Давайте выпьем немного!

С неожиданным воодушевлением Мадлен подняла бутылку за горлышко.

— Нет-нет, — возразила Селеста. — Ты с ума сошла? Пить еще слишком рано. Через два часа нам ехать за детьми. И оно не охлажденное.

— Завтрак с шампанским! — воскликнула Мадлен. — Выпьем шампанского с апельсиновым соком. По полбокала каждой! Еще больше двух часов. Джейн, присоединишься?

— Пожалуй, я выпила бы глоток, — сказала Джейн. — Я быстро пьянею.

— Не сомневаюсь, при твоем-то весе, — заметила Мадлен. — Мы поладим. Люблю слабаков. Мне больше достанется.

— Мадлен, — вставила Селеста, — прибереги бутылку для другого раза.

— Но сегодня Праздник Мадлен, — с грустью произнесла Мадлен. — И у меня травма.

Селеста закатила глаза:

— Передай мне бокал.

* * *

Теа. Когда Джейн забирала Зигги из школы, она была в подпитии. Знаете, это всего лишь дополнительные штрихи к уже готовому портрету. Молодая мать-одиночка с утра напивается. И эта жвачка. Не очень хорошее первое впечатление. Больше я ничего не скажу.

Бонни. Я вас умоляю, никто не напивался! У них был завтрак с шампанским в «Блю блюз» в честь сорокалетия Мадлен. И они много хихикали. Так мне, по крайней мере, говорили. Мы не попали на ознакомительный день в школе, потому что были в семейном лечебном пансионате в Байрон-Бей. Потрясающая духовная практика. Хотите, дам адрес сайта в Интернете?

Харпер. С самого первого дня стало ясно, что Мадлен, Селеста и Джейн неразлейвода. Они пришли, обнявшись, как двенадцатилетние девчонки. Нас с Ренатой не пригласили на их междусобойчик, хотя мы знаем Мадлен с тех пор, как наши дети вместе ходили в детский сад. Но, как я сказала в тот вечер Ренате, когда мы пробовали изумительные блюда в ресторане «Реми» (кстати, это было до того, как его открыл весь Сидней), мне на это совершенно наплевать.

Саманта. Я работала. В школу Лили привез Стюарт. Он упоминал о том, что несколько мам только что приехали с завтрака с шампанским. Я сказала: «Ладно. Как их зовут? Похоже, это наши люди».

Джонатан. Я все это пропустил. Мы со Стюартом говорили о крикете.

Мелисса. Не я это придумала, но, вероятно, Мадлен Маккензи в то утро так напилась, что упала и вывихнула лодыжку.

Грэм. Полагаю, ваши замечания не по адресу. Не понимаю, каким образом неосмотрительный завтрак с шампанским мог привести к убийству и нанесению увечья.

* * *

Шампанское не бывает неуместным. Мадлен всегда следовала этому заклинанию.

Но потом Мадлен все-таки подумала, что на этот раз ее мнение оказалось несколько ошибочным. Не потому, что они напились. Нет, конечно. А потому, что, когда они втроем, смеясь, вошли в школу (Мадлен не захотела остаться в машине и пропустить Хлою, так что она, подпрыгивая на одной ноге, повисла у них на руках), их окружала аура заправских тусовщиц.

Людям обычно не нравится, когда их не приглашают в тусовку.

Глава 6

Джейн приехала в школу за Зигги совершенно трезвая. Она и выпила-то максимум три глотка шампанского.

Но она пребывала в состоянии эйфории. Хлопанье пробки, вылетевшей из бутылки шампанского, само это неожиданное утро, красивые хрупкие удлиненные бокалы, в которых играл солнечный свет, бариста с внешностью сёрфера, принесший три изысканных маленьких кекса со свечами, запах океана, предчувствие того, что она, быть может, подружится с этими женщинами, совершенно не похожими на ее подруг: старше, богаче и утонченней.

— Когда Зигги пойдет в школу, у тебя появятся новые друзья! — любила с чувством повторять ее мать.

Это раздражало Джейн, которая изо всех сил старалась не фыркать и не уподобляться надутому нервному подростку, перешедшему в новую школу. У матери Джейн было три лучших подруги, с которыми она познакомилась двадцать пять лет назад, когда старший брат Джейн, Дэйн, пошел в детский сад. В то первое утро они вместе отправились пить кофе и с тех пор не разлучались.

— Мне не нужны новые друзья, — ответила тогда Джейн матери.

— Нет, нужны, — возразила мать. — Тебе надо подружиться с другими мамами. Вы будете поддерживать друг друга! Они поймут, что тебе пришлось испытать.

Но Джейн уже пыталась подружиться с матерями, но у нее ничего не вышло. Она не могла найти общий язык с этими привлекательными и болтливыми женщинами. Ее раздражали их оживленные разговоры о мужьях, не получающих повышения по службе, о ремонте, не законченном к моменту рождения ребенка, и о том восхитительном времени, когда они из-за хлопот и усталости выходили из дома, даже не накрасившись! Джейн, которая в то время не пользовалась косметикой и никогда ею не пользовалась, хранила невозмутимое выражение лица, но сй хотелось крикнуть: «Какого хрена!»

И все же, как ни странно, она находила общий язык с Мадлен и Селестой, хотя у них не было ничего общего, кроме того, что их дети пойдут в один класс. И хотя Джейн не сомневалась, что Мадлен никогда не выйдет из дому без макияжа, она чувствовала, что они с Селестой, которая тоже не делала макияжа — ее красота не нуждалась в улучшениях, — могут поддразнивать Мадлен на этот счет и та будет смеяться и отшучиваться, словно они давнишние подруги.

Так что Джейн не была готова к тому, что произошло.

Она потеряла бдительность, увлеченная знакомством со школой Пирриви (все такое удобное и компактное; от этого жизнь могла показаться легкой и приятной). Она наслаждалась солнечным теплом и новым для нее запахом моря. Джейн радовалась в предвкушении школьной жизни Зигги. Впервые с его рождения на нее не давила ответственность за воспитание Зигги. Из ее новой квартиры до школы можно было дойти пешком. Они будут каждый день ходить в школу пешком, мимо пляжа, через поросший деревьями холм.

Из ее собственной пригородной начальной школы открывался вид на шестиполосное шоссе, и туда доносились запахи жареной курицы из соседнего магазина. Там не было с умом спроектированных тенистых игровых зон с очаровательными мозаичными изображениями дельфинов и китов. Там, безусловно, не было фресок со сценами из подводной жизни моря или каменных скульптур черепах в середине песочниц.

— Эта школа такая чудесная, — сказала она Мадлен, пока они с Селестой помогали Мадлен допрыгать до скамьи. — Просто волшебная.

— Знаю. На прошлогоднем вечере викторин были собраны средства для реконструкции школьного двора, — сообщила Мадлен. — Модные Стрижки умеют собирать деньги. Темой викторины было «Знаменитости прошлого». Мы здорово повеселились. Послушай, как ты относишься к вечерам викторин, Джейн?

— Отлично, — ответила Джейн. — Я знаток по части викторин и пазлов.

— Пазлов? — переспросила Мадлен, усаживаясь на выкрашенную в голубой цвет деревянную скамью, опоясывающую ствол фигового дерева, и вытягивая перед собой ногу. — Ну, пазлы не для меня!

Скоро вокруг них собралась толпа родителей, и Мадлен открыла сходку, знакомя Джейн и Селесту с мамами старших детей и рассказывая всем историю о том, как она, спасая юные жизни, подвернула ногу.

— Как это похоже на Мадлен, — обратилась к Джейн добродушная на вид женщина по имени Кэрол, в цветастом платье с рукавами фонариком и в соломенной шляпе с большими полями.

Женщина выглядела так, словно собиралась пойти в обшитую белой вагонкой церковь из «Маленького дома в прериях». Кэрол? Не та ли это Кэрол, про которую Мадлен сказала, что она помешана на чистоте? Чистюля Кэрол.

— Мадлен любит подраться, — сказала Кэрол. — Может наскочить на любого. Наши сыновья вместе играют в футбол, и в прошлом году она повздорила с одним огромным папашей. Все мужья попрятались, а Мадлен стоит перед ним и тычет пальцем ему в грудь, вот так, не уступая ни на йоту. Удивительно, что ее не убили.

— А, этот! Организатор футбольной секции для детей до семи лет. — У Мадлен эти слова прозвучали как «серийный убийца». — Не перестану ненавидеть этого мужика до смертного часа!

Тем временем Селеста немного отошла в сторону, разговаривая нерешительным, запинающимся голосом в присущей ей манере, как успела заметить Джейн.

— Как, вы сказали, зовут вашего сына? — спросила Кэрол у Джейн.

— Зигги, — ответила Джейн.

— Зигги, — с сомнением повторила Кэрол. — Это какое-то иноземное имя?

— Привет, я Рената! — Женщина с короткими седыми волосами и темно-карими глазами за стеклами модных очков в черной оправе протянула Джейн руку. Женщина чем-то напоминала политика и произнесла свое имя со странным нажимом, как будто Джейн ждала ее появления.

— Привет! Я Джейн. Как поживаете? — Джейн попыталась ответить столь же энергично. Она подумала, уж не директор ли это школы.

К ним подошла модно одетая блондинка с желтым конвертом в руке. Джейн подумала, что ее, вероятно, можно отнести к Модным Стрижкам.

— Рената, — проигнорировав Джейн, сказала блондинка. — У меня с собой отчет по образованию, о котором мы говорили за ужином...

— Одну минуту, Харпер, — немного нетерпеливо произнесла Рената и вновь повернулась к Джейн. — Джейн, приятно познакомиться. Я мама Амабеллы, а мой сын Джексон учится во втором классе. Кстати, имя произносится «Амабелла», а не «Анабелла». Французское. Мы его не придумали.

Харпер, склонившись над плечом Ренаты, почтительно кивала — совсем как люди, стоящие на пресс-конференции за спинами политиков.

— Знаете, я хотела познакомить вас с няней Амабеллы и Джексона, француженкой. Это Джульетта.

Рената указала на миниатюрную девушку с коротко подстриженными рыжими волосами и странно притягательным лицом, на котором выделялся большой рот с соблазнительными губами. Она напоминала хорошенькую инопланетянку.

— Приятно познакомиться. — Няня протянула безвольную руку. У нее был заметный французский акцент и жутко скучающий вид.

— Мне тоже, — откликнулась Джейн.

— Я всегда считала, что няням полезно знакомиться друг с другом. — Рената поражала своим энтузиазмом. — Маленькая группа поддержки, так сказать! Какой вы национальности?

— Рената, Джейн не няня! — едва сдерживая смех, выкрикнула Мадлен со скамьи.

— Ну, значит, au pair, — нетерпеливо сказала Рената.

— Рената, послушай, она мама, — пояснила Мадлен. — Просто она молодая. Знаешь, мы тоже были такими.

Словно опасаясь розыгрыша, Рената с тревогой взглянула на Джейн, но та ничего не успела сказать, поскольку кто-то произнес:

— Вот они!

Все родители устремились вперед, когда миловидная блондинка с ямочками на щеках — учительница подготовительного класса, как будто специально выбранная на эту роль, — вывела детей на улицу.

Первыми вырвались, словно ими выстрелили из пушки, два светлоголовых мальчугана и сразу подбежали к Селесте.

— Ох! — вскрикнула Селеста, когда две головки уткнулись в ее живот.

— До знакомства с маленькими дьяволятами Селесты я приветствовала идею о близнецах, — говорила Мадлен Джейн, когда они пили шампанское с апельсиновым соком, а Селеста смущенно улыбалась, нисколько не обидевшись.

Держа за руки двух похожих на принцесс девочек, из класса неторопливо вышла Хлоя. Джейн в тревоге искала среди детей Зигги. Неужели Хлоя дала ему отставку? Вот же он. Он выходил из класса одним из последних, но вид у него был счастливый. Джейн подняла вверх большой палец, как бы спрашивая «о'кей?», и Зигги с улыбкой поднял вверх оба больших пальца.

Неожиданно всеобщее внимание привлек детский плач. Плакала маленькая девочка с вьющимися волосами, которая выходила последней из класса, ссутулившись и держась за шею.

— Ах! — вырвался вздох у всех мам, потому что у девочки был такой несчастный вид и такие прелестные волосы.

Джейн смотрела, как Рената бросилась вперед, а за ней не спеша последовала странная няня. Мать, няня и белокурая учительница наклонились к девчушке.

— Мамочка! — Зигги подбежал к Джейн, и она подхватила его. Казалось, они давно не виделись, словно оба побывали в дальних экзотических странах. Она зарылась носом в его волосах.

— Ну, как все прошло? Интересно было?

Он не успел ответить, потому что учительница сказала:

— Прошу у всех родителей и детей минуту внимания. У нас было чудесное утро, но необходимо потолковать об одной вещи. Это довольно серьезно.

Ямочки на щеках учительницы задрожали, словно она старалась прогнать их до более подходящего случая.

Джейн опустила Зигги на пол.

— Что происходит? — спросила чья-то мама.

— Наверное, что-то случилось с Амабеллой, — сказала другая.

— О господи! — тихо произнесла еще одна мама. — Сейчас увидим, как Рената выйдет на тропу войны.

— Кто-то только что ударил Анабеллу, простите, Амабеллу, и я хочу, чтобы этот человек вышел сюда и извинился, потому что мы не обижаем друзей в школе, верно? — сказала учительница строгим голосом. — А если обидели, то просим прощения, потому что так поступают большие дети.

Воцарилась тишина. Дети или в оцепенении смотрели на учительницу, или раскачивались взад-вперед, глядя на носки туфель. Некоторые прятали лица в маминых юбках.

Один из близнецов Селесты дергал ее за блузку.

— Я хочу есть!

Мадлен проковыляла от скамейки под деревом и встала рядом с Джейн.

— Что за суматоха? — Она осмотрелась по сторонам. — Я не знаю даже, где Хлоя.

— Кто это был, Амабелла? — спросила Рената у девочки. — Кто тебя обидел?

Девочка произнесла что-то невнятное.

— Может быть, это вышло случайно? — с отчаянием спросила учительница.

— Ради всего святого, это не было случайностью! — выпалила Рената. Лицо ее горело праведным гневом. — Кто-то пытался ее задушить. На шее видны следы. У нее, наверное, будут синяки.

— Боже правый! — ужаснулась Мадлен.

Джейн наблюдала, как учительница, присев на корточки, обняла девочку за плечи и зашептала ей что-то на ухо.

— Ты заметил, что случилось? — спросила Джейн у Зигги.

Он энергично замотал головой.

Учительница поднялась и, теребя серьги в ушах, повернулась к родителям:

— Вероятно, кто-то из мальчиков... Гм, да. Проблема в том, что дети еще не знают друг друга по имени, и Амабелла не может сказать мне, кто именно из мальчиков...

— Мы так этого не оставим! — прервала ее Рената.

— Не оставим! — поддержала ее светловолосая подруга.

Харпер, подумала Джейн, стараясь запомнить все имена.

Учительница тяжело вздохнула:

— Конечно не оставим. Я хотела бы попросить детей, нет, пожалуй, только мальчиков на минутку подойти ко мне.

Родители стали легонько подталкивать сыновей вперед.

— Иди туда, — сказала Джейн Зигги.

Он схватил ее за руку и жалобно посмотрел на мать:

— Я хочу домой.

— Все в порядке, — подбодрила его Джейн. — Только на минутку.

Зигги отошел от нее и встал рядом с мальчиком на голову выше себя. У того были черные вьющиеся волосы и широкие плечи. Он напоминал маленького гангстера.

Мальчики встали перед учительницей в неровную шеренгу. Их было около пятнадцати, разного роста и комплекции. Белокурые близнецы Селесты стояли в конце; один из них возил маленькой машинкой по голове брата, а тот отмахивался от нее, как от мухи.

— Это похоже на опознание в полиции, — заметила Мадлен.

Кто-то захихикал:

— Перестань, Мадлен.

— Они должны смотреть вперед, а потом повернуться в профиль, — продолжала Мадлен. — Если это один из твоих мальчиков, Селеста, она не сможет различить их. Придется делать анализ ДНК. Послушай, а у однояйцевых близнецов одинаковая ДНК?

— Легко тебе смеяться, Мадлен, твой ребенок вне подозрения, — сказала другая мама.

— У них одинаковая ДНК, но разные отпечатки пальцев, — откликнулась Селеста.

— Понятно, значит, придется снимать отпечатки пальцев, — сказала Мадлен.

— Ш-ш-ш, — сдерживая смех, зашикала Джейн.

Она искренне сочувствовала матери ребенка, которого собирались прилюдно унизить.

Девчушка по имени Амабелла держалась за мамину руку. Рыжеволосая няня, сложив на груди руки, отступила на шаг назад.

Амабелла разглядывала шеренгу мальчиков.

— Это он. — Почти сразу она указала на маленького гангстера. — Это он пытался меня задушить.

Я так и знала, подумала Джейн.

Но потом воспитательница почему-то положила руку на плечо Зигги, и маленькая девочка закивала, а Зигги замотал головой:

— Это не я!

— Да, ты, — сказала девочка.

* * *

Сержант уголовной полиции Эдриан Куинлан. Для выяснения причин смерти будет произведено вскрытие, но на данном этапе я утверждаю, что жертва страдала переломами ребер с правой стороны, раздроблением костей таза, а также переломами основания черепа, костей правой ступни и позвонков поясничного отдела.

Глава 7

О горе мне! — подумала Мадлен.

Чудненько. Она только что подружилась с матерью маленького бандита. В машине он показался ей таким милым и славным. Слава богу, он не пытался задушить Хлою. Из этого ничего не вышло бы. Хлоя нокаутировала бы его правым хуком.

— Зигги ни за что бы... — пролепетала Джейн.

Ее лицо побелело, она была вне себя от ужаса. Мадлен увидела, что другие родители стали понемногу отступать от Джейн, и вокруг нее образовалось пространство.

— Не переживай. — Мадлен сочувственно положила ладонь на плечо Джейн. — Это же дети! Они еще не вполне цивилизованные!

— Извините.

Обойдя двух мам, Джейн вступила в маленькую толпу, словно взошла на сцену. И положила руку на плечо Зигги. Сердце Мадлен разрывалось из-за них обоих. Джейн по виду могла бы сойти за ее дочь. По сути дела, Джейн немного напоминала ей Абигейл — та же ершистость, тот же робкий сдержанный юмор.

— О господи, — сокрушалась Селеста рядом с Мадлен. — Это ужасно.

— Я ничего не сделал, — звонким голосом произнес Зигги.

— Зигги, нам лишь нужно, чтобы ты попросил прощения у Амабеллы, вот и все, — сказала мисс Барнс.

Бек Барнс учила Фреда, когда он был в подготовительном классе. Тогда она только что окончила педагогический колледж. Все у нее шло хорошо, но она была еще очень молода и излишне старалась угодить родителям. С такими мамами, как Мадлен, проблем не было, а вот с Ренатой Клейн приходилось туго. Хотя, по правде сказать, любой родитель попросил бы извиниться, если бы другой ребенок стал душить его чадо. Пожалуй, свою роль сыграло и то, что Мадлен выставила Ренату, принявшую Джейн за няню, на посмешище. А Рената не выносила, когда ее выставляли на посмешище. В конце концов, у нее гениальные дети. Ей надо поддерживать репутацию. Посещать собрания членов правления.

Джейн посмотрела на Амабеллу:

— Детка, ты уверена, что тебя обидел именно этот мальчик?

— Пожалуйста, попроси прощения у Амабеллы. Ты сделал ей очень больно, — сказала Рената Зигги. Она разговаривала приветливо, но твердо. — А потом мы все пойдем домой.

— Но это был не я! — Зигги говорил очень четко, глядя Ренате прямо в глаза.

Мадлен сняла солнцезащитные очки и стала грызть дужки. Может быть, это не он? Может быть, Амабелла ошиблась? Но она одаренный ребенок! И совершенно очаровательная девчушка. Иногда она играла с Хлоей, и с ней всегда было легко. Она позволяла Хлое командовать собой, выполняя второстепенные роли в любых играх.

— Не ври! — набросилась Рената на Зигги. Похоже, она позабыла о своем высказывании: «Я не меняю позитивного отношения к другим детям, даже если они неважно себя ведут». — Все, что от тебя требуется, — попросить прощения.

Мадлен заметила, как инстинктивно отреагировало тело Джейн — наподобие неожиданного броска змеи или прыжка животного. Она выпрямила спину, вздернула подбородок:

— Зигги не лжет.

— Ну а я уверяю вас: Амабелла говорит правду.

Небольшая аудитория примолкла. Перестали шуметь даже дети, за исключением близнецов Селесты, которые гонялись друг за другом по игровой площадке, выкрикивая что-то про ниндзя.

— Ладно, похоже, мы зашли в тупик.

Очевидно, мисс Барнс не имела понятия, что делать. Ей было всего двадцать четыре года.

Рядом с Мадлен появилась Хлоя, которая тяжело дышала после лазания по лесенкам.

— Мне надо искупаться, — заявила она.

— Ш-ш-ш, — зашикала на нее Мадлен.

Хлоя вздохнула:

— Можно мне поплавать, мамочка?

— Тише!

У Мадлен разболелась лодыжка. Ее день рождения явно не удавался. Вот вам и праздник в честь Мадлен! Ей очень хотелось снова сесть на скамью. Вместо этого она, прихрамывая, бросилась в гущу событий.

— Рената, — начала она, — ты же знаешь, как это бывает у детей...

Рената качнула головой и сердито уставилась на Мадлен:

— Ребенок должен отвечать за свои действия. Должен понимать, что могут быть последствия. Нельзя, чтобы он разгуливал, пытаясь душить детей, и притворялся, будто этого не делал! Так или иначе, какое отношение это имеет к тебе, Мадлен? Не лезь не в свое дело.

Мадлен разозлилась. Она лишь пыталась помочь! И надо же было сказать такую пакость: «Не лезь не в свое дело»! С того прошлогоднего конфликта по поводу похода в театр для одаренных и талантливых детей они с Ренатой невзлюбили друг друга, хотя внешне оставались подругами.

На самом деле Рената нравилась Мадлен, но с самого начала в их отношениях присутствовал дух соперничества.

— Понимаешь, я свихнулась бы от скуки, если бы целый день сидела с ребенком, — такой я человек, — доверительно говорила Рената Мадлен, совсем не желая обидеть подругу, потому что Мадлен фактически не занималась ребенком целый день, а работала на полставки.

Однако всегда подразумевалось, что Рената умнее, что ей в большей степени необходима умственная деятельность, поскольку она занимается карьерой, а Мадлен — всего лишь работой.

К тому же Джексон, старший сын Ренаты, был знаменит в школе как шахматист, побеждающий в турнирах, а Фред, сын Мадлен, прославился тем, что стал единственным учеником в истории школы Пирриви, у которого хватило смелости взобраться на гигантскую смоковницу и оттуда совершить невероятный прыжок на крышу музыкального салона, чтобы достать тридцать четыре теннисных мяча. Для его спасения пришлось вызвать пожарную команду. Фред пользовался в школе недосягаемой репутацией.

— Мамочка, это неважно. — Амабелла подняла на мать глаза, в которых по-прежнему стояли слезы.

Мадлен заметила на шее бедного ребенка красноватые следы от пальцев.

— Нет, важно, — сказала Рената. Она повернулась к Джейн. — Прошу вас, пусть ваш ребенок извинится.

— Рената, — начала Мадлен.

— Не вмешивайся, Мадлен.

— Да, нам, пожалуй, не стоит вмешиваться, Мадлен, — встряла оказавшаяся поблизости Харпер.

Похоже, она всегда соглашалась с Ренатой.

— Мне жаль, но я не могу заставить его извиниться за то, чего он не делал, — сказала Джейн.

— Ваш ребенок врет, — настаивала Рената, сверкая глазами за стеклами очков.

— Я так не думаю, — вздернув подбородок, возразила Джейн.

— Мамочка, я очень хочу домой. — Амабелла не на шутку расплакалась.

Странная новая няня Ренаты, молчавшая все это время, подняла девочку, и та обхватила ногами ее талию и уткнулась носом ей в шею. На лбу Ренаты пульсировала жилка. Она сжимала и разжимала руки.

— Это совершенно... недопустимо, — заявила она бедной смущенной мисс Барнс, которая задавалась вопросом: почему подобные ситуации не изучались в педагогическом колледже?

Рената наклонилась так, чтобы ее лицо было напротив лица Зигги:

— Если еще раз дотронешься до моей малышки, тебе не поздоровится.

— Э-э! — воскликнула Джейн.

Проигнорировав ее, Рената выпрямилась и обратилась к няне:

— Пойдем, Джульетта.

Они вышли через игровую площадку, а все родители сделали вид, что заняты своими детьми.

Зигги проводил их взглядом. Посмотрев на мать, он почесал нос и сказал:

— Я не хочу больше приходить в эту школу.

* * *

Саманта. Все родители должны пойти в полицейский участок и написать заявление. До меня очередь еще не дошла. Меня все это очень удручает. Возможно, меня сочтут виновной. Серьезно, даже когда рядом со мной у светофора встает полицейская машина, я чувствую себя виноватой.

Глава 8

За пять месяцев до вечера викторин

— Северные олени съели морковку!

Мадлен открыла глаза в свете раннего утра и увидела прямо перед собой наполовину съеденную морковку. Эд, тихо похрапывающий рядом с ней, потратил накануне немало времени и старания, разгрызая морковки, чтобы придать им такой вид, будто их на самом деле грызли северные олени. Хлоя в пижаме удобно устроилась верхом на животе Мадлен: копна волос, широкая улыбка, озорные сияющие глаза.

Мадлен потерла глаза и посмотрела на часы. Шесть часов. Вероятно, лучшее, на что можно было рассчитывать.

— Ты думаешь, Санта-Клаус оставил Фреду картофелину? — с надеждой спросила Хлоя. — Потому что в этом году он плохо себя вел.

Мадлен говорила своим детям, что, если они плохо себя вели, Санта мог оставить им завернутую в бумагу картофелину и они будут потом гадать, какой чудесный подарок заменила картофелина. Самым заветным желанием Хлои на Рождество было, чтобы брат получил картофелину. Возможно, это порадовало бы ее даже больше, чем кукольный домик под елкой. Мадлен всерьез подумывала о том, чтобы завернуть картофелины для них обоих. Это было бы таким мощным стимулом для хорошего поведения в будущем году. «Помните о картофелине», — могла бы она повторять. Но Эд не позволил бы ей. Он чертовски добрый.

— Твой брат уже встал? — спросила она Хлою.

— Сейчас разбужу! — закричала Хлоя, и не успела Мадлен ее остановить, как она с топотом убежала по коридору.

Эд заворочался в постели:

— Ведь еще не утро, правда? Совсем не похоже на утро.

— Украсьте залы остролистом! — запела Мадлен. — Тра-ла-ла-ла!

— Заплачу тебе тысячу долларов, если прямо сейчас замолчишь, — сказал Эд и закрыл лицо подушкой.

Для доброго человека он проявлял поразительную нетерпимость к ее пению.

— У тебя нет тысячи долларов, — парировала Мадлен и принялась петь «Silent Night».

Зазвенел ее мобильник, и Мадлен, не переставая петь, взяла его с ночного столика.

Пришла эсэмэска от Абигейл. В этом году она встречала Рождество с отцом, Бонни и сводной сестрой. Скай, родившаяся через три месяца после Хлои, была белокурой маленькой девочкой, которая следовала за Абигейл, как преданный щенок. К тому же она была очень похожа на Абигейл в детстве, отчего Мадлен становилось не по себе, а иногда она роняла слезы, как будто у нее украли что-то ценное. Ясно было, что Абигейл отдает предпочтение Скай перед Хлоей и Фредом, которые отказывались боготворить ее. Мадлен часто ловила себя на такой мысли: «Но, Абигейл, Хлоя и Фред — твои родные сестра и брат, и ты должна любить их больше!», что не было формально верным. Мадлен никак не могла уразуметь, что все трое имеют по отношению к Абигейл одинаковый статус сводных сестер и брата.

Мадлен прочитала эсэмэску:

Веселого Рождества, мамочка! Мы все — папа, Бонни, Скай и я — с полшестого утра в приюте. Я успела почистить сорок картофелин! Какой прекрасный опыт — внести свой вклад в хорошие дела. Я на вершине блаженства. С любовью, Абигейл.

— Она ни разу в жизни не почистила ни одной дурацкой картофелины, — пробубнила Мадлен и написала ответную эсэмэску.

Это замечательно, милая. Тебе тоже веселого Рождества, скоро увидимся, целую.

Мадлен швырнула телефон на ночной столик, вдруг почувствовав себя обессиленной, и постаралась подавить вспышку гнева.

«На вершине блаженства... Прекрасный опыт».

И это пишет четырнадцатилетняя девочка, которую никак не допросишься накрыть на стол. Ее дочь начинает изъясняться совсем как Бонни.

На прошлой неделе Бонни сообщила Мадлен, что в рождественское утро они собираются всей семьей посетить в качестве волонтеров приют для бездомных. «Терпеть не могу всю эту тупую коммерциализацию Рождества, а ты?» — заявила Бонни, когда они случайно встретились в торговом центре. Мадлен занималась рождественским шопингом и была увешена десятками пластиковых пакетов. Фред и Хлоя сосали леденцы на палочке, их губы приобрели ярко-красный оттенок. Бонни же несла крошечное карликовое деревце в горшке, а Скай вышагивала рядом и ела грушу. Долбаную грушу, как потом сказала Мадлен Селесте. Почему-то она никак не могла отделаться от мысли о груше.

Как, черт возьми, удалось Бонни вытащить из постели в такую рань бывшего мужа Мадлен, чтобы отправиться в приют для бездомных? Когда они были женаты, Натан не вставал раньше восьми часов. Должно быть, Бонни постаралась с минетом.

— Абигейл набирается «прекрасного опыта» вместе с Бонни в приюте для бездомных, — сообщила Мадлен Эду.

Эд снял с лица подушку.

— Но это же противно, — заявил он.

— Знаю, — сказала Мадлен.

Вот за это она его и любила.

— Кофе, — сочувственно произнес он. — Принесу тебе кофе.

— ПОДАРКИ! — завопили Хлоя и Фред из коридора.

Хлоя и Фред от души предавались тупой коммерциализации Рождества.

* * *

Харпер. Представьте себе, как неуютно должна была чувствовать себя Мадлен, когда ребенок ее бывшего мужа оказался в подготовительном классе вместе с ее ребенком. Помню, как мы с Ренатой обсуждали это за поздним завтраком. Нас очень волновало, как это скажется на отношениях в классе. Разумеется, Бонни делала вид, что все мило и по-дружески. «Ах, мы все встретимся за рождественским обедом». Я вас умоляю! Я видела их на вечере викторин. Видела, как Бонни плеснула в лицо Мадлен напитком!

Глава 9

Селеста проснулась в рождественское утро, едва начало светать. Перри крепко спал, и из соседней комнаты мальчиков не доносилось ни звука. Они чуть с ума не сошли от возбуждения, когда узнали, что Санта-Клаус нашел их в Канаде. Санте были посланы письма, сообщающие ему об изменении адреса. Из-за сбоя биологических часов организма они с Перри с великим трудом уложили близнецов спать. Мальчиков поместили вдвоем на огромной кровати, и они долго возились на ней, переходя от смеха к слезам и обратно, пока Перри не крикнул из соседней комнаты: «Спать, ребята!» — и неожиданно наступила тишина. Когда несколько секунд спустя Селеста пришла посмотреть на них, оба они лежали навзничь, разбросав руки и ноги, как будто их мгновенно подкосила усталость.

— Иди посмотри на них, — сказала она Перри.

Он подошел и встал рядом с ней, и несколько минут они смотрели на спящих детей, а потом, улыбнувшись друг другу, вышли на цыпочках и отправились пить ликер в честь рождественского сочельника.

А сейчас Селеста выскользнула из-под пухового одеяла, подошла к окну, выходящему на замерзшее озеро, и приложила ладонь к стеклу. Оно было холодным на ощупь, но в комнате было тепло. На середине озера стояла громадная елка, сверкающая красными и зелеными огоньками. В воздухе медленно кружились снежинки. Было так красиво, что возникало желание попробовать все это. Потом, оглядываясь на эти праздники, она вспоминала их вкус и аромат: насыщенный, фруктовый, как у вина с пряностями, которое они пили.

Сегодня, после того как мальчики открыли свои подарки и в номер был подан завтрак — блинчики с кленовым сиропом! — они собирались пойти поиграть в снегу. Они слепят снеговика. Перри забронировал им прогулку на санях. Он разместит в «Фейсбуке» их фотографии, на которых они резвятся в снегу. И напишет что-то вроде: «Мальчики встречают свое первое белое Рождество!» Перри любил «Фейсбук». Все его подкалывали на этот счет. Крупный, удачливый банкир размещает в «Фейсбуке» фотографии, пишет бодрые комментарии к кулинарным рецептам приятельниц жены.

Селеста вновь посмотрела на кровать, где спал Перри. Во сне у него всегда были немного нахмурены брови, как будто его озадачивали собственные сны.

Едва проснувшись, он сразу захочет вручить Селесте подарок. Он любил дарить подарки. Впервые она поняла, что хочет за него замуж, заметив предвкушение на его лице, когда он смотрел, как его мать распечатывает подарок на день рождения от него. «Тебе нравится?» — выпалил он, как только она разорвала бумагу, и все домочадцы рассмеялись, потому что он был похож на большого ребенка.

Селесте не придется разыгрывать радость. Что бы он ни выбрал, это будет идеально. Она всегда гордилась своим умением выбирать содержательные подарки, но Перри в этом превзошел ее. Во время последней заграничной поездки он купил необычную пробку для шампанского из розового хрусталя. «Как только я взглянул на пробку, то сразу подумал о Мадлен», — сказал он тогда. Разумеется, Мадлен подарок очень понравился.

Сегодняшний день будет во всех отношениях идеальным. Фотографии в «Фейсбуке» не солгут. Так много радости. В ее жизни много радости. Этот факт не нуждается в подтверждении.

Нет нужды уходить от него, пока мальчики не окончат среднюю школу.

Это время будет как раз подходящим, чтобы уйти. В день, когда они сдадут последний экзамен. «Отложите в сторону ручки», — скажет экзаменатор. Именно тогда Селеста отложит в сторону свой брак.

Перри открыл глаза.

— Веселого Рождества! — улыбнулась Селеста.

* * *

Габриэль. Я опоздала к началу вечера викторин, потому что мой бывший, как обычно, опоздал, и мне пришлось парковаться за несколько миль под проливным дождем. Как бы то ни было, я случайно заметила Селесту и Перри, сидящих в машине, как раз неподалеку от входа в школу. Все это было немного странно, потому что оба они, одетые в карнавальные костюмы, смотрели прямо перед собой, не разговаривая, не глядя друг на друга. Разумеется, Селеста выглядела потрясающе. И вообще, я бывала свидетельницей тому, как она, не думая о завтрашнем дне, поглощает углеводы. Так что не говорите мне, что на свете существует справедливость.

Глава 10

Джейн проснулась от криков «Счастливого Рождества!», доносившихся с улицы под окнами ее квартиры. Сев в кровати, она подергала себя за футболку, которая оказалась мокрой от пота. Ей приснилось, что она лежит на спине, а Зигги в своей короткой пижаме стоит перед ней, улыбаясь и наступая ногой ей на горло.

— Отойди, Зигги, я задыхаюсь! — силилась сказать она, но он перестал улыбаться, продолжая с интересом рассматривать ее, словно проводил научный эксперимент.

Она приложила ладонь к шее и судорожно вздохнула.

Это всего лишь сон. Сны ничего не значат.

Зигги лежал в постели рядом с ней, прижимаясь к ней теплой спиной. Она повернулась к нему лицом и дотронулась кончиком пальца до нежной тонкой кожи над скулой.

Каждый вечер он ложился спать в свою кровать и каждое утро просыпался в ее. Ни один не помнил, как он туда попал. Они решили, что это какое-то волшебство. «Может быть, меня каждую ночь переносит добрая фея», — сказал как-то Зигги, округлив глаза и чуть улыбаясь, потому что лишь наполовину верил во всю эту чепуху.

— Однажды он перестанет это делать, — говорила мать Джейн, когда Джейн рассказывала ей, что Зигги по-прежнему каждую ночь перебирается к ней. — В пятнадцать он не будет этого делать.

На носу Зигги появилась новая веснушка, которую Джейн раньше не замечала. Теперь у него на носу было три веснушки, образующие очертания паруса.

Когда-нибудь рядом в постели с Зигги будет лежать женщина и рассматривать его спящее лицо. У него над верхней губой будут пробиваться черные усики. Вместо худых мальчишеских плечиков — широкие мужские плечи.

Каким он станет мужчиной?

Он станет добрым, замечательным мужчиной, совсем как ее папочка, категорично заявляла ее мать, словно для нее это был непреложный факт.

Мать Джейн верила, что Зигги — это реинкарнация ее любимого отца. Или, по крайней мере, она делала вид, что верит в это. Невозможно было понять, насколько серьезно она говорит об этом. Папочка умер за полгода до рождения Зигги, и как раз в это время мать Джейн читала книгу о маленьком мальчике, предположительно перевоплощенном летчике-истребителе Второй мировой войны. В голове у нее застряла мысль о том, что ее внук может быть, по сути дела, ее отцом. Это помогало ей пережить горе.

И по счастью, не было зятя, который глумился бы над ней с разговорами, что его сын — фактически дед его жены.

Джейн не поощряла разговоров о реинкарнации, но и не мешала им. Может быть, Зигги и в самом деле папочка. Иногда она различала в лице Зигги отголоски черт папочки, в особенности когда мальчик пытался сосредоточиться. Он так же морщил лоб.

Ее мать очень рассердилась, когда Джейн рассказала ей по телефону о происшествии на ознакомительном дне в школе.

— Это возмутительно! Зигги никогда не стал бы душить другого ребенка! Наш ребенок и мухи не обидит. Он такой же, как папочка. Помнишь, папочка не мог даже прихлопнуть муху? Твоя бабушка приплясывала с криками: «Убей ее, Стэн! Прихлопни эту чертову муху!»

Потом последовало молчание, а это означало, что на мать Джейн напал приступ беззвучного смеха.

Джейн выждала, пока мать вновь заговорит слабым голосом:

— Ох, это пошло мне на пользу! Смех улучшает пищеварение. Так о чем это мы? Ах да! Зигги! Этот противный ребенок! Не Зигги, конечно, а та маленькая девочка. Зачем ей было обвинять нашего милого Зигги?

— Да, — сказала Джейн. — Но дело в том, что эта девочка совсем не противная. Вот ее мать какая-то ужасная, а дочка показалась мне симпатичной. — Джейн говорила не очень уверенно, и мать почувствовала это.

— Но, дорогая, ты же не думаешь, что Зигги действительно пытался задушить ребенка?

— Нет, конечно, — ответила Джейн и сменила тему разговора.

Джейн поправила подушку и устроилась поудобней. Может быть, ей удастся заснуть. «Зигги разбудит тебя ни свет ни заря», — говорила ей мать. Однако в этом году Зигги не выказывал особого энтузиазма по поводу Рождества, и Джейн подумала, что, наверное, в чем-то его подвела. У нее часто возникало тревожное чувство, что она придумывает для него какое-то воображаемое детство. Она изо всех сил старалась создавать маленькие ритуалы и семейные традиции в день рождения и по праздникам. «Давай вывесим твой чулок!» Но куда? Они слишком часто переезжали с квартиры на квартиру, чтобы найти постоянное место. Край его кровати? Дверная ручка? Она металась из стороны в сторону, говоря высоким срывающимся голосом. Во всем этом было какое-то жульничество. Эти ритуалы не были настоящими, как в других семьях, где имелись мать, отец и по меньшей мере еще один ребенок. Иногда ей казалось, что Зигги просто соглашается со всем ради нее, видит ее насквозь и понимает, что его обманывают.

Она смотрела, как поднимается и опускается его грудь.

Он такой красивый. Ну не мог он обидеть ту маленькую девочку и не мог соврать.

Но все спящие дети красивы. Даже ужасные дети во сне, наверное, выглядят симпатичными. Откуда ей наверняка знать, что он этого не сделал? Разве кто-нибудь знает по-настоящему своего ребенка? Ваш ребенок — маленький незнакомец, который постоянно меняется, прячется, а потом предстает перед вами в новом свете. У него могут внезапно проявиться новые черты характера.

И потом было...

Не думай об этом. Не думай об этом.

У нее в мозгу, как пойманный мотылек, трепетало одно воспоминание.

С того момента как маленькая девочка указала на Зигги, оно стремилось ускользнуть от нее. Кто-то сжимает ей горло. Ужас затопляет душу. Из глотки готов вырваться крик.

Нет, нет, нет!

Зигги — это Зигги. Он не мог. Не стал бы. Она знает своего ребенка.

Он зашевелился. Затрепетали голубоватые веки.

— Угадай, какой сегодня день, — сказала Джейн.

— Рождество! — прокричал Зигги.

Он выпрямился так стремительно, что сильно ударил Джейн головой по носу, и она упала на подушку, а из глаз полились слезы.

* * *

Теа. Я всегда считала, что с этим ребенком не все в порядке. С этим Зигги. Глаза у него какие-то странные. Мальчикам нужен мужчина как образец для подражания. Мне жаль, но это факт.

Стью. Черт, вокруг этого Зигги поднялась такая суматоха. Я не знал, чему верить.

Глава 11

— Ты летаешь так же высоко, как этот самолет, папа? — спросил Джош.

Они уже примерно семь часов летели из Ванкувера домой в Сидней. Пока все было хорошо. Никаких споров. Мальчики заняли места у иллюминаторов, а Селеста и Перри сели у прохода.

— Нет. Помнишь, что я тебе говорил? Мне приходится лететь низко, чтобы не засекли радары, — ответил Перри.

— Ах да. — Джош опять повернулся к окну.

— Почему тебе надо избегать радаров? — поинтересовалась Селеста.

Покачав головой, Перри обменялся снисходительной усмешкой, означающей «женщины!», с Максом, который сидел рядом с Селестой и прислушивался к разговору.

— Это очевидно, Макс, так ведь?

— Это совершенно секретно, мамочка, — терпеливо объяснил ей Макс. — Никто не знает, что папа умеет летать.

— Ну конечно, — сказала Селеста. — Извините. Глупо с моей стороны.

— Понимаете, если меня поймают, то, наверное, будут проводить разные проверки, — добавил Перри. — Захотят узнать, как у меня развились такие способности, потом постараются завербовать в военно-воздушные войска. И мне придется выполнять секретные миссии.

— Ага, и мы этого не хотим, — сказала Селеста. — Папа и так много путешествует.

Перри потянулся через проход и молчаливо накрыл ее руку своей.

— Ты ведь не умеешь по-настоящему летать, — заявил Макс.

Перри поднял брови, округлил глаза и слегка дернул плечами:

— Разве не умею?

— Наверное, нет, — неуверенно произнес Макс.

Перри подмигнул Селесте через голову Макса. Он уже давно рассказывал близнецам о своей скрытой способности к полету, вдаваясь в нелепые подробности о том, как в пятнадцать лет обнаружил ее у себя, и говоря им, что в этом возрасте они, возможно, тоже научатся летать, если унаследуют его способности и будут есть много брокколи. Мальчики никак не могли понять, шутит он или нет.

— Я тоже летал вчера, когда съезжал на лыжах и сделал большой прыжок. — Макс показал рукой траекторию полета. — Вжик!

— Да, летал, — согласился Перри. — У папы чуть не сделался сердечный приступ.

Макс прыснул.

Перри сжал руки перед собой и потянулся:

— Надо размяться, а то вы меня загоняли. Такие шустрые.

Селеста разглядывала его. Он хорошо выглядел: загорелый и отдохнувший после пяти дней катания на лыжах и санях. В этом-то и состояла проблема. Она попрежнему безнадежно увлечена им.

— Что такое? — Перри бросил на нее взгляд.

— Ничего.

— Хороший отпуск, а?

— Прекрасный, — с чувством произнесла Селеста. — Волшебный.

— Думаю, для нас год будет удачным. — Перри посмотрел ей в глаза. — Согласна? Мальчики пойдут в школу, и у тебя, надеюсь, будет чуть больше времени на себя, а я... — Он замолчал, а затем продолжил: — Я постараюсь сделать все возможное, чтобы этот год стал для нас удачным. — И он застенчиво улыбнулся.

Иногда он это делал. Говорил или делал что-то, заставлявшее ее испытывать к нему такую же влюбленность, как в тот первый год, когда они познакомились на том скучном бизнес-ланче и она впервые по-настоящему поняла смысл слов «потерять голову от любви».

Селеста почувствовала, как на нее накатывает умиротворенность. По проходу шла стюардесса, предлагая печенье с шоколадной крошкой, испеченное на борту самолета. Аромат был восхитительным. Может быть, этот год окажется для них по-настоящему счастливым.

И может быть, она останется. Она всегда испытывала огромное облегчение, когда позволяла себе поверить, что может остаться.

— Давайте пойдем на пляж, когда вернемся домой, — предложил Перри. — И построим большой песчаный замок. Вчера снеговик, завтра песчаный замок. Черт возьми, ребята, хорошо вы устроились!

— Ага. — Джош зевнул и с наслаждением растянулся на кресле бизнес-класса. — Это здорово.

* * *

Мелисса. Помню, как увидела Селесту и Перри с близнецами на пляже во время школьных каникул. Я сказала мужу: «По-моему, это одна из новых детсадовских мам». У него чуть глаза не выскочили из орбит. Селеста и Перри гладили друг друга, смеялись и помогали детям строить этот по-настоящему затейливый песчаный замок. Честно говоря, это было как-то противно. Типа даже их песчаные замки лучше наших.

Глава 12

Сержант уголовной полиции Эдриан Куинлан. Мы рассматриваем все аспекты, все возможные мотивы.

Саманта. Так мы действительно прибегнем к слову... «убийство»?

За четыре месяца до вечера викторин

— Я хочу поиграть с Зигги, — заявила Хлоя теплым летним вечером в начале нового года.

— Хорошо, — согласилась Мадлен.

Она наблюдала за старшей дочерью. Абигейл уже очень долго разрезала свой бифштекс на одинаковые крошечные квадратики, а теперь толкала их взад-вперед, словно складывая какую-то сложную мозаику. В рот себе она не положила ни единого кусочка.

— Тебе надо поиграть со Скай. — Абигейл положила вилку и заговорила с Хлоей. — Она очень рада, что попала в один класс с тобой.

— Это так мило, правда? — произнесла Мадлен напряженным приторным голосом, которым всегда говорила при упоминании в разговоре дочери ее бывшего мужа. — Ну разве не мило?

Эд расплескал вино, и Мадлен наградила его сердитым взглядом.

— Скай мне почти как сестра, правда, мамочка? — спросила Хлоя.

В отличие от своей мамы, она с восторгом узнала о том, что будет в одном подготовительном классе вместе со Скай. Этот вопрос она задавала не меньше сорока тысяч раз.

— Нет, Скай — сводная сестра Абигейл, — с ангельским терпением произнесла Мадлен.

— Но я тоже сестра Абигейл! — воскликнула Хлоя. — Это значит, что мы со Скай должны быть сестрами! Мы можем быть близнецами, как Джош с Максом!

— Кстати, а ты видела Селесту после их приезда из Канады? — спросил Эд. — Перри разместил в «Фейсбуке» потрясающие снимки. Нам тоже надо будет как-нибудь отпраздновать белое Рождество. Когда выиграем в лотерее.

— Бррр, — поежилась Мадлен. — У них там замерзший вид.

— Я стал бы потрясающим сноубордистом, — мечтательно произнес Фред.

Мадлен бросило в дрожь. Маленький Фред всерьез подсел на адреналин. Если можно было куда-то взобраться, он забирался. Она уже была не в силах смотреть на его катание на скейтборде. В свои семь лет он переворачивал, вращал и бросал худощавое тело по воздуху, как это делали пацаны вдвое старше его. Когда Мадлен видела по телику этих крутых невозмутимых парней, отвечающих на вопросы журналиста по поводу своих недавних рискованных приключений типа прыжков с парашютом с высотных зданий, скалолазания и тому подобного, она думала: это про Фреда. Он даже внешне чем-то напоминал их с этими неряшливыми, слишком длинными волосами сёрфера.

— Тебе надо постричься, — сказала она.

Фред с отвращением наморщил веснушчатый нос:

— Не буду!

— Я позвоню маме Зигги, — сказала Мадлен Хлое. — И договорюсь о встрече на детской площадке.

— Мадлен, ты уверена, что это хорошая идея? — тихо спросил Эд. — Он кажется немного грубоватым. Разве не он... Ну, ты знаешь...

— Мы не знаем наверняка, — ответила Мадлен.

— Но ты говорила, что Амабелла Клейн показала на него.

— И раньше случалось, что на предъявлении для опознания в полиции указывали на невинных людей, — заметила Мадлен.

— Если этот пацан хотя бы пальцем тронет Хлою...

— О-о, умоляю тебя, Эд, — сказала Мадлен. — Хлоя может за себя постоять. — Она посмотрела на тарелку Абигейл. — Почему ты не ешь?

— Мы любим Ренату и Джефа, — заявил Эд. — Так что, если их дочь говорит, что этот парнишка Зигги обидел ее, мы должны их поддержать. Что это за имя такое — Зигги?

— Мы не так уж сильно любим Ренату и Джефа, — возразила Мадлен. — Абигейл, ешь!

— Разве? — удивился Эд. — Я думал, Джеф мне нравится.

— Ты его только терпишь, — сказала Мадлен. — Ему больше нравится пялиться на девиц, Эд, чем играть в гольф.

— Неужели? — У Эда был разочарованный вид. — Ты уверена?

— Ты сейчас думаешь о Гарете Хайеке.

— Правда? — Эд нахмурился.

— Да, — сказала Мадлен. — Хлоя, прекрати размахивать вилкой. Ты чуть не угодила Фреду в глаз. Тебе нездоровится, Абигейл? И поэтому ты не ешь?

Абигейл положила нож с вилкой.

— Пожалуй, я стану веганом, — важно произнесла она.

Бонни была веганом.

— Только через мой труп, — заявила Мадлен.

Или, во всяком случае, через чей-то еще труп.

* * *

Теа. А ты знаешь, что у Мадлен от первого брака есть четырнадцатилетняя дочь Абигейл? Мне так жаль детей из распавшихся семей! Я очень рада, что могу предложить своим детям стабильное окружение. Уверена, на вечере викторин Мадлен и Бонни ругались из-за Абигейл.

Харпер. Я фактически слышала, как Мадлен говорила: «Сегодня вечером я непременно кого-нибудь убью». Я предположила, что это имеет отношение к Бонни. Но, разумеется, я ни на кого не указываю пальцем.

Бонни. Да, Абигейл — моя падчерица, и, совершенно верно, у нее есть ряд типично подростковых проблем, но мы с Мадлен совместно стараемся помочь ей. Чувствуете запах лимонного мирта? Я впервые пользуюсь этим новым ароматом. Он помогает при стрессах. Сделайте глубокий вдох. Вот так. Не обижайтесь, если я скажу, что вам надо постараться снять напряжение.

Глава 13

Это был один из тех дней. Недавно, незадолго до Рождества. У Селесты пересохло во рту. В голове пульсировала кровь. Она шла через школьный двор вслед за мальчиками и Перри, прямо и осторожно неся тело, словно это был высокий хрупкий бокал, который она боялась расплескать.

Все ее ощущения обострились до предела: теплый воздух, овевающий голые руки, ремешки сандалий между пальцами ног, края листьев большой смоковницы и то, как каждый лист четко вырисовывался на фоне голубого неба. Это напоминало напряженное восприятие, когда снова влюбляешься, снова беременеешь или впервые самостоятельно ведешь автомобиль. Все кажется значительным.

— Вы с Эдом ссоритесь? — спросила она однажды у Мадлен.

— Как кошка с собакой, — весело ответила Мадлен.

Селеста почему-то подумала, что подруга говорит о чем-то совершенно другом.

— Можно, мы сначала покажем папе лесенки для лазания? — прокричал Макс.

Занятия в школе начались две недели назад, но этим утром магазин, где продавалась школьная форма, работал в течение двух часов, чтобы родители смогли купить все необходимое. У Перри был выходной, и, купив мальчикам форму, родители собирались устроить им плавание с маской и трубкой.

— Конечно, — сказала Селеста Максу.

Он убежал, и, глядя ему вслед, она поняла, что это не Макс. Это был Джош. Ситуация выходила у нее из-под контроля. Она думала, что слишком сильно концентрируется, а на самом деле концентрировалась недостаточно.

Перри провел по ее руке кончиком пальца, и она вздрогнула.

— С тобой все в порядке? — спросил он.

Он поднял на лоб темные очки, чтобы она могла видеть его глаза. Белки глаз у него были очень белые. Наутро после ссоры она обычно ходила с покрасневшими глазами, а у Перри глаза оставались ясными и сияющими.

— Все хорошо, — с улыбкой ответила она.

Улыбнувшись в ответ, он привлек ее к себе.

— В этом платье ты такая красивая, — шепнул он ей на ухо.

Именно так они держались друг с другом на следующий день — нежно и трепетно, словно испытали вместе нечто ужасное вроде стихийного бедствия, словно едва успели спастись.

— Папа! — пронзительно закричал Джош. — Иди посмотри на нас!

— Иду! — прокричал в ответ Перри.

Он побежал за ними, колотя себя кулаками в грудь, как горилла, согнувшись, размахивая руками и издавая обезьяньи звуки. Вне себя от притворного ужаса, мальчики убежали прочь.

Это была просто неприятная ссора, сказала она себе. Все пары ссорятся.

Вчера вечером мальчики остались на ночь у матери Перри.

— Устройте себе романтический ужин без этих маленьких бандитов, — сказала тогда свекровь.

Все началось с компьютера.

Селеста искала расписание работы магазина школьных принадлежностей, и в какой-то момент компьютер выдал что-то о «катастрофической ошибке».

— Перри, — позвала она его из кабинета, — с компьютером какие-то нелады!

Что-то в ней противилось этому. *Нет, не говори ему. Что, если он не сумеет устранить ошибку?*

Глупо, глупо, глупо. Надо было соображать. Но было уже поздно. Он с улыбкой вошел в кабинет:

— Посторонись, женщина.

Перри хорошо разбирался в компьютерах. Ему нравилось помогать ей, и, если бы он смог устранить ошибку, все было бы прекрасно.

Но он не сумел этого сделать.

Проходили минуты. По тому, как были напряжены его плечи, она догадывалась, что дело не клеится.

— Не волнуйся, — сказала она. — Оставь это.

— Я справлюсь! — рявкнул он, перемещая мышь. — Я знаю, в чем проблема. Надо просто... Черт побери! — Он снова выругался. Сначала тихо, потом громче.

Она вздрагивала от резкого звука его голоса.

И по мере того как нарастал его гнев, в ней поднимался ответный гнев, потому что она воочию видела, во что превратится этот вечер и каким он был бы, не совершили она эту «катастрофическую ошибку».

Блюдо с морепродуктами, которые она приготовила, так и останется несъеденным. Торт со взбитыми сливками и фруктами окажется в мусорном ведре. Зря потраченные время, усилия и деньги. Она терпеть не могла ненужные траты. Это вызывало у нее досаду.

Поэтому в ее голосе прозвучала досада, когда она произнесла:

— Прошу тебя, Перри, оставь это.

В этом была ее ошибка. Может быть, если бы она сказала более дружелюбно... Проявила бы больше терпения... Ничего не сказала бы...

Он повернулся на кресле лицом к ней. Глаза его сверкали гневом. Слишком поздно. Его занесло. Все было кончено.

Но она не отступила. Не хотела отступать. Продолжала сражаться до конца из-за несправедливости и нелепости происходящего. *Она всего-то и попросила его помочь ей наладить компьютер.* Такого быть не должно, в раздражении думала она, когда уже поднялись крики, и у нее гулко застучало сердце и напряглись мышцы. Это несправедливо, это неправильно.

Все вышло даже хуже, чем обычно, потому что сыновей не было дома. Им не приходилось понижать голос, шикать друг на друга за закрытыми дверями. Дом был большой, и соседи не слышали их криков. Можно было подумать, что они наслаждаются возможностью ругаться вволю.

Селеста направилась к лесенкам для лазания, которые находились в прохладном и тенистом углу игровой площадки. Когда мальчики пойдут в школу, им понравится играть здесь.

Перри подтягивался на перекладине, а мальчики считали. Он красиво двигал плечами. Ему приходилось поднимать ноги, потому что детский турник был низким. Он всегда был спортивным.

Была ли в Селесте какая-то нездоровая, ущербная часть, которой, по сути дела, нравилось так жить и которая нуждалась в этом позорном, ужасном замужестве? Вот что она думала об этом. Как будто их с Перри связывали странные и омерзительные привычки извращенного секса.

Секс действительно был частью их конфликтов.

После ругани всегда бывал секс. Когда все заканчивалось. Около пяти утра. Яростный, злой секс со слезами, омывающими лица обоих, и трогательными извинениями, и словами, вновь и вновь неразборчиво повторяемыми: *Никогда больше, клянусь жизнью, больше никогда, это надо прекратить, мы должны это прекратить, никогда больше.*

— Пошли, — сказала она мальчикам. — Надо успеть в школьный магазин, пока он не закрылся.

Перри легко спрыгнул на землю и подхватил близнецов под мышки:

— Понял!

Неужели она любит его так же сильно, как ненавидит? И ненавидит так же сильно, как любит?

— Надо обратиться к другому консультанту, — заявила она ему рано утром.

— Ты права, — ответил он, как будто для этого была реальная возможность. — Когда вернусь, мы об этом поговорим.

На следующий день он улетал. В Вену на встречу на высшем уровне, которую спонсировала его фирма. Ему предстояло прочитать основной доклад по какой-то ужасно сложной и глобальной теме. В докладе будет много аббревиатур и малопонятного жаргона, и он будет стоять на кафедре с маленькой лазерной указкой, читая доклад, подготовленный ассистентом.

Перри часто бывал в отъезде. Иногда он казался ей каким-то отклонением в ее жизни. Посетителем. Пока его не было, у нее шла настоящая жизнь. Происходившие с ними вещи не имели большого значения, потому что ему всегда предстояло уехать — на следующий день или на следующей неделе.

Два года назад они посетили консультанта по брачно-семейным отношениям. Селеста возлагала на визит большие надежды, но, едва увидев дешевую виниловую кушетку и энергичное искреннее лицо консультанта, она поняла, что они совершают ошибку. Она наблюдала за Перри, который оценивал свое превосходство в интеллекте и общественном положении явно не в пользу консультанта, и поняла, что этот визит будет их первым и последним.

Они так и не рассказали консультанту правду. Говорили о том, как раздражает Перри неспособность Селесты встать вовремя и ее постоянные опоздания. Селеста рассказала, что Перри иногда выходит из себя.

Как могли они признаться незнакомой женщине в том, что творилось в их семейной жизни? Позор всего этого. Безобразие их поведения. Они были такой красивой парой. Люди постоянно им об этом говорили. Ими восхищались, им завидовали. У них были все мыслимые привилегии на свете. Заграничные поездки. Прекрасный дом.

Их поведение было омерзительным и недопустимым.

— Прекратите это! — наверняка сказала бы с негодованием и отвращением эта приятная энергичная женщина.

Селеста хотела, чтобы консультант догадалась. *Она хотела, чтобы та задала правильный вопрос.* Но этого не произошло.

Выйдя из офиса консультанта, они оба настолько обрадовались окончанию этого спектакля, что в середине дня зашли в гостиничный бар, выпили и начали активно флиртовать друг с другом. Не допив свой стакан, Перри вдруг поднялся, взял ее за руку и повел к стойке администратора. Они сняли номер. Ха-ха! Как смешно, как сексуально. Можно было подумать, что консультант решила их проблемы. Потому что, в конце концов, сколько женатых пар могли сделать такое? После она почувствовала себя жалкой и расстроенной. На нее накатило отчаяние.

— Так где же школьный магазин? — спросил Перри, когда они вновь оказались в четырехугольном школьном дворе.

— Не знаю, — ответила Селеста. *Откуда мне знать? Зачем мне знать?*

— Вы сказали — школьный магазин? Он вон там.

Селеста обернулась. Это была та настойчивая миниатюрная женщина в очках, которую они видели на ознакомительном дне в школе. Та самая, дочь которой сказала, что Зигги пытался ее задушить. С ней была маленькая девочка с кудряшками.

— Я Рената, — представилась женщина. — Мы встречались в прошлом году на ознакомительном дне. Вы подруга Мадлен Маккензи, верно? Амабелла, перестань. Что ты делаешь? — (Девочка держалась за белую юбку матери, робко прячась за нее.) — Иди поздоровайся. Вот эти мальчики будут учиться в одном классе с тобой. Они однояйцевые близнецы. Ну разве не интересно? — Она посмотрела на Перри, перед которым стояли сыновья. — Как все-таки вы их различаете?

Перри протянул ей руку:

— Перри. Мы их тоже не различаем. Понятия не имею, кто из них кто.

Рената с жаром пожала руку Перри. Женщины всегда проявляли к Перри интерес. Белозубая улыбка, как у Тома Круза, и внимание, с каким он относился к женщинам.

— Рената. Очень приятно познакомиться. Вы здесь, чтобы купить мальчикам форму? Отлично! С Амабеллой должна была пойти няня, но у меня рано закончилось собрание членов правления, и я решила пойти сама. — Перри энергично закивал, словно пораженный услышанным. Рената понизила голос: — С того инцидента в школе Амабелла проявляет беспокойство. Жена вам рассказывала? В ознакомительный день ее пытался задушить маленький мальчик. У нее на шее остались синяки. Мальчик по имени Зигги. Мы всерьез собирались заявить в полицию.

— Ужасно! Господи, ваша бедная малышка! — воскликнул Перри.

— Па-а-па, — заныл Макс, потянув отца за руку. — Пойдем!

— Мне жаль, право. — Рената выразительно посмотрела на Селесту. — Наверное, я дала маху! Разве вы с Мадлен и мамой того мальчика не праздновали день рождения? Ее зовут, кажется, Джейн? Очень молодая девушка. Я приняла ее за au pair. Насколько я знаю, вы все хорошие друзья. Я слышала, вы пили шампанское! Утром!

— Зигги? — нахмурился Перри. — Мы не знаем никого с ребенком по имени Зигги, да?

Селеста откашлялась:

— В тот день я впервые увидела Джейн. Она подвезла Мадлен, когда та подвернула ногу. Она была... Ну, она показалась мне очень симпатичной.

Селесте не особенно хотелось связываться с матерью забияки, но, с другой стороны, Джейн ей понравилась, и у бедной девушки был совсем жалкий вид, когда дочь Ренаты указала на Зигги.

— Она сбита с толку, вот что, — заявила Рената. — И никак не желала признать, что ее драгоценный ребенок сделал то, что сделал. Я велела Амабелле держаться подальше от этого Зигги. На вашем месте я сказала бы вашим мальчикам сделать то же самое.

— Возможно, это неплохая мысль. Нам бы не хотелось, чтобы они с первого дня попали в дурную компанию. — Перри говорил с непринужденным юмором, как будто ничего не принимая всерьез, хотя, зная его, можно было предположить, что эта непринужденность притворная.

Детский опыт Перри заставлял его в особенности опасаться запугивания. Когда дело касалось его сыновей, он становился почти секретным агентом, подозрительно стреляя по сторонам глазами, осматривая игровую площадку или парк — нет ли поблизости хулиганов, бездомных собак или педофилов, маскирующихся под дедушек.

Селеста открыла рот.

— Гм, — только и сказала она. *Им по пять лет. А ты не перегнул палку*?

Но все же было в Зигги что-то странное. Она лишь мельком видела его тогда в школе, однако что-то вывело ее из равновесия, наполнило недоверием. А ведь он красивый пятилетний мальчик, такой как ее сыновья. Каким образом у нее могли возникнуть подобные мысли в отношении пятилетнего ребенка?

— Мам! Пошли! — Джош дернул Селесту за руку.

Она ухватилась за болезненное правое плечо:

— Ой! — На миг она ощутила такую резкую боль, что ее замутило.

— С вами все в порядке? — поинтересовалась Рената.

— Селеста? — спросил Перри.

Она заметила в его взгляде постыдное узнавание. Он точно знал, почему ей стало так больно. Когда он вернется из Вены, в его портфеле будут лежать изысканные драгоценности. Очередной экземпляр в ее коллекцию. Она никогда их не наденет, и он не станет спрашивать почему.

На миг Селеста лишилась дара речи. Во рту громоздились неудобные слова. Она представила себе, как выплеснет их наружу.

Мой муж бьет меня, Рената. Конечно, только не по лицу. Он для этого слишком утонченный.

А ваш муж бьет вас?

И если все-таки бьет, вот какой вопрос меня интересует: вы отвечаете ему?

— Все хорошо, — сказала она.

Глава 14

— Я пригласила Джейн с Зигги на детскую площадку на следующей неделе, — сообщила Мадлен по телефону Селесте, как только закончила разговор с Джейн. — Думаю, тебе с мальчиками тоже стоит прийти. На тот случай, если мы исчерпаем темы для разговора.

— Хорошо, — согласилась Селеста. — Большое спасибо. Встреча в песочнице с мальчуганом, который...

— Да-да, — поддакнула Мадлен. — Маленький душитель. Но, знаешь, наши детки тоже не ангелочки.

— Вчера, когда мы покупали ребятишкам форму, я встретила мать жертвы. Ренату. Она велела дочери избегать Зигги и посоветовала мне сказать то же самое моим мальчикам.

Мадлен сжала телефон:

— Она не имеет права говорить тебе такое!

— Наверное, она просто беспокоилась...

— Нельзя вносить ребенка в черный список еще до начала занятий!

— Ну, не знаю, попробуй встать на ее место. Если бы такое случилось с Хлоей, то, наверное... — Голос Селесты замер, и Мадлен прижала телефон к уху. Селеста часто так делала: разговаривает нормально и вдруг куда-то уносится.

На этой почве они впервые и познакомились, потому что Селеста тогда тоже пребывала в своих грезах. Их дети, недавно начав ходить, посещали вместе группу по плаванию. Хлоя с близнецами стояла на небольшом помосте у края бассейна, а тренер по очереди учил каждого ребенка плавать по-собачьи и держаться на поверхности воды. Мадлен еще раньше заметила эффектную маму, наблюдающую за занятиями, но ни разу не разговаривала с ней. Обычно Мадлен не спускала глаз с четырехлетнего Фреда, доставлявшего ей много хлопот. В тот день Фред, к счастью, был занят мороженым, и Мадлен смотрела на Хлою, которая держалась на поверхности, как морская звезда. Но тут она заметила, что на помосте стоит только один из близнецов.

— Эй! — крикнула Мадлен тренеру. — Эй! — Она стала высматривать красивую маму. Та стояла в стороне, уставившись в пространство. — Ваш малыш! — завопила Мадлен.

Люди как бы в замедленном движении повернули головы. Дежурного по бассейну нигде не было видно.

— Вот блин! — С этими словами Мадлен в платье и туфлях прыгнула в бассейн и вытащила со дна задыхающегося и отплевывающегося Макса.

Мадлен разразилась воплями, а Селеста прижала к себе своих мокрых мальчуганов и, рыдая, бормотала неловкие слова благодарности. Администрация школы плавания принесла подобострастные извинения, постаравшись избежать ответственности. Ребенок уже вне опасности, и они сожалеют о случившемся и обязательно пересмотрят методику.

Обе женщины забрали детей из этой школы плавания, а Селеста, юрист по образованию, написала письмо в администрацию, требуя компенсации за испорченные туфли, почти новое платье и, разумеется, возмещения оплаты за обучение.

Вот так они подружились, и, когда Селеста познакомила ее с Перри, Мадлен поняла, что та сказала мужу лишь о том, что они познакомились на занятиях по плаванию. Не всегда обязательно рассказывать мужу все подробности.

А теперь вот Мадлен сменила тему разговора:

— Перри опять куда-то улетел?

Голос Селесты неожиданно вновь обрел четкость.

— В Вену. Да. На три недели.

— Уже скучаешь? — поинтересовалась Мадлен.

Шутка.

Последовала пауза.

— Ты слушаешь? — спросила Мадлен.

— Мне нравятся тосты на ужин, — произнесла Селеста.

— О да, когда Эд уезжает, я ем на ужин йогурт и шоколадное печенье, — сказала Мадлен. — Боже правый, почему у меня такой усталый вид?

Она говорила по телефону, сидя на кровати в гостевой комнате, где всегда складывала чистое белье. В тот момент она случайно увидела свое отражение в зеркальном платяном шкафу. Встав с кровати и прижимая телефон к уху, она подошла к зеркалу.

— Может, потому, что ты устала, — предположила Селеста.

Мадлен дотронулась кончиком пальца до места под глазом.

— Я прекрасно выспалась! — воскликнула она. — Каждый день я думаю: черт, сегодня у тебя немного утомленный вид, и только недавно до меня дошло, что это не от усталости, а просто теперь я так выгляжу.

— Огурцы? Разве ты не пользуешься ими для уменьшения отечности? — вяло произнесла Селеста.

Мадлен знала, что Селесту совершенно не интересует целый пласт жизни, доставляющий Мадлен большое удовольствие: одежда, косметика, украшения, аксессуары. Иногда Мадлен смотрела на Селесту с длинными золотисто-рыжими волосами, кое-как зачесанными назад, и у нее возникало желание схватить Селесту и поиграть с ней, словно та была одной из кукол Барби дочери Хлои.

— Я оплакиваю утрату юности, — сообщила она Селесте, и та фыркнула. — Начать с того, что я никогда не была такой уж красивой...

— Ты и сейчас красива, — откликнулась Селеста.

Мадлен скорчила себе рожицу перед зеркалом, а потом отвернулась. Ей не хотелось признаваться даже себе самой, насколько сильно ее огорчает старение лица. Она предпочла бы не замечать столь поверхностных проблем. Пусть бы ее огорчало положение в мире, а не морщинки на коже. Всякий раз, заметив признаки естественного старения тела, она испытывала какой-то беспричинный стыд, словно плохо старалась. А между тем Эд с каждым годом становился все более сексуальным, несмотря на то что морщинок вокруг глаз у него становилось больше, а волосы постепенно седели.

Она опять уселась на кровать и принялась раскладывать одежду.

— Сегодня за Абигейл приехала Бонни, — сообщила Мадлен Селесте. — Она подошла к двери, и вид у нее был — ну, я не знаю, — как у какой-нибудь шведской сборщицы ягод, с этим шарфом в красную и белую клетку на голове. Абигейл выбежала из дому. Представляешь, выбежала. Как будто ей не терпелось поскорей расстаться с этой старой каргой-мамашей.

— А-а, — протянула Селеста. — Теперь понимаю.

— Иногда я чувствую, что теряю Абигейл. Чувствую, что она отдаляется от меня, и мне хочется схватить ее и сказать: «Абигейл, тебя он тоже бросил. Он ушел от нас обеих». Но приходится быть взрослой. Ужасно, что она, по сути дела, счастлива в этой глупой семье, где они медитируют и едят нут.

— Конечно нет, — возразила Селеста.

— Я и так знаю. Ненавижу нут.

— Правда? А я люблю. Тебе он тоже полезен.

— Заткнись. Так ты приведешь своих мальчишек поиграть с Зигги? Похоже, бедной маленькой Джейн в этом году понадобятся друзья. Давай станем ее друзьями и позаботимся о ней.

— Конечно, мы придем, — согласилась Селеста. — Я принесу нут.

* * *

Миссис Липман. Нет. В школе прежде не бывало вечера викторин, который окончился бы кровопролитием. Считаю этот вопрос оскорбительным и провокационным.

Глава 15

— Хочу жить в двухэтажном доме, как этот, — сказал Зигги, когда они подходили к дому Мадлен по подъездной дорожке.

— Правда? — спросила Джейн.

Она поправила сумку на сгибе локтя. В другой руке она несла пластиковый контейнер со свежеиспеченными банановыми кексами.

Ты хочешь вести такую жизнь? Меня тоже устроила бы такая жизнь.

— Подержи это секунду, пожалуйста.

Она протянула Зигги контейнер, а сама достала из сумки две пластины жвачки, рассматривая дом. Это был обычный двухэтажный семейный дом из светло-желтого кирпича. Немного обветшалый. Трава требовала стрижки. Под навесом для автомобиля висели два сдвоенных каяка. У стены стояли бугиборды и доски для сёрфинга. На балконе висели купальные полотенца. На лужайке перед домом валялся детский велосипед.

В этом доме не было ничего особенного. Он был похож на дом родителей Джейн, который, правда, отличался меньшими размерами и большей опрятностью.

Поскольку ее дом находился в часе езды от побережья, в нем не было признаков пляжной активности, но царил тот же дух простого, легкомысленного загородного жилья.

Таково детство.

Все это так просто. Зигги не просит многого. Он заслуживает такой жизни.

Если бы в тот вечер Джейн не пошла в клуб, если бы не выпила третью порцию «текилы-бум», если бы сказала «нет, спасибо», когда он сел рядом с ней, если бы осталась дома и получила степень бакалавра искусств, нашла работу, мужа, взяла ипотеку и сделала бы все это должным образом, тогда, вероятно, когда-нибудь она зажила бы в семейном доме и стала бы порядочным человеком, ведущим порядочную жизнь.

Но тогда у нее не было бы Зигги.

И возможно, у нее никогда не было бы детей. Она вспомнила сдвинутые брови врача, который говорил ей за год до того, как она забеременела:

— Джейн, поймите, забеременеть вам будет очень трудно, если вообще возможно.

— Зигги! Зигги, Зигги, Зигги! — Распахнулась входная дверь, оттуда выбежала Хлоя в платье феи и потащила Зигги за руку. — Ты будешь играть со мной, ладно? А не с братом Фредом.

Вслед за ней появилась Мадлен в платье в белый и красный горошек с пышной юбкой в стиле 1950-х. Волосы у нее были завязаны в конский хвост.

— Джейн! С Новым годом! Как ты? Так приятно тебя видеть. Посмотри, у меня зажила лодыжка! И ты будешь довольна, что на мне туфли без каблуков.

Встав на одну ногу, она покрутила лодыжкой, демонстрируя блестящую красную балетку.

— Они у тебя как рубиновые туфельки Дороти, — сказала Джейн, вручая Мадлен кексы.

— Тебе на самом деле нравятся? — спросила Мадлен. Она сняла крышку с контейнера. — Боже правый! Только не говори, что ты это сама испекла!

— Сама, — ответила Джейн.

Откуда-то со второго этажа доносился смех Зигги. От этих звуков у нее радостно забилось сердце.

— Посмотри-ка, ты с домашними кексами, а я в платье домохозяйки тысяча девятьсот пятидесятых, — произнесла Мадлен. — Мне нравится идея домашней выпечки, но до дела у меня обычно не доходит: никогда не бывает всех ингредиентов. Как тебе удается запастись и мукой, и сахаром, и, ну не знаю, ванилином?

— Просто я покупаю их, — сказала Джейн. — В месте, которое называется супермаркет.

— Ты, наверное, составляешь список, а потом не забываешь взять список с собой.

Джейн рассудила, что чувства Мадлен в отношении выпечки Джейн идентичны чувствам Джейн в отношении модных аксессуаров Мадлен: смущенное восхищение диковинным поведением.

— Сегодня ко мне приедет Селеста с мальчиками. Она мигом проглотит твои кексы. Чай или кофе? Пожалуй, не стоит при каждой встрече пить шампанское, хотя меня можно и уговорить. Мы что-нибудь празднуем?

Мадлен привела ее в большую кухню, объединенную с гостиной.

— Ничего не празднуем, — ответила Джейн. — Просто чай. Это будет здорово.

— Как прошел переезд? — спросила Мадлен, включая чайник. — Когда вы переезжали, мы были в отпуске, а иначе я предложила бы тебе Эда в помощники. Я всегда предлагаю его в качестве грузчика. Он это обожает.

— Серьезно?

— Нет-нет. На самом деле ненавидит. И ругается со мной. Он говорит: «Я не какой-то аппарат, который можно кому-нибудь одолжить!» — Она заговорила нарочито низким голосом. — Но знаешь, он платит за то, чтобы поднимать тяжести в спортзале, так почему бы не поднять несколько коробок бесплатно? Садись. Извини за беспорядок.

Джейн уселась за длинный деревянный стол, усеянный осколками семейной жизни: наклейки, раскрытая книга, солнцезащитный крем, какая-то электронная игрушка, аэроплан, собранный из лего.

— С переездом мне помогли родственники, — сказала Джейн. — Там много лестниц. Они на меня немного злились, но никогда не позволили бы мне платить за грузчиков.

«Уж лучше бы мне не таскать каждые полгода этот долбаный холодильник вверх-вниз по лестницам», — заявил ее брат.

— Молоко? Сахар? — спросила Мадлен, опуская в чашки пакетики с чаем.

— Ничего, просто черный. Гм, утром я видела одну из тех мам. — Джейн хотела поговорить об ознакомительном дне, пока в комнате не было Зигги. — На автозаправке. Думаю, она сделала вид, что не замечает меня.

Джейн не просто думала, а знала это. Та женщина так быстро отвернула голову, как будто ее ударили по щеке.

— Правда? — Мадлен это показалось забавным. Она взяла кекс. — Кто это? Ты помнишь, как ее зовут?

— Харпер, — ответила Джейн. — Я почти уверена, что это была Харпер. Помню, что про себя назвала ее Прилипчивая Харпер, потому что она все время толкалась около Ренаты. Наверное, она одна из ваших Модных Стрижек, с ее-то длинным отвислым лицом, как у бассет-хаунда.

Мадлен фыркнула:

— Это точно Харпер. Да, она близкая подруга Ренаты и, как ни странно, очень гордится этим, словно Рената какая-то знаменитость. Ей всегда не терпится дать вам понять, что они с Ренатой ведут светскую жизнь. «О, мы провели изумительный вечер в изумительном ресторане!» — Мадлен откусила кусочек кекса.

— Полагаю, поэтому Харпер и не хочет знаться со мной, — сказала Джейн. — Из-за того, что случилось...

— Джейн, — перебила ее Мадлен, — кекс просто потрясающий.

Джейн улыбнулась при виде изумленного лица Мадлен, к носу которой прилипла крошка.

— Спасибо, могу дать рецепт, если...

— О господи, не хочу рецепт, хочу просто кекс. — Мадлен сделала большой глоток чая. — Знаешь что? Где мой телефон? Прямо сейчас позвоню Харпер и спрошу, почему она притворилась, что не видит мою новую подругу, мастерицу по кексам.

— Не смей этого делать! — воскликнула Джейн.

Как она догадывалась, Мадлен — одна из тех немного опасных людей, которые сразу бросаются на защиту друзей, создавая ненужный переполох.

— Ну, я бы не потерпела подобного отношения, — заявила Мадлен. — Если эти женщины будут докучать тебе из-за случившегося в ознакомительный день, я этого не потерплю. Такое могло произойти с любым.

— Я бы заставила Зигги извиниться. — Джейн надо было доказать Мадлен, что она не из тех матерей, которые во всем потакают своим детям. — Но когда он сказал, что не делал этого, я поверила ему.

— Конечно поверила, — сказала Мадлен. — Уверена, он этого не делал. Он производит впечатление доброго ребенка.

— Я на сто процентов уверена. Ну, на девяносто девять процентов. Я... — Джейн замолчала и сглотнула.

На нее вдруг нахлынуло желание рассказать Мадлен о своих сомнениях. Объяснить ей, что кроется за одним процентом сомнений. Просто... рассказать о том, о чем еще никому не рассказывала. Поведать всю эту историю с начала до конца.

Был прекрасный теплый весенний вечер в октябре. В воздухе витал аромат жасмина. У меня жуткая сенная лихорадка. В горле дерет, чешутся глаза.

Она могла бы просто говорить, не думая, не переживая, доведя историю до конца.

А потом, возможно, Мадлен сказала бы в своей решительной, не допускающей возражений манере: «О-о, не волнуйся, Джейн. Это ничего не значит! Зигги именно такой, каким ты его считаешь. Ты его мать, и ты его знаешь».

А что, если она скажет прямо противоположное? Если Мадлен хотя бы на миг почувствует сомнение Джейн, что тогда? Это было бы худшим предательством Зигги.

— Абигейл! Иди попробуй кекса! — Мадлен подняла глаза на девочку-подростка, которая вошла в кухню. — Джейн, это моя дочь Абигейл. — В голосе Мадлен послышалась фальшивая нотка. Она положила кекс и стала крутить свою серьгу. — Абигейл! — снова позвала она. — Это Джейн!

Джейн повернулась на стуле.

— Привет, Абигейл, — сказала она девочке-подростку, которая стояла очень прямо, сложив перед собой руки, будто участвовала в какой-то религиозной церемонии.

— Привет! — Абигейл улыбнулась с неожиданной теплотой.

Это была сияющая улыбка Мадлен, но, не будь этой улыбки, вы никогда не сказали бы, что это мать и дочь. У Абигейл была более смуглая кожа и более резкие черты лица. Длинные волосы в беспорядке лежали на спине, словно Абигейл только что вылезла из постели. Поверх леггинсов на ней было бесформенное коричневое платье. От кистей до предплечий руки были разрисованы затейливым узором из хны. Единственным украшением служил серебряный череп на черном шнурке, висящий на шее.

— Папа заедет сюда, чтобы забрать меня, — сообщила Абигейл.

— Что? Нет, не заберет, — откликнулась Мадлен.

— Ага, я хочу переночевать у папы, потому что завтра с утра у нас с Луизой есть дело и нам надо быть там рано, а это недалеко от папиного дома.

— Ближе самое большее минут на десять, — запротестовала Мадлен.

— Но из дома папы и Бонни проще уехать, — возразила Абигейл. — И они быстрее собираются. Не нужно ждать в машине, пока Фред будет искать ботинки, а Хлоя побежит в дом за другой Барби или за чем-нибудь еще.

— Полагаю, Скай никогда не возвращается в дом за Барби, — сказала Мадлен.

— Бонни никогда в жизни не позволила бы Скай играть с Барби, — заявила Абигейл, закатив глаза и тем самым показывая, что это и так очевидно. — Правда, мама, не стоит разрешать Хлое играть в них. Они такие гламурные и заставляют девочек мечтать о нереальных формах тела.

— Ну, ты любишь поговорить о Хлое и Барби, — с грустной улыбкой произнесла Мадлен.

С улицы послышался автомобильный гудок.

— Это он, — сказала Абигейл.

— Ты что, позвонила ему? — спросила Мадлен. Щеки у нее зарделись. — И даже меня не спросила?

— Я спросила папу, — ответила Абигейл. Она обошла стол кругом и чмокнула Мадлен в щеку. — Пока, мама. Приятно было познакомиться, — улыбнулась Абигейл Джейн.

Девочка не могла не понравиться.

— Абигейл Мэри! — Мадлен поднялась из-за стола. — Это недопустимо. Ты не вправе выбирать, где ночевать.

Абигейл остановилась и обернулась:

— Почему нет? Почему вы с папой должны решать, чья очередь забирать меня? — (Джейн заметила сходство с Мадлен в том, как Абигейл кипела от гнева.) — Как будто я ваша вещь. Ваша машина, которой вы хотите пользоваться поочередно.

— Это совсем не так, — начала Мадлен.

— Нет, это так, — возразила Абигейл.

С улицы послышался очередной гудок.

— Что происходит?

В кухню размашистым шагом вошел мужчина средних лет в гидрокостюме, спущенном до пояса и обнажающем широкую, поросшую густыми волосами грудь. С ним был маленький мальчик, одетый точно так же, с той разницей, что грудь у него была узкой и безволосой.

— Приехал твой папа, — сказал мужчина Абигейл.

— Знаю. — Абигейл посмотрела на волосатую грудь мужчины. — Неприлично в таком виде появляться на людях. Это гадко.

— Что? Демонстрировать мое прекрасное телосложение? — Мужчина с гордостью постучал по груди кулаком и улыбнулся Джейн. Она смущенно улыбнулась в ответ.

— Отвратительно, — произнесла Абигейл. — Я ухожу.

— Поговорим обо всем позже! — крикнула Мадлен.

— Может быть, — отозвалась Абигейл.

— Не смей так говорить! — возмутилась Мадлен.

Хлопнула входная дверь.

— Мамочка, я умираю от голода, — сказал мальчуган.

— Съешь кексик, — хмуро произнесла Мадлен, снова откинувшись в кресле. — Джейн, это мой муж Эд, а это сын Фред. Эд, Фред. Легко запомнить.

— Потому что они рифмуются, — объяснил Фред.

— Добрый день. — Эд пожал руку Джейн. — Прошу прощения за мой отвратительный вид. Мы с Фредом занимались сёрфингом. — Он уселся напротив Джейн и обнял Мадлен. — Что, Абигейл огорчает?

Мадлен прижалась лицом к его плечу:

— Ты похож на мокрого соленого пса.

— До чего вкусно. — Фред отхватил здоровый кусок от кекса и одновременно протянул руку за вторым.

В следующий раз Джейн принесет еще.

— Мамочка! Ид-и-и сюда! — позвала Хлоя из коридора.

— Пойду прокачусь на скейтборде. — Фред взял третий кекс.

— Шлем, — в один голос произнесли Мадлен и Эд.

— Мамочка! — кричала Хлоя.

— Я тебя слышу! — отозвалась Мадлен. — Эд, поговори с Джейн. — И Мадлен вышла в коридор.

Джейн приготовилась поддержать разговор, но Эд непринужденно улыбнулся ей, взял кекс и откинулся на стуле:

— Значит, вы мама Зигги. Откуда взялось это имя — Зигги?

— Его предложил мой брат, — ответила Джейн. — Он большой фанат Боба Марли, и, по-моему, Боб Марли назвал своего сына Зигги. — Она замолчала, вспоминая чудесную тяжесть новорожденного на руках, его темные глаза. — Мне понравилась необычность этого имени. Мое имя такое скучное. Серая мышка Джейн и все такое.

— Джейн — красивое классическое имя, — вполне уверенно произнес Эд, отчего она даже чуть-чуть в него влюбилась. — Фактически, когда мы выбирали имя для Хлои, я предлагал Джейн, но меня отвергли, правда, я уже победил с Фредом.

Внимание Джейн привлекла свадебная фотография на стене: Мадлен в тюлевом платье цвета шампанского сидит на коленях у Эда. Глаза их зажмурены от безудержного смеха.

— Как вы познакомились с Мадлен? — спросила Джейн.

Эд оживился. Очевидно, он любил рассказывать эту историю.

— В детстве мы с ней жили через улицу, — начал он. — Мадлен жила по соседству с большой ливанской семьей. У них было шестеро сыновей, крупных, сильных парнишек. Я их ужасно боялся. Они, бывало, играли на улице в крикет, и иногда Мадлен играла с ними. Она засеменит к ним, сама вдвое меньше этих амбалов, с лентами в волосах, с блестящими браслетами — ну, вы знаете ее, — но, бог ты мой, она умела играть в крикет. — Он положил кекс и встал, чтобы показать. — Ну вот, она выходит — с развевающимися волосами, оборками на платье, — берет биту и потом — БАМ! — Он ударил воображаемой крикетной битой. — А эти парни падают на колени, хватаясь за головы руками.

— Ты снова рассказываешь крикетную историю? — спросила Мадлен, которая вернулась из комнаты Хлои.

— Вот тогда-то я и влюбился в нее, — сказал Эд. — По-настоящему, безумно и глубоко. Глядя из окна своей спальни.

— Я даже не догадывалась о его существовании, — легкомысленно произнесла Мадлен.

— Нет, не догадывалась. Ну вот, мы выросли и уехали из дома, и как-то я услышал от матери, что Мадлен вышла замуж за какого-то типа, — продолжал рассказывать Эд.

— Ш-ш-ш. — Мадлен шлепнула Эда по руке.

— Потом, несколько лет спустя, я отправляюсь на барбекю в честь тридцатилетия одного друга. На заднем дворе играют в крикет. И кто же там бьет по мячу в туфлях на шпильке, вся увешанная всякими цацками и нисколько не изменившаяся? Маленькая Мадлен с той стороны улицы. У меня едва не остановилось сердце.

— Весьма романтическая история, — заметила Джейн.

— Я мог бы и не пойти на это барбекю, — добавил Эд.

Джейн заметила, что у него сверкают глаза, хотя он, наверное, уже рассказывал эту историю раз сто.

— И я тоже могла не пойти, — сказала Мадлен. — Мне пришлось отменить педикюр, а обычно я ни за что не стала бы отменять педикюр.

Они улыбнулись друг другу.

Джейн отвела взгляд. Она взяла свою кружку и попыталась отхлебнуть чая, но его там уже не было.

Зазвонил звонок входной двери.

— Это Селеста, — произнесла Мадлен.

Здорово, подумала Джейн, продолжая притворяться, что пьет чай. Теперь я стану свидетельницей как великой любви, так и великой красоты.

Все вокруг нее было насыщено богатыми живыми красками. Она одна в целом доме была бесцветным существом.

* * *

Мисс Барнс. Очевидно, родители образуют свои особые социальные группы вне школы. Конфликт на вечере викторин не обязательно должен был иметь что-то общее с жизнью школы Пирриви. Просто я подумала, что следует на это указать.

Теа. Да, пожалуй, мисс Барнс непременно сказала бы это, верно?

Глава 16

— Что ты думаешь о Джейн? — спросила Мадлен Эда в тот вечер в ванной, когда он чистил зубы, а она кончиками пальцев наносила на область глаз дорогой увлажняющий крем, «разглаживающий морщинки». (Ради всего святого, она была специалистом по маркетингу и понимала, что, покупая баночку крема, бросает деньги на ветер.) — Эд?

— Я чищу зубы, погоди минутку.

Он ополоснул рот, сплюнул и постучал зубной щеткой по краю раковины. Тук, тук, тук. Всегда три решительных, четких удара, как будто зубная щетка — молоток или гаечный ключ. Иногда, если она перед тем пила шампанское, Мадлен смеялась до упаду, наблюдая, как Эд стучит зубной щеткой.

— По-моему, Джейн на вид лет двенадцать, — сказал Эд. — Абигейл выглядит старше ее. У меня в голове не укладывается, что она родительница. — Он с улыбкой наставил зубную щетку на Мадлен. — Но она будет нашим секретным оружием на предстоящем вечере викторин. Она знает ответы на все вопросы по поводу поколения «игрек».

— Полагаю, в поп-культуре я разбираюсь лучше Джейн, — заявила Мадлен. — У меня создается впечатление, что она нетипична для девушки двадцати четырех лет. В чем-то она кажется даже старомодной, как люди из поколения моей матери.

Она рассмотрела свое лицо, вздохнула и поставила баночку с кремом на полку.

— Вряд ли она такая уж старомодная, — заметил Эд. — Ты говорила, что она забеременела после одной ночи.

— Она приняла решение и родила ребенка, — сказала Мадлен. — Это довольно-таки старомодно.

— Но тогда она должна была оставить его на ступенях церкви. В плетеной корзине... Послушай, а что там со жвачкой? Она весь день ее жевала.

— Знаю. Это у нее типа зависимости.

Эд выключил свет в ванной. Подойдя к противоположным сторонам кровати, оба включили лампы и плавным синхронным движением отодвинули одеяло. В зависимости от настроения Мадлен, это доказывало, что у них идеальный брак или что они, представители среднего класса, погрязли в рутине, а потому необходимо продать дом и отправиться в путешествие по Индии.

— Мне бы очень хотелось создать для Джейн новый облик, — размышляла Мадлен, пока Эд искал страницу в книге. Он был большим поклонником детективов Патриции Корнуэлл с таинственными убийствами. — Напрасно она зачесывает волосы назад. Прилизанный вид. Надо добавить объема.

— Объем, — пробормотал Эд. — Точно. Вот чего ей не хватает. Я подумал о том же. — И он перевернул страницу.

— Надо помочь ей найти бойфренда, — заявила Мадлен.

— Вот и займись этим.

— Я бы с удовольствием и Селесте создала бы новый имидж, — сказала Мадлен. — Знаю, это звучит странно. Она красива независимо от имиджа.

— Селеста? Красива? — удивился Эд. — Я что-то не заметил.

— Ха-ха! — Мадлен подняла свою книгу, но сразу положила обратно. — Они такие разные, Джейн и Селеста, но мне кажется, в чем-то они очень похожи. Не могу понять в чем.

Эд опустил свою книгу тоже:

— Я скажу тебе, в чем они похожи.

— И в чем же?

— Они обе ущербные.

— Ущербные? В каком смысле?

— Не знаю, — ответил Эд. — Просто я могу отличить ущербных девиц. Встречался с такими. За милю распознаю телку с приветом.

— Так я тоже была ущербная? — спросила Мадлен. — Это тебя и привлекло?

— Нет, — ответил Эд и снова взял книгу. — Ты не была ущербной.

— Нет, была! — возразила Мадлен. Ей тоже хотелось быть интересной и ущербной. — Когда ты со мной познакомился, я была такой несчастной.

— Есть разница между несчастной девушкой и ущербной, — пояснил Эд. — Ты чувствовала печаль и обиду. Может быть, у тебя было разбито сердце, но сама ты не была сломлена. А теперь помолчи, потому что сейчас я попадусь на отвлекающий маневр, но я не хочу этого, миз Корнуэлл, не хочу.

— Ммм, — замычала Мадлен. — Ну, Джейн, может, действительно немного ущербная, но я не понимаю, в чем может быть ущербной Селеста. Она красива, богата, у нее счастливый брак и нет бывшего мужа, который отбирает у нее дочь.

— Он не пытается отобрать у тебя дочь, — сказал Эд, возвращаясь к чтению. — Дело в том, что Абигейл — подросток. Все подростки немного полоумные, ты же знаешь.

Мадлен взяла свою книгу.

Она думала о Джейн и Зигги, которые днем шли рука об руку от ее дома по подъездной дорожке. Зигги что-то рассказывал Джейн, энергично жестикулируя, а Джейн наклонила голову набок, держа в свободной руке ключи от машины. Мадлен слышала, как она сказала: «Знаю! Пойдем в тот ресторан, где мы ели эти вкусные тако!»

При взгляде на них на Мадлен нахлынули воспоминания о тех временах, когда она была матерью-одиночкой. Пять лет она жила вдвоем с Абигейл в небольшой квартире с двумя спальнями над итальянским рестораном. Они ели много пасты, которую покупали навынос, и бесплатного чесночного хлеба. Мадлен поправилась на семь килограммов. Их знали как девочек Маккензи из квартиры 9. Она изменила фамилию Абигейл на свою девичью и отказалась вновь менять фамилию, когда вышла за Эда, не желая показаться смешной. Мадлен не могла допустить, чтобы Абигейл носила фамилию отца, который предпочитал проводить Рождество на пляжах Бали с этой дрянной маленькой парикмахершей. Парикмахершей с никудышными волосами — черные корни и секущиеся концы.

— Я всегда считала, что наказанием Натану за его предательство будет то, что Абигейл не станет любить его так, как меня, — сказала она Эду. — Я привыкла все время говорить себе об этом. Абигейл не захочет, чтобы Натан вел ее по проходу в церкви. Ему придется расплачиваться за все, думала я. Но знаешь что? Он не расплачивается за свои грехи. Теперь у него есть Бонни, которая милее, моложе и красивее меня, у него есть новая дочь, знающая весь алфавит, да к тому же и Абигейл! Ему все сходит с рук, и он ни о чем не жалеет.

Она с удивлением поняла, что у нее прерывается голос. Ей казалось, она просто злится, но теперь поняла, что ей обидно и больно. Абигейл и прежде могла разозлить ее, раздражая и приводя в отчаяние. Но сейчас дочь впервые сделала ей больно.

— Она должна любить меня больше, — по-детски сказала она и сделала попытку рассмеяться, потому что это была шутка, хотя Мадлен говорила совершенно серьезно. — Я думала, она любит меня больше.

Эд положил книгу и обнял жену:

— Хочешь, чтобы я убил этого мерзавца? Кокнуть его? Я мог бы подготовить к этому Бонни.

— Да, пожалуйста, — уткнувшись ему в плечо, пробормотала Мадлен. — Это было бы чудесно.

* * *

Сержант уголовной полиции Эдриан Куинлан. На данном этапе мы никого не арестовали, но могу сказать, мы, пожалуй, уже говорили с причастными к происшедшему.

Стью. Думаю, никто, в том числе и полиция, не имеет ни малейшего представления о том, кто что совершил.

Глава 17

Габриэль. Я считала, что существует определенный этикет, что ли, в отношении раздачи приглашений на вечер. И я подумала, что в тот первый день в подготовительном классе произошло что-то неуместное.

* * *

— Улыбнись, Зигги, улыбнись!

В конце концов Зигги улыбнулся в тот самый момент, когда отец Джейн зевнул. Джейн нажала на кнопку, а затем проверила снимок на экране цифрового фотоаппарата. Зигги и ее мама чудесно улыбались, а папу поймали во время зевка — рот разинут, глаза прищурены. Он не выспался, потому что пришлось рано вставать, чтобы проделать путь от Гранвиля до полуострова и повидаться с внуком в первый школьный день. Родители Джейн обычно поздно ложились спать и поздно вставали, и им ужасно трудно было уезжать из дома раньше девяти. В прошлом году отец рано уволился на пенсию с государственной службы, и с тех пор они с матерью допоздна, до трех или четырех утра, составляли пазлы. «Наши родители превращаются в вампиров, — сказал однажды Джейн ее брат. — Вампиров, играющих в пазлы».

— Не желаете, чтобы мой муж сфотографировал вас вместе? — сказала стоящая неподалеку женщина. — Я бы и сама предложила, но я с техникой не в ладу.

Джейн подняла глаза. На женщине была длинная юбка с орнаментом пейсли и черная майка. На запястьях разноцветные шнурки, волосы заплетены в длинную косу. На плече татуировка в виде китайского иероглифа. Она несколько выделялась среди всех других родителей, на которых была повседневная пляжная или спортивная одежда либо деловые костюмы. Ее муж казался намного старше ее. На нем были футболка и шорты, стандартный прикид папаши среднего возраста. Он держал за руку крошечную девочку, похожую на мышонка, с длинными всклокоченными волосами. Ее школьная форма была, казалось, на три размера больше.

Готова поспорить, это Бонни, вдруг подумала Джейн, вспоминая, как Мадлен описывала жену ее бывшего мужа. В тот же момент женщина произнесла:

— Я Бонни, а это мой муж Натан и наша малышка Скай.

— Большое спасибо, — сказала Джейн, вручая фотоаппарат бывшему мужу Мадлен, а сама встала рядом с родителями и Зигги.

— Скажите: «Сы-ы-ыр»! — Натан поднял фотоаппарат.

— А? Что? — переспросил Зигги.

— Кофе, — зевнула мать Джейн.

Натан щелкнул затвором:

— Вот, пожалуйста!

Он отдал Джейн фотоаппарат, и в этот момент к его дочери подошла маленькая кудрявая девочка. Джейн стало нехорошо. Она сразу узнала девчушку. Это была та самая девочка, которая обвинила Зигги в том, что он пытался ее задушить. Амабелла. Джейн осмотрелась по сторонам. Где сердитая мамаша?

— Как тебя зовут? — с важным видом спросила Амабелла у Скай.

В руках у Амабеллы была пачка бледно-розовых конвертов.

— Скай, — прошептала девчушка.

Она была очень застенчивой, и больно было видеть, чего ей стоит выдавить из себя хоть слово.

Амабелла стала перебирать конверты:

— Скай, Скай, Скай.

— Боже правый, ты уже можешь прочитать все эти имена? — спросила мать Джейн.

— Я читаю с трех лет, — вежливо ответила Амабелла, продолжая перебирать конверты. — Скай! — Она протянула девочке розовый конверт. — Вот приглашение на мой день рождения. Мне исполняется пять лет. Это будет А-пати, потому что мое имя начинается с «А».

— Уже умеет читать до поступления в школу! — дружелюбно обратился к Натану отец Джейн. — Будет первая в классе! Наверное, занимается с домашним учителем.

— Что ж, не хочу хвастаться, но Скай тоже вполне хорошо читает, — заметил Натан. — И мы не очень верим в репетиторов, да, Бонни?

— Мы предпочитаем, чтобы Скай развивалась органически, — сказала Бонни.

— Органически? — переспросил отец Джейн, нахмурив брови. — Как фрукты?

Амабелла повернулась к Зигги:

— Как тебя...

Девочка замерла, и на лице у нее появилось паническое выражение. Она крепко прижала конверты к груди, словно боясь, что Зигги отберет один из них, и, не говоря ни слова, повернулась и убежала.

— Господи, что происходит? — спросила мать Джейн.

— Эта девочка сказала тогда, что я обидел ее, — просто произнес Зигги. — Но, бабушка, я этого не делал.

Джейн оглядела игровую площадку. Повсюду были дети в новой, слегка великоватой им школьной форме.

У каждого в руке был бледно-розовый конверт.

* * *

Харпер. Послушайте, никто в этой школе не знал Ренату лучше меня. Мы были очень близки. Я совершенно уверена, что в тот день она никому не пыталась ничего доказать.

Саманта. О господи, разумеется, пыталась!

Глава 18

В первый школьный день Хлои на Мадлен накатил ужасный приступ предменструального синдрома, ПМС. Она сдерживалась, но толку было мало. «Я сама выбрала себе настроение», — думала она, стоя на кухне и заглатывая валиум. Она знала, что это бесполезно, что его следует принимать регулярно, но надо было принять хоть что-то. Ее бесило, что это случилось совсем не ко времени. Хорошо было бы найти виноватого, желательно бывшего мужа, но никак не получалось повесить на Натана ответственность за ее менструальный цикл. Без сомнения, чтобы совладать с приливами и отливами женственности, Бонни танцует в лунном свете.

Для Мадлен ПМС был внове. Еще одна чудная сторона процесса старения. Прежде она никогда этому не верила. Позже, когда она приблизилась к сорока, тело словно сказало ей: «Ладно, не веришь в ПМС? Я покажу тебе ПМС. Получай, стерва».

Теперь один день каждого месяца ей приходилось во всем притворяться: в присущем ей человеколюбии, в любви к детям, в любви к Эду. Однажды она пришла в ужас, услышав о женщинах, называющих ПМС защитной реакцией, провоцирующей на убийство. Теперь она поняла. Сегодня она бы с радостью кого-нибудь убила! По сути дела, она считала, что стоило бы отметить ее замечательную силу воли, позволившую ей удержаться от этого.

Чтобы успокоиться, она всю дорогу до школы делала упражнения с глубоким дыханием. К счастью, Фред и Хлоя не ссорились на заднем сиденье. Эд, сидя за рулем, напевал себе под нос, что было местами невыносимо (ненужная постоянная веселость этого человека). Но он, по крайней мере, надел чистую рубашку и не стал настаивать на маловатой ему белой рубашке поло с пятном от томатного соуса, которое сам не замечал. Сегодня ПМС не победит. ПМС не снесет эту веху в их жизни.

Они сразу же нашли разрешенную парковку. Дети вышли из машины фактически после первой просьбы.

— Счастливого Нового года, миссис Пондер! — выкрикнула Мадлен, когда они проходили мимо маленького белого коттеджа из пенобетона, стоящего рядом со школой.

Пухлая, седовласая миссис Пондер сидела с чашкой чая и газетой в раскладном кресле на террасе.

— С добрым утром! — бодро отозвалась миссис Пондер.

— Иди, не останавливайся, — зашипела Мадлен на Эда, который начал замедлять шаг.

Он любил от души поболтать с миссис Пондер, которая во время войны работала медсестрой в Сингапуре, или с кем угодно другим, в особенности если человеку было за семьдесят.

— Первый день Хлои в школе! — выкрикнул Эд. — Большой день!

— А-а, благослови ее Господь! — откликнулась миссис Пондер.

Они шли не останавливаясь.

Мадлен контролировала свое настроение, как бешеную собаку на коротком поводке.

Школьный двор был заполнен болтающими родителями и кричащими детьми. Родители стояли на месте, а дети беспорядочно бегали вокруг них, как шарики, перекатывающиеся в автомате для игры в пинбол. Новые родители подготовительного класса широко и немного нервно улыбались. Мамы шестиклассников, чувствуя себя королевами школы, собирались в небольшие оживленные кружки. Были там и Модные Стрижки, то и дело поглаживающие свои недавно подстриженные белокурые волосы.

Ах, было замечательно. Морской бриз. Оживленные личики детей — и, блин! — ее бывший муж.

Дело не в том, что она не ожидала увидеть его здесь, но ее возмутило, что он так комфортно чувствует себя в школьном дворе Мадлен, так доволен собой. Хуже того, он фотографировал Джейн и Зигги (они принадлежат Мадлен) вместе с приятной парой, на вид ненамного старше Мадлен. Должно быть, это родители Джейн. Он ко всему еще и ужасный фотограф. *Не доверяйте Натану запечатлеть вас на пленке. Ни в чем не доверяйте Натану.*

— Вон папа Абигейл, — сказал Фред. — Я не видел его машину перед школой.

Натан ездил на «лексусе» канареечно-желтого цвета. Бедному Фреду понравился бы отец, который разбирается в автомобилях. Эд даже не знает разницы между моделями.

— Это моя сводная сестра! — Хлоя показала на дочку Натана и Бонни.

На Скай топорщилась великоватая форма, и с этими большими печальными глазами и длинными воздушными светлыми волосами она была похожа на бездомное дитя из экранизации «Отверженных». Мадлен уже предвидела, что произойдет дальше. Хлоя собирается удочерить Скай. Скай как раз такая робкая девчушка, которую Мадлен возьмет под крыло. *Хлоя пригласит Скай в гости, чтобы поиграть с волосами Скай.*

Как раз в этот момент Скай быстро сморгнула, когда на глаза ей упала прядь волос, и Мадлен побледнела. Ребенок моргал точно так же, как моргала Абигейл, когда на глаза ей падали волосы. Это частичка ребенка Мадлен, ее прошлое и ее душа. Следует издать закон, запрещающий бывшим мужьям иметь детей.

— В тысячный раз говорю тебе, Хлоя, — прошипела Мадлен, — Скай не твоя сводная сестра, а Абигейл!

— Дышим глубоко, — произнес Эд. — Глубоко-о-о.

Натан отдал фотоаппарат Джейн и направился к ним. В последнее время он отрастил волосы. Густые, с проседью, они падали ему на лоб, словно он был средних лет австралийским двойником Хью Гранта. Мадлен догадывалась, что он отрастил волосы в пику Эду, который почти совсем облысел.

— Мэдди, — начал он.

Натан единственный во всем свете называл ее Мэдди. Когда-то это доставляло ей безмерное удовольствие, но теперь сильно раздражало.

— Эд, дружище! И малышка... Гм... У вас это тоже первый школьный день, да? — Натан так и не удосужился запомнить имена детей Мадлен. В знак приветствия он ударил Фреда по ладони. — Привет, чемпион.

Фред с радостью подставил свою ладошку, и Мадлен расценила это как предательство.

Натан поцеловал Мадлен в щеку и с жаром потряс руку Эду, выставляя немного напоказ дружеские отношения с бывшей женой и ее семьей.

— Ната-а-н, — нараспев произнес Эд.

Он по-особому произносил имя Натана, растягивая звуки и делая ударение на втором слоге. От этого Натан всегда немного хмурился, не совсем понимая, потешаются над ним или нет. Но сегодня этого было недостаточно, чтобы улучшить настроение Мадлен.

— Большой день, большой день, — произнес Натан. — Вы-то тертые калачи, а у нас это впервые! Не стыжусь признаться, что немного прослезился, увидев Скай в школьной форме.

Мадлен все же не сдержалась:

— Натан, Скай не первый твой ребенок, который идет в школу.

Натан покраснел. Она нарушила их негласное правило: никаких обид. Но, боже правый, только святой мог стерпеть подобное! Абигейл два месяца ходила в школу, когда Натан наконец это заметил. Как-то он заявился домой в середине дня. «Она в школе», — сказала ему Мадлен. «В школе? — пробормотал он. — Она ведь еще мала для школы».

— Кстати, об Абигейл, Мэдди, ты не против, если на этой неделе мы поменяемся выходными? — спросил Натан. — В субботу день рождения у матери Бонни, и мы идем на ужин. Она очень любит Абигейл.

Рядом с ним, блаженно улыбаясь, материализовалась Бонни. Она всегда блаженно улыбалась. Мадлен подозревала наркотики.

— У моей матери с Абигейл удивительный контакт, — сообщила она Мадлен, как будто Мадлен эта новость могла обрадовать.

В этом-то и было дело: ну какой женщине понадобилось бы, чтобы у ее дочери был «удивительный контакт» с матерью жены ее бывшего мужа? Только Бонни могла подумать, что вы захотите это услышать, но тем не менее сетовать было бесполезно. Нельзя даже было подумать: «Заткнись, стерва!», потому что Бонни не была стервой. Так что Мадлен ничего не оставалось, как стоять, кивать и принимать эту чушь, в то время как ее плохое настроение рычало и рвалось с поводка.

— Конечно, — сказала она. — Без проблем.

— Папочка! — Скай потянула за футболку Натана, и он посадил ее к себе на бедро. Бонни с нежностью смотрела на них обоих.

«Мне так жаль, Мэдди, но я не подхожу для этой роли». Натан произнес эти слова, когда Абигейл было три недели от роду. Капризный младенец не спал больше тридцати двух минут кряду. Мадлен зевнула. «Я тоже». Она не думала, что он сказал это в буквальном смысле. Час спустя она в оцепенении наблюдала, как он укладывает вещи в красную сумку для крикета. Бросив мимолетный взгляд на дочку, словно это был чужой ребенок, он ушел. Она никогда и ни за что не простит ему этот беглый взгляд, который он бросил на их чудесную малютку. А теперь эта малютка превратилась в подростка, сама готовит себе ланч и садится в автобус до школы, а уходя, бросает через плечо: «Не забудь, сегодня я остаюсь у папы».

— Привет, Мадлен, — сказала Джейн.

На Джейн снова была простая белая футболка с V-образным вырезом — неужели у нее нет других футболок? — та же самая голубая джинсовая юбка и вьетнамки. Волосы были завязаны в тугой конский хвост, и она тайком жевала жвачку. Ее скромность каким-то образом исправила настроение Мадлен, словно Джейн нужна была ей для улучшения самочувствия, подобно тому как после болезни вам хочется обыкновенного тоста.

— Джейн, — с теплотой произнесла она, — как поживаешь? Вижу, ты познакомилась с моим восхитительным бывшим мужем и его семьей.

— Хо-хо-хо, — произнес Натан голосом Санта-Клауса, потому что не знал, как еще можно ответить на колкость типа «восхитительный бывший муж».

Мадлен почувствовала на плече руку Эда как предупреждение о том, что она скатывается на грань вежливости.

— Да, познакомилась. — Лицо Джейн ничего не выражало. — Это мои родители, Ди и Билл.

— Здравствуйте! Ваш внук просто очарователен.

Мадлен отодвинулась от Эда и поздоровалась за руку с родителями Джейн, какими-то очень милыми, это было видно с первого взгляда.

— Мы считаем, что Зигги — реинкарнация моего дорогого папы, — оживленно произнесла мать Джейн.

— Нет, мы так не считаем, — возразил отец Джейн. Он взглянул на Хлою, тянувшую Мадлен за платье. — А это, наверное, ваша малышка, да?

Хлоя вручила Мадлен розовый конверт:

— Подержи его у себя, мамочка. Это приглашение на день рождения Амабеллы. Нужно прийти в костюме кого-нибудь, чье имя начинается на «А». Я хочу одеться как принцесса. — И девочка убежала.

— Очевидно, бедного маленького Зигги не пригласили на праздник, — понизив голос, сказала мать Джейн.

— Мама, — начала Джейн, — оставь это.

— Что? Ей не следовало раздавать приглашения на игровой площадке, если она не собиралась приглашать весь класс, — заметила Мадлен.

Она оглядела площадку в поисках Ренаты и увидела входящую в ворота Селесту с близнецами. Как обычно, Селеста опаздывала. Выглядела она просто великолепно. Словно в школе появилась другая порода людей. Мадлен заметила, как один папаша второклассника увидел Селесту и едва не споткнулся о чей-то портфель, продолжая таращиться на нее.

Потом она заметила Ренату, которая торопливо направилась к Селесте и вручила ей два розовых конверта.

— Я ее убью, — сказала Мадлен.

* * *

Миссис Липман. Послушайте, я больше ничего не скажу. Мы заслуживаем того, чтобы нас оставили в покое. Умер родитель. Вся школьная община скорбит.

Габриэль. Гм-гм, я бы не сказала, что скорбит вся школьная община. Это, пожалуй, натяжка.

* * *

Селеста заметила, как, глазея на нее, споткнулся какой-то мужчина.

Может быть, ей стоит завести роман. Это послужило бы толчком к чему-то, подвело бы их брак к краю пропасти, к которому они неумолимо продвигались все эти годы.

Однако мысль о другом мужчине вызывала у нее гнетущее безразличие. Ей будет очень скучно. Другие мужчины ее не интересовали. Перри заставлял ее чувствовать себя живой. Если она бросит его, то останется в тоскливом одиночестве. Это несправедливо. Он погубит ее.

— Мама, ты очень сильно сжала мне руку, — заныл Джош.

— Ага, мамочка, — подхватил Макс.

Она отпустила руки.

— Извините, мальчики, — сказала она.

Утро не задалось. Во-первых, с одним из носков Джоша приключилась катастрофа — его никак не удавалось расправить. К тому же Макс не мог найти человечка-лего в особой желтой шляпе, который понадобился ему именно в тот момент.

Оба близнеца требовали папу. Им было наплевать, что он сейчас на другом конце света. Он был им нужен. Селесте тоже нужен был Перри. Он расправил бы носок Джоша. И нашел бы человечка-лего для Макса. Она заранее знала, с каким трудом ей придется преодолевать утреннюю школьную рутину. Они с мальчиками привыкли вставать поздно и по утрам обычно бывали не в духе, а Перри просыпался бодрым и энергичным. Окажись он в это утро с ними, они загодя пришли бы в школу в первый день. В машине звучал бы смех, а не нытье мальчуганов.

В конце концов она дала каждому по леденцу на палочке. Вылезая из машины, мальчики продолжали сосать леденцы, и Селеста заметила, как одна из мам подготовительного класса, проходя мимо, ласково улыбнулась детям, а на Селесту бросила неодобрительный взгляд.

— Там Хлоя и Зигги! — обрадовался Джош.

— Давай убьем их! — предложил Макс.

— Ребята, не говорите так! — сказала Селеста.

Боже правый. Что подумают люди?

— Это только понарошку, мамочка, — ласково произнес Джош. — Хлое и Зигги это понравится!

— Селеста! Вы Селеста, верно? — Дети отбежали в сторону, и перед ней появилась женщина. — Пару недель назад я встретила вас и вашего мужа в школьном магазине. — Она дотронулась до груди. — Рената. Я мама Амабеллы.

— Ну конечно! Привет, Рената, — откликнулась Селеста.

— Перри не смог прийти? — Рената с надеждой осмотрелась вокруг.

— Он в Вене, — ответила Селеста. — Часто бывает в командировках.

— Уверена, это так, — понимающе сказала Рената. — Похоже, я встретила его на днях, а придя домой, прогуглила его. Перри Уайт! Вообще-то, я видела несколько выступлений вашего мужа. Я ведь сама работаю в области управления фондами!

Здорово. Поклонница Перри. Селеста часто спрашивала себя, что подумали бы поклонницы Перри, если бы увидели то, что он вытворяет.

— У меня есть приглашения для ваших мальчиков на день рождения Амабеллы. — С этими словами Рената вручила ей два розовых конверта. — Вас с Перри тоже милости просим. Хороший повод для родителей начать знакомство друг с другом!

— Чудесно. — Селеста взяла конверты и положила их в сумку.

— Доброе утро, дамы! — Это была Мадлен в одном из своих красивых необычных платьев. Щеки ее горели, а глаза сверкали опасным блеском. — Спасибо за приглашение Хлое на день рождения Амабеллы.

— О господи, неужели Амабелла сама их раздает?! — Нахмурившись, Рената похлопала по своей сумке. — Наверное, взяла без спросу. Я действительно сама собиралась вручить приглашения родителям.

— Да, поскольку создается впечатление, что ты приглашаешь целый класс, за исключением одного мальчугана.

— Наверное, ты имеешь в виду Зигги, ребенка, который оставил синяки на шее моей дочери. Он не попал в список приглашенных, — заявила Рената. — Ничего удивительного.

— Перестань, Рената, — сказала Мадлен. — Ты этого не сделаешь.

— Так предъявите мне иск! — Рената бросила на Селесту озорной взгляд, словно приглашая ее пошутить вместе.

Селеста вздохнула. Она не хотела принимать в этом участие.

— Я могу просто...

— Извини, Рената, — с царственным видом произнесла Мадлен. — Но Хлоя не сможет прийти к вам в гости.

— Какая жалость! — откликнулась Рената. Она с силой потянула за ремень сумки, словно поправляя доспехи. — Знаешь что? Пожалуй, закончим этот разговор, пока я не сказала чего-нибудь, о чем потом пожалею. — Затем она кивнула Селесте. — Приятно было увидеться.

У Мадлен, смотревшей, как Рената уходит, был воодушевленный вид.

— Это война, Селеста, — радостно произнесла она. — Война, говорю тебе!

— Ох, Мадлен, — вздохнула Селеста.

* * *

Харпер. Я знаю, все мы готовы возвести Селесту на пьедестал, но не факт, что она всегда правильно кормит своих детей. Я видела, как в первый школьный день ее сыновья ели на завтрак леденцы!

Саманта. Родители и в самом деле склонны судить друг друга. Не знаю почему. Может, потому, что ни один из нас толком не понимает, что делает? И полагаю, это иногда приводит к конфликту.

Джеки. У меня, например, нет времени на то, чтобы судить других родителей. Или интереса. Мои дети — единственный интерес в моей жизни.

Сержант уголовной полиции Эдриан Куинлан. Помимо расследования убийства, мы намерены предъявить некоторым родителям обвинение в нападении. Мы обескуражены и шокированы поведением группы родителей.

Глава 19

— О Мадлен, — вздохнул Эд. Припарковав машину, он вынул ключ зажигания и повернулся к ней. — Нельзя, чтобы Хлоя пропустила праздник у подружки только потому, что не пригласили Зигги. Это глупо.

Прямо из школы они поехали на побережье выпить кофе в «Блю блюз» с Джейн и ее родителями. Предложение исходило от матери Джейн, и для Мадлен, наметившей целый список дел на первый школьный день, это показалось столь важным, что она не смогла отказать.

— Нет, не глупо, — возразила Мадлен, хотя уже начала сожалеть о своих словах.

Когда Хлоя узнает, что не пойдет к Амабелле, она устроит скандал. На прошлом дне рождения Амабеллы было много чудесного: прыгающий замок, волшебник и диско.

— Сегодня у меня очень плохое настроение, — сказала она Эду.

— Правда? — спросил Эд. — Ни за что бы не заметил.

— Я скучаю по детям.

На заднем сиденье автомобиля было пусто и тихо. Ее глаза наполнились слезами.

Эд загоготал:

— Шутишь, наверное?

— Мой ребенок пошел в школу, — рыдала Мадлен.

Хлоя вошла в класс вместе с мисс Барнс, словно была помощницей учителя, и, не переставая, тараторила — вероятно, вносила свои предложения по изменению расписания.

— Ага, — согласился Эд. — И в самый подходящий момент. По-моему, вчера по телефону ты говорила матери именно это.

— И мне пришлось стоять на школьном дворе, вежливо беседуя с этим чертовым бывшим мужем!

Слезливое настроение Мадлен быстро изменилось на сердитое.

— Угу, но тут вряд ли уместно слово «вежливо», — заметил Эд.

— Нелегко быть матерью-одиночкой, — сказала Мадлен.

— Гм. Что? — переспросил Эд.

— Джейн! Я, разумеется, говорю про Джейн. Помню первый день Абигейл в школе. Я чувствовала себя фриком. Все вокруг казались такими тошнотворно женатыми. Все родители ходили парами. Я никогда не чувствовала себя такой одинокой.

Мадлен думала о своем бывшем муже, который вальяжно разгуливал по школьному двору. Натан не представлял себе, каково было Мадлен все эти годы растить Абигейл одной. Он не стал бы отрицать, что ей было трудно. О нет! Если бы она прокричала ему: «Мне было трудно! Так трудно!», он вздрогнул бы и принял бы печальный вид, но, как бы ни старался, никогда бы этого до конца не понял.

Ее переполняла бессильная ярость, которую в тот момент можно было направить только на Ренату.

— Вообрази, как чувствует себя Джейн, если ее ребенок единственный, кого не пригласили на праздник. Только представь.

— Понимаю, — согласился Эд. — Хотя после случившегося можно посмотреть на это с точки зрения Ренаты...

— Нет, нельзя! — воскликнула Мадлен.

— Господи Иисусе! Извини. Нет. Конечно нельзя. — Эд глянул в зеркало заднего вида. — Смотри, за нами едет твоя бедная подружка. Пойдем вместе есть пирожные. И все наладится. — Он отстегнул ремень безопасности.

— Если не собираешься приглашать всех детей из класса, не надо раздавать приглашения на детской площадке, — заявила Мадлен. — Это знает каждая мать. «Закон страны».

— Я мог бы целый день говорить на эту тему, — сказал Эд. — Правда. Но сегодня я не хочу говорить ни о чем, кроме дня рождения Амабеллы.

— Заткнись! — велела Мадлен.

— Я считал, что в нашем доме мы не говорим «заткнись».

— Тогда отвали, — сказала Мадлен.

Эд ухмыльнулся и дотронулся ладонью до ее щеки:

— Завтра тебе будет лучше. Тебе всегда назавтра бывает лучше.

— Знаю, знаю. — Сделав глубокий вдох, Мадлен открыла дверь машины и сразу увидела мать Джейн, которая выскочила из машины Джейн и заспешила по тротуару к ней навстречу, перекинув сумку через плечо и лучезарно улыбаясь:

— Привет, привет! Мадлен, давайте немного пройдемся по берегу, пока нам закажут кофе.

— Мама, — сказала Джейн, идя следом вместе с отцом, — тебе даже не нравится этот пляж!

Не надо было обладать особым умом, чтобы понять, что мать Джейн хочет поговорить с Мадлен наедине.

— Конечно... Ди. — Неожиданно для себя самой она произнесла это имя.

— Тогда я тоже пойду, — вздохнула Джейн.

— Нет-нет, ты иди в кафе и помоги папе устроиться и заказать для меня что-нибудь вкусное, — сказала Ди.

— Да, потому что я такой трясущийся пожилой гражданин. — Отец Джейн заговорил дрожащим старческим голосом и ухватился за руку Джейн. — Помоги мне, доченька.

— Идите, — твердо проговорила Ди.

Мадлен видела, что Джейн, поколебавшись, слегка пожала плечами и уступила.

— Не задерживайся, — попросила она мать, — иначе твой кофе остынет.

— Закажи мне двойной эспрессо и шоколадное пирожное с кремом, — сказала Мадлен Эду.

Эд поднял вверх большие пальцы и повел Джейн и ее отца в «Блю блюз», а Мадлен наклонилась и сняла туфли.

Мать Джейн сделала то же самое.

— Ваш муж взял выходной ради первого дня Хлои в школе? — спросила Ди, пока они шли по песку к воде. — О господи, какой блеск! — Она была в темных очках, но заслонила глаза тыльной стороной ладони.

— Он журналист в местной газете, — ответила Мадлен. — У него гибкий график, и он часто работает дома.

— Это должно быть удобно. Или нет? Он не мешается у вас под ногами? — Ди неуверенно шла по песку. — Иногда я посылаю Билла за чем-нибудь в супермаркет, чтобы дать себе небольшую передышку.

— Нас это вполне устраивает, — сказала Мадлен. — Три дня в неделю я работаю в Театральной компании полуострова Пирриви, так что, когда я на работе, детей забирает Эд. Мы не зарабатываем бешеных денег, но, знаете, мы оба любим свою работу и вполне счастливы.

Господи, зачем она говорит о деньгах? Как будто защищает их стиль жизни. И, по правде говоря, не так уж они любят свою работу. Потому ли это, что иногда она чувствовала себя так, словно соперничала с амбициозными женщинами вроде Ренаты? Или потому, что деньги все время у нее на уме из-за того шокирующего счета на электричество, который она увидела сегодня утром? Суть состояла в том, что хотя они и не были богатыми, но, безусловно, не прозябали в бедности, а благодаря навыкам Мадлен в онлайн-шопинге ей удавалось приобрести приличный гардероб.

— Ах да, деньги. Говорят, не в деньгах счастье, но не знаю, справедливо ли это. — Ди отвела волосы от глаз и оглядела пляж. — Очень симпатичный пляж. Не такие уж мы пляжные люди, и вряд ли кто-то захочет увидеть *это* в бикини! — Изобразив на лице отвращение, она показала на свое идеально обыкновенное тело, для которого подходила одежда примерно того же размера, что и у Мадлен.

— Не понимаю, почему нет, — сказала Мадлен.

У нее не хватило бы терпения на подобный разговор. Ее раздражало то, как женщины иногда стремятся установить контакты через критическое отношение к себе.

— Но для Джейн и Зигги жить на взморье, думаю, очень здорово. Знаете, я хотела поблагодарить вас, Мадлен, за то, что опекаете Джейн. — Ди сняла темные очки и посмотрела прямо в глаза Мадлен.

У Ди были светло-голубые глаза с матовыми розовыми тенями на веках, что не слишком ей подходило, но тем не менее Мадлен оценила усилия.

— Не стоит, — сказала Мадлен. — Тяжело, когда приезжаешь на новое место и никого не знаешь.

— Да, и за последние несколько лет Джейн переезжала так часто. С самого рождения Зигги она никак не может обосноваться на одном месте или найти кружок симпатичных друзей. Она бы убила меня за эти слова, но я вообще не понимаю, что с ней происходит. — Замолчав, Ди посмотрела через плечо на кафе и поджала губы.

— Плохо, когда они перестают рассказывать вам о своих делах, правда? — спросила Мадлен через секунду. — У меня дочь-подросток. От предыдущего брака. — Говоря об Абигейл, она всегда чувствовала, что обязана прояснить этот момент, после чего ощущала безотчетное смущение. Словно она выделяла Абигейл, относя ее к другой категории. — Не знаю, почему меня так поразило, когда Абигейл перестала рассказывать мне о себе. Так ведут себя все подростки, верно? Но в детстве она была очень открытой. Разумеется, Джейн не подросток.

Мадлен как будто разрешила Ди говорить открыто. Та с энтузиазмом повернулась к Мадлен:

— Я знаю! Ей двадцать четыре, взрослая девушка! Но эти молодые совсем не похожи на взрослых. Ее отец говорит мне, что я напрасно беспокоюсь. Это правда, Джейн занята прекрасным делом — воспитывает Зигги и сама себя обеспечивает, не берет от нас ни цента! Я засовываю деньги ей в карман тайком, как карманный воришка. Или его противоположность. Но она изменилась. Что-то в ней изменилось. Я не могу вмешиваться. Похоже, она пытается скрыть эту глубокую неудовлетворенность. Не знаю, депрессия ли это, наркотики, нарушение привычек питания или что-то еще. Она так сильно похудела, а раньше была настоящей пышкой.

— Понимаю, — отозвалась Мадлен, а про себя подумала: «Если это нарушение привычек в питании, то, вероятно, виновата в этом Ди».

— И зачем я вам это рассказываю?! — воскликнула Ди. — Вы больше не захотите с ней дружить! Она не наркоманка! У нее только три из десяти основных признаков наркомании. Или максимум четыре. Нельзя верить тому, что вычитываешь в Интернете, это уж точно.

Мадлен рассмеялась, Ди тоже.

— Иногда мне представляется, что я машу у нее перед лицом рукой и говорю: «Джейн, Джейн, ты здесь?»

— Не сомневаюсь, что...

— У нее был парень до рождения Зигги, но она с ним рассталась. Зак. Замечательный мальчик, мы все его любили, и Джейн очень переживала из-за разрыва, очень переживала, но, господи, это было — сколько? — шесть лет назад. Не может быть, чтобы она попрежнему тосковала по Заку, верно? Не таким уж он был красавчиком!

— Не знаю. — Мадлен с тоской подумала об остывающей чашке кофе там, в «Блю блюз».

— Потом она забеременела, и, предположительно, Зак не был отцом, хотя мы продолжали сомневаться, но она стояла на своем. Она повторяла это снова и снова. Говорила, что это случилось один раз. Контакты с отцом невозможны. Знаете, она тогда училась на бакалавра гуманитарных наук, и такой поворот был некстати, но все происходит не случайно, как вы думаете?

— Совершенно верно, — согласилась Мадлен, хотя совсем так не думала.

— Врач сказал, что ей будет трудно забеременеть естественным путем, так что все произошло так, как должно было. А потом, когда Джейн была беременна, умер мой дорогой папочка, и поэтому я решила, что его душа могла вернуться в...

— Ма-а-ма! Мадлен!

Мать Джейн вздрогнула, и обе они отвернулись от моря и увидели Джейн, которая стояла на террасе «Блю блюз» и энергично размахивала рукой.

— Ваш кофе готов!

— Идем! — прокричала Мадлен.

— Простите меня, — произнесла Ди, когда они возвращались с пляжа. — Я слишком много говорю. Пожалуйста, забудьте все, что я сказала. Просто, когда я узнала, что бедного малыша Зигги не пригласили на день рождения к той девочке, я чуть не заплакала. Последнее время я немного на взводе, а сегодня мы рано встали, и у меня чуть кружится голова. Я никогда не была слезливой, скорее сдержанной. Это все возраст, мне пятьдесят восемь, и мои подруги такие же. Мы подружились, когда наши дети пошли в школу! На днях мы вместе обедали и говорили о том, что чувствуем себя пятнадцатилетними — готовы расплакаться из-за любого пустяка.

Мадлен остановилась.

— Ди, — начала она.

Ди нервно повернулась к ней, словно ожидая отповеди.

— Да?

— Я позабочусь о Джейн, — сказала Мадлен. — Обещаю.

* * *

Габриэль. Понимаете, проблема была еще и в том, что Мадлен вроде как удочерила Джейн. Вела себя как слегка помешанная старшая сестра-защитница. Стоило сказать что-нибудь неодобрительное о Джейн, и Мадлен набрасывалась на тебя, как бешеная собака.

Глава 20

Было одиннадцать часов первого школьного дня Зигги.

Выпил ли он уже утренний чай? Ест ли он сейчас яблоко, сыр и крекеры? Его крошечная коробочка с кишмишем? Джейн с замиранием сердца представила себе, как он открывает свой новый ланчбокс. Где он будет сидеть? С кем разговаривать? Она надеялась, с ним играют Хлоя и близнецы, но они могут его и не замечать. Едва ли один из близнецов подойдет к Зигги и подаст ему руку со словами: «Привет! Ты Зигги, да? Недавно мы вместе играли на площадке. Как поживаешь?»

Она встала от обеденного стола, за которым работала, и подняла руки над головой. С ним будет все хорошо. Все дети ходят в школу и привыкают к этому. Усваивают правила жизни.

Она пошла в крошечную кухню новой квартиры, чтобы включить чайник и выпить чашку чая, хотя особого желания не испытывала. Просто это был повод оторваться от счетов фирмы «Слесарные работы Безупречного Пита». Пит, возможно, безупречный водопроводчик, но не умеет держать бумаги в порядке. Каждый квартал она получала коробку из-под обуви, заполненную дикой мешаниной измятых, испачканных бумаг со странным запахом: счета-фактуры, чеки и квитанции кредитных карт. Она представляла себе, как Пит опустошает карманы, выуживает мясистой пятерней квитанции из бардачка машины, топчется по дому, хватая каждый клочок бумаги, а потом с шумным вздохом облегчения набивает всем этим обувную коробку. Работа сделана.

Джейн вернулась к столу и взяла следующую квитанцию. Жена Безупречного Пита недавно потратила $335 на косметолога, где она сделала себе «классический уход за лицом», «люкс-педикюр» и эпиляцию области бикини. Хорошо жене Безупречного Пита. Следующим было неподписанное разрешение на прошлогоднюю школьную экскурсию в зоопарк «Таронга». На обратной стороне записки какой-то ребенок фиолетовым карандашом написал:

Я НЕНАВИЖУ ТОМА!

Джейн прочитала записку.

Я смогу / не смогу прийти на экскурсию в качестве сопровождающего.

Жена Безупречного Пита обвела «не смогу». Была очень занята эпиляцией области бикини.

Закипел чайник. Джейн скомкала квитанцию и записку и вернулась на кухню.

Она могла бы быть сопровождающим, если бы Зигги с детьми пошел на экскурсию. В конце концов, именно поэтому она решила стать бухгалтером — иметь гибкий график ради Зигги, чтобы сочетать воспитание ребенка и карьеру. Правда, говоря подобные вещи, она всегда испытывала неловкость, словно не была настоящей матерью, словно вся ее жизнь — какой-то обман.

Было бы здорово снова пойти на школьную экскурсию. Она помнила связанное с этим волнение. Удовольствие от поездки в автобусе. Джейн могла бы незаметно наблюдать, как Зигги общается с другими детьми. Удостовериться в том, что он нормальный.

Конечно, он нормальный.

Она вновь вспомнила о светло-розовых конвертах, о которых думала все утро. Их было так много! Неважно, что его не пригласили на день рождения. Он еще слишком мал, чтобы обижаться, а дети пока почти не знают друг друга. Глупо даже думать об этом.

Но суть была в том, что она очень обижалась за него и чувствовала себя виноватой, словно сделала что-то не так. Она уже готова была забыть об инциденте в ознакомительный день, а теперь он снова занимал все ее мысли.

Чайник кипел.

Если Зигги действительно обидел Амабеллу, если он снова сделает нечто подобное, то его никогда не будут приглашать ни на какие вечеринки. Учителя будут вызывать ее в школу. Ей придется водить его к детскому психологу.

Ей придется вслух произнести все свои тайные пугающие опасения насчет Зигги.

Когда она наливала горячую воду в кружку, у нее дрожала рука.

— Если Зигги не пригласят, Хлоя тоже не пойдет, — заявила Мадлен в то утро за кофе.

— Пожалуйста, не делай этого, — сказала тогда Джейн. — Будет только хуже.

Но Мадлен лишь подняла брови и дернула плечами:

— Я уже сказала Ренате.

Джейн пришла в ужас. Отлично. Теперь у Ренаты появится лишний повод не любить ее. У Джейн появится враг. Последний раз у нее было некое подобие врага в начальной школе. Ей никогда не приходило в голову, что отправить ребенка в школу — это почти то же самое, что вновь пойти в школу самой.

Может быть, в тот день следовало заставить Зигги извиниться и извиниться самой. Она могла бы сказать Ренате: «Мне так жаль. Ужасно жаль. Он никогда ничего подобного не делал. Я постараюсь, чтобы этого не повторилось».

Но в этом не было толку. Зигги сказал, что он этого не делал. Она не могла отреагировать по-другому.

Она поставила кружку на стол, села за компьютер и развернула новую жвачку.

Правильно. Что ж, она будет предлагать свою помощь в школе. Очевидно, участие родителей полезно для обучения ребенка, хотя она всегда подозревала, что это школьная пропаганда. Она постарается подружиться с другими мамами, помимо Мадлен и Селесты, а при встрече с Ренатой будет вежливой и дружелюбной.

— Все забудется через неделю, — сказал утром за кофе ее отец, когда они обсуждали этот инцидент.

— Или раздуется сверх всякой меры, — произнес Эд, муж Мадлен. — Теперь, когда моя жена в это влезла.

Мать Джейн рассмеялась, как будто много лет знала Мадлен и ее наклонности. О чем они так долго разговаривали на берегу? Джейн внутренне сжалась, представив себе, что мать делится с Мадлен тревогами за

Джейн. Она никак не найдет себе парня! Она такая худая! Не хочет сделать модную стрижку!

Мадлен теребила тяжелый серебряный браслет у себя на запястье.

— Бабах! — вдруг произнесла она и, широко раскрыв глаза, покрутила руками в разные стороны, изображая взрыв.

Джейн тогда рассмеялась, подумав про себя: «Здорово, я подружилась с полоумной дамочкой».

Единственной причиной, почему у Джейн в начальной школе появился враг, было то, что так постановила хорошенькая и привлекательная девочка по имени Эмили Берри, которая всегда носила в волосах заколки в виде красных божьих коровок. Может быть, Мадлен — сорокалетняя версия Эмили Берри? Шампанское вместо лимонада. Ярко-красная губная помада вместо блеска для губ с ароматом земляники. Такая девочка играючи нарушит ваш покой, а вы все равно будете любить ее.

Джейн встряхнула головой, стараясь прояснить мысли. Это нелепо. Она взрослая. Она не собирается доводить дело до посещения кабинета директора, как это было в ее десять лет. Эмили сидела на стуле рядом с ней, и стоило директору отвести глаза, как она начинала лягать Джейн, жевать резинку и ухмыляться, как будто все это было милой шуткой.

Ладно. Надо сосредоточиться.

Осторожно, кончиками пальцев, она достала из коробки водопроводчика Пита следующий документ, засаленный на ощупь. Это был счет-фактура от оптового поставщика слесарного оборудования. Отлично, Пит. Это фактически относится к твоему бизнесу.

Джейн опустила руки на клавиатуру. «Давай. На старт, внимание, марш!» Чтобы ее работа была прибыльной и одновременно более-менее терпимой, ей приходилось вводить информацию в компьютер как можно быстрее. Когда один бухгалтер впервые дал ей задание, он сказал, что это займет от шести до восьми часов. Она сделала за четыре и попросила оплату за шесть. Теперь она стала работать еще быстрее. Это было похоже на компьютерную игру, когда с каждым разом переходишь на следующий уровень.

Не о такой работе она мечтала, но испытывала удовлетворение, видя, как ворох неопрятных бумажек превращается в ровные ряды цифр. Ей нравилось звонить клиентам, по большей части представителям мелкого бизнеса, как Пит, и сообщать им, что она нашла новый вычет. Больше всего она гордилась тем, что последние пять лет обеспечивала себя и Зигги, не обращаясь за помощью к родителям, даже если ей приходилось работать по ночам, когда он спал.

Не о такой карьере она мечтала в свои семнадцать, но теперь трудно было даже вообразить себе те простодушие и отвагу, с какими грезилось о какой-то особой жизни, словно мы вольны выбирать свой путь.

Пронзительно закричала чайка, и на миг Джейн ошеломил этот звук.

Но все же она сама выбрала *это.* Она выбрала жизнь на взморье, словно имела на это не меньше прав, чем другие. За двухчасовую работу она может наградить себя прогулкой по берегу. Прогулкой в середине дня. Она может пойти в «Блю блюз», купить кофе навынос, а потом сделать претенциозный снимок стаканчика на заборном столбе на фоне моря и послать в «Фейсбук» с комментарием: «Перерыв в работе! Ну не счастливица ли я?» А люди ответят: «Завидуем!»

Если она устроит себе идеальное существование в «Фейсбуке», то, возможно, поверит в себя.

Или она может даже написать: «Дикость какая-то! Зигги единственный в классе не приглашен на день рождения! Ррр!» А люди будут писать в качестве утешения что-то вроде: «Какого хрена!» или «Ай-ай-ай. Бедный маленький Зигги!»

Она может свести свои страхи к безобидным маленьким корректировкам своего статуса, который постепенно изменится благодаря стараниям подруг.

Тогда они с Зигги станут нормальными людьми. Может быть, она даже пойдет на свидание. Чтобы порадовать маму.

Джейн взяла свой мобильник и прочитала эсэмэску, которую ей прислала накануне подруга Анна.

> Помнишь Грега? Мой кузен, с которым ты познакомилась, когда нам было по 15! Он переехал в Сидней. Спрашивает твой номер, чтобы пригласить в бар! ОК? Я не настаиваю! Он стал таким горячим. Мои гены! Ха-ха. Целую.

Хорошо.

Она помнила Грега. Он был застенчивым, невысоким. Рыжеватые волосы. Однажды он рассказал дурацкий анекдот, который никто не понял, а потом, когда все стали спрашивать: «Что? Что?», он отвечал: «Не берите в голову!» Это застряло у нее в голове, потому что ей было его жаль.

Почему бы и нет?

Она вполне может пойти выпить с Грегом.

Время у нее было. Зигги был в школе. Она жила на побережье.

Она послала ответное сообщение:

О'кей. Целую.

Потом отхлебнула чая и положила пальцы на клавиатуру.

И тут вдруг отреагировало ее тело. Она даже не думала об эсэмэске. Она думала о квитанциях водопроводчика Пита на расходные материалы.

Сильный приступ тошноты заставил ее согнуться пополам и упереться лбом в стол. Она зажала рот ладонью. Кровь отхлынула от головы. Она чувствовала этот запах. Она могла поклясться, что запах присутствует в ее квартире.

Иногда, если настроение Зигги неожиданно резко менялось с хорошего на плохое, она ощущала, как от него исходит этот запах.

Джейн с трудом распрямилась и, давясь, взяла телефон. Дрожащими пальцами набрала эсэмэску Анне.

Не давай ему номер моего телефона! Я передумала!

Ответ пришел почти сразу.

Слишком поздно.

* * *

Теа. Я слышала, Джейн пробовала, так сказать, подцепить одного из папаш. Понятия не имею, кого именно. По крайней мере, знаю, что это был не мой муж!

Бонни. Она этого не делала.

Кэрол. Знаете, в Клубе эротической книги был один мужчина. Не мой муж, слава богу. Он читает только «Гольф в Австралии».

Джонатан. Да, это я был тем мужчиной в так называемом Клубе эротической книги, с той разницей, что это шутка. Это просто обыкновенный книжный клуб.

Мелисса. Разве у Джейн не было романа с каким-то папашей, работающим дома?

Габриэль. Роман был не у Джейн. Я всегда считала ее пуританкой. Туфли без каблуков, никаких украшений, никакой косметики. Но хорошее тело! Ни грамма жира! Она была самой худощавой мамой в школе. Господи, как есть хочется. Вы пробовали диету 5:2? Сегодня у меня разгрузочный день. Умираю от голода.

Глава 21

Селеста рано приехала в школу за детьми. Она жаждала прикоснуться к их ладным маленьким телам, ожидая того краткого момента, когда они крепко обовьют руками ее шею и она поцелует каждого в разгоряченную душистую и крепкую головку, после чего оба улизнут. Но она знала, что, возможно, через четверть часа будет орать на них. Они будут утомленные и плохо управляемые. Накануне вечером она уложила их только в девять. Слишком поздно. Плохая мать. «Немедленно в постель!» — в конце концов прикрикнула она на них. Когда Перри не было дома, ей всегда стоило большого труда вовремя уложить их спать. А вот Перри они слушались.

Он был хорошим отцом. И хорошим мужем. В большинстве случаев.

— Тебе следует придерживаться режима, — сказал ей сегодня брат по телефону из Окленда.

— Какая прогрессивная мысль! — съехидничала Селеста. — Мне это никогда не пришло бы в голову!

Если дети у родителей хорошо спят, то родители относят это на счет правильного воспитания, а не на счет везения. Они придерживались правил, и правила сработали. А вот Селеста, вероятно, не придерживается правил. И никогда им ничего не докажешь!

— Привет, Селеста.

Селеста вздрогнула и прижала руку к груди:

— Джейн!

Она, как водится, мечтала и не услышала шагов. Ее ужасно раздражало, что при появлении людей она подскакивает как лунатик.

— Извини, — сказала Джейн. — Не хотела тебя напугать.

— Как прошел день? — спросила Селеста. — Много успела сделать?

Она знала, что Джейн зарабатывает на жизнь бухгалтерской работой. Селеста представила себе, как Джейн сидит за опрятным столом в маленькой, скудно обставленной квартире. Селеста там не была, но знала этот квартал непритязательных домов из красного кирпича на Бомонт-стрит вблизи побережья и предполагала, что интерьер такой же скромный, как сама Джейн. Ничего лишнего. Никаких безделушек. Простота ее существования интриговала. Только Джейн и Зигги. Один милый темноволосый ребенок, конечно, если не принимать в расчет странного инцидента с удушением. Никаких ссор. Спокойная и незатейливая жизнь.

— Да так, не очень, — ответила Джейн. Жуя резинку, она еле заметно, как мышка, двигала губами. — Утром мы с моими родителями, Мадлен и Эдом пили кофе. Потом день почти сразу закончился.

— День проходит так быстро, — согласилась Селеста, хотя ее день тянулся.

— Ты вернешься на работу, раз дети пошли в школу? — поинтересовалась Джейн. — Чем ты занималась до рождения близнецов?

— Работала юристом, — ответила Селеста. — У меня была профессия.

— Ха! А я собиралась стать юристом.

В голосе Джейн прозвучала грусть, не совсем понятная Селесте.

Они свернули в поросший травой переулок, проходящий мимо маленького белого домика из пенобетона, казавшегося частью школы.

— Мне не так уж это нравилось, — сказала Селеста.

Было ли это правдой? Она терпеть не могла стресс. Опаздывала на службу почти каждый день. Но разве ей не нравились некоторые аспекты ее работы? Скрупулезное распутывание правового спора. Похоже на математику, но со словами.

— Я не смогла бы вернуться к юридической практике, — продолжала она. — Только не с детьми. Иногда я думаю, что могла бы преподавать. Преподавать право. Но я не уверена, что это меня по-настоящему привлекает.

Она потеряла вкус к работе, как и к лыжам.

Джейн молчала. Возможно, она считала ее избалованной трофейной женой.

— Мне повезло, — сказала Селеста. — Мне не надо работать. Перри... Он менеджер хеджевого фонда.

Это прозвучало хвастливо, а она хотела лишь сказать, что благодарна ему. Разговоры с женщинами о работе могут быть такими удручающими. Будь здесь Мадлен, та сказала бы: «Перри зарабатывает кучу денег, и Селеста может бездельничать». А потом в характерной для нее манере повернула бы на 180 градусов, говоря, что воспитание мальчиков-близнецов нельзя назвать бездельем и что Селеста работает, пожалуй, больше Перри.

Мадлен нравилась Перри. Он называл ее «базарной бабой».

— Пока Зигги в школе, мне надо заняться какими-то физическими упражнениями, — сказала Джейн. — Я такая нетренированная. Стоит мне подняться на крошечную горку, и я задыхаюсь. Это ужасно. Все вокруг такие физически развитые и здоровые.

— А я нет, — сказала Селеста. — Я совсем не тренируюсь. Мадлен всегда пристает ко мне, чтобы я пошла с ней в спортзал. Она обожает эти занятия, а я терпеть не могу спортзалы.

— Я тоже, — с гримаской согласилась Джейн. — Эти здоровые потные мужики.

— Когда дети в школе, мы можем вместе гулять, — сказала Селеста. — По мысу.

Джейн улыбнулась мимолетной застенчивой улыбкой:

— Я бы с удовольствием.

* * *

Харпер. Вы знаете, что Джейн с Селестой стали хорошими подругами? Но, очевидно, не так уж все было гладко, потому что я случайно кое-что услышала на вечере викторин. Должно быть, это было за несколько минут до того, как все случилось. Я вышла на террасу, чтобы подышать свежим воздухом — ну, на самом деле выкурить сигарету, потому что у меня было кое-что на уме, — и там были Джейн с Селестой, и Селеста говорила: «Прости меня. Мне очень, очень жаль».

* * *

Примерно за час до встречи детей из школы позвонила Самира, начальница Мадлен из театра Пирриви, чтобы обсудить маркетинг новой постановки «Короля Лира». Перед тем как повесить трубку (наконец-то! Мадлен не оплачивали эти телефонные звонки, и если бы начальница предложила оплатить, она бы отказалась, но все же приятно было бы иметь такую возможность снисходительно отказаться), Самира обронила, что у нее есть «целая кипа» контрамарок на первый ряд «Диснея на льду», если Мадлен они нужны.

— На какое число? — спросила Мадлен, взглянув на настенный календарь.

— Гм, дайте посмотреть. Суббота, двадцать восьмого февраля, два часа дня.

Ячейка в календаре была пустой, но дата показалась ей знакомой. Мадлен взяла сумку и вынула розовый конверт, который ей утром вручила Хлоя.

А-пати Амабеллы была назначена на субботу, 28 февраля, на два часа дня.

Мадлен улыбнулась:

— Я бы с радостью пошла туда.

* * *

Теа. Сначала нам раздали приглашения на день рождения Амабеллы. А потом, в тот же день, Мадлен вручает нам бесплатные билеты на «Диснея на льду», словно она леди Мак.

Саманта. Эти билеты стоят целое состояние, и Лили ужасно хотела пойти. Я понятия не имела, что на этот же день назначен праздник у Амабеллы, к тому же

Лили еще совсем не знает Амабеллу, но мне было немного неловко, совсем немного.

Джонатан. Я всегда говорил, что самое лучшее в работе на дому — это то, что остаешься в стороне от всех офисных интриг. А тут в первый же школьный день я попал в гущу конфликта между этими двумя женщинами!

Бонни. Мы пошли на праздник к Амабелле. Наверное, Мадлен забыла предложить нам билет на Диснея. Уверена, это просто упущение.

Сержант уголовной полиции Эдриан Куинлан. Мы говорили с родителями обо всем, что происходило в этой школе. Уверяю вас, не впервые спор по незначительному на первый взгляд поводу приводит к насилию.

Глава 22

За три месяца до вечера викторин

Селеста и Перри сидели на диване и смотрели третью серию «Ходячих мертвецов», попивая красное вино и заедая его шоколадными конфетами «Линдт». Мальчики крепко спали. В доме было тихо, не считая скрипа шагов, доносящихся из телевизора. Главный герой пробирался по лесу с ножом на изготовку. Из-за дерева появилась женщина-зомби с почерневшим полуразложившимся лицом и оскаленными зубами. Она издавала гортанные звуки, по всей видимости характерные для зомби. Селеста и Перри оба подскочили и вскрикнули.

Он нечаянно пролил вино на футболку.

— Я жутко перепугался.

Человек на экране вонзил нож в череп зомби.

— Ух ты! — воскликнула Селеста.

— Останови, пока я долью вина, — попросил Перри.

Селеста взяла пульт и поставила DVD на паузу.

— Эта часть лучше прошлогодней.

— Знаю, — сказал Перри. — Правда, после нее мне снятся кошмары. — Он принес из буфета бутылку вина. — Мы пойдем завтра на день рождения к кому-то из детей? — наполняя ее бокал, спросил он. — Сегодня в Каталинасе я наткнулся на Марка Уиттакера, и он думает, что мы пойдем. Он сказал, чья-то мамаша говорила, что мы приглашены. Рената... Фамилию не помню. Кажется, мы встречались с какой-то Ренатой тогда в школе?

— Да, верно, — откликнулась Селеста. — Нас пригласили на день рождения Амабеллы. Но мы не пойдем.

Она была не в состоянии сосредоточиться. В этом вся проблема. Не хватило времени подготовиться. Она наслаждалась вином, шоколадом и зомби. Перри вернулся меньше недели назад. После поездок он бывал таким любящим и бодрым, особенно если ездил за границу. Это как-то очищало его. Лицо казалось более гладким, глаза ярче. Пройдут недели, прежде чем им овладеет неудовлетворенность. Сегодня вечером дети донимали родителей ужасными капризами. «Мамочка будет сегодня отдыхать», — сказал Перри мальчикам, взяв на себя купание, чистку зубов, сказку на ночь, а она сидела на диване, читая книгу и попивая «Сюрприз Перри». Это был коктейль, давно им изобретенный. Шоколад, ликер-крем, земляника и корица. Любая женщина, которую он угощал этим коктейлем, приходила в восторг. «Я бы отдала детей в обмен на этот рецепт», — сказала однажды Мадлен Перри.

Перри налил себе вина:

— Почему мы не пойдем?

— Я веду мальчиков на «Диснея на льду». Мадлен достала бесплатные билеты, и мы идем группой.

Селеста отломила еще шоколаду. С утра она послала извинение Ренате, но не получила ответа. Поскольку детей отвозила в школу и встречала из школы в основном няня, Селеста не сталкивалась с Ренатой с первого школьного дня. Она понимала, что своим отказом связывает себя с Мадлен и Джейн, но да, она действительно связана с Мадлен и Джейн. И это всего лишь день рождения пятилетнего ребенка, а не вопрос жизни и смерти.

— Так меня не приглашают на это представление с Диснеем? — спросил Перри, отхлебнув вина.

Тогда она почувствовала это. Крошечный спазм в животе. Но его тон был таким небрежным. Шутливым. Если она поведет себя осторожно, то вечер еще можно будет спасти.

Она положила шоколад.

— Извини, — сказала она. — Я думала, тебе захочется немного побыть одному. Можешь пойти в спортзал.

Перри стоял над ней с бутылкой вина в руке. Он улыбнулся:

— Я был в отъезде три недели и снова уезжаю в пятницу. Зачем мне быть одному?

Он не казался рассерженным, но она почувствовала в воздухе электрические разряды, как это бывает перед грозой. Волоски у нее на руках встали дыбом.

— Извини, — повторила она. — Я не подумала.

— Я тебе уже надоел?

У него был обиженный вид. И он действительно обиделся. Она проявила легкомыслие. Могла бы и догадаться. Перри всегда искал доказательств того, что она его не любит по-настоящему. Словно он ожидал этого, а потом сердился, когда, как он считал, оказывался прав.

Она собралась встать с дивана, но испугалась, что это приведет к конфликту. Иногда, если она вела себя правильно, ей удавалось вернуть ситуацию в спокойное русло. Но сейчас она подняла на него глаза:

— Мальчики даже не знают эту девчушку. А я, по сути дела, ни разу не водила их на подобные шоу. Мне показалось, этот вариант лучше.

— Ну так почему ты не водишь их на такие шоу? — спросил Перри. — Нам не нужны бесплатные билеты! Почему ты не сказала Мадлен отдать билеты комунибудь, кто по-настоящему оценит их?

— Не знаю. Дело не в деньгах, правда.

Она не подумала об этом. Она лишила другую мать бесплатного билета. Ей следовало подумать, что Перри скоро вернется и захочет проводить время с сыновьями. Но он уезжал так часто, что она привыкла сама организовывать свою светскую жизнь.

— Мне жаль, — спокойно произнесла она. Ей действительно было жаль, но все было тщетно, потому что он никогда не поверил бы ей. — Вероятно, надо было выбрать детский праздник. — Она поднялась. — Хочу вынуть контактные линзы. Глаза чешутся.

Она хотела пройти мимо него. Он схватил ее за предплечье, вонзив пальцы в плоть.

— Эй, — вскрикнула она. — Мне больно.

Это было частью игры — возмущение и удивление как ее первая реакция, словно этого никогда не случалось прежде, словно он не понимает, что делает.

Он схватил ее сильней.

— Не надо, — попросила она. — Перри, не надо.

Боль разожгла в ней гнев. Гнев был в ней всегда: резервуар с горючим топливом. Она услышала свой высокий истерический голос. Визгливая вздорная женщина.

— Перри, это сущий пустяк! Не делай из мухи слона.

Ибо теперь речь шла не о детском празднике. Речь шла обо всех других случаях. Он сжал руку еще сильней. Возникало впечатление, что он принимает решение: насколько сделать ей больно.

Потом он довольно сильно толкнул ее, и она неловко покачнулась назад.

На шаг отступив, он вздернул подбородок и тяжело задышал, раздувая ноздри и уронив руки вдоль туловища. Он ждал ее реакции.

Вариантов было много.

Иногда она пыталась ответить как взрослый человек. «Это неприемлемо».

Иногда кричала.

Иногда уходила.

Иногда давала ему сдачи. Она колошматила и лягала его, как это делала когда-то со своим старшим братом. Несколько мгновений он не останавливал ее, словно именно это ему и было нужно, а потом хватал за руки. Не она одна просыпалась на следующий день с синяками. Она видела синяки на теле Перри тоже. Она была не лучше его. Такая же больная. «Не важно, кто это начал!» — говорила она детям.

Ни один из вариантов не отличался эффективностью.

«Если ты хоть раз сделаешь это снова, я уйду от тебя», — сказала она ему после первого случая, причем абсолютно серьезно. Она точно знала, как должна себя вести в подобной ситуации. Мальчикам было только по восемь месяцев. Перри плакал. Она плакала. Он обещал, клялся жизнью детей. Он страшно переживал.

И купил ей тогда первое украшение, которое она так никогда и не надела.

Через неделю после дня рождения близнецов, когда им исполнилось по два, это случилось снова. Хуже, чем в первый раз. Она пришла в отчаяние. Брак разваливался. Она собиралась уйти. Сомнений не оставалось. Но той самой ночью оба мальчика проснулись от ужасного кашля. Это был круп. На следующий день Джошу стало так плохо, что их терапевт сказал: «Вызываю „скорую помощь“». Малыш три дня находился в отделении интенсивной терапии. Когда врач появился перед ней, осторожно проговорив: «Мы собираемся интубировать», Селесте показались несущественными бледно-фиолетовые синяки на ее левом бедре.

Ей хотелось только, чтобы с Джошем все обошлось, и все обошлось, и он сидел в постели, требуя «Гномов» и брата голосом, все еще охрипшим от той ужасной трубки. Они с Перри пребывали в состоянии эйфории от счастья. А через несколько дней после выписки Джоша из больницы Перри улетел в Гонконг, и момент для решительных действий был упущен.

А неоспоримый факт, объясняющий всю ее нерешительность, заключался в том, что она любила Перри. Она по-прежнему была в него влюблена. Она по-прежнему была от него без ума. Он делал ее счастливой и заставлял смеяться. Она по-прежнему любила разговаривать с ним, смотреть с ним телевизор, лежать с ним в постели холодными дождливыми утрами. Она по-прежнему хотела его.

Но каждый раз, оставаясь, она словно давала ему молчаливое разрешение продолжать в том же духе. Она это понимала. Она была образованной женщиной, у которой было из чего выбирать, было куда пойти, а также имелись родные и друзья, способные ее поддержать, юристы, согласные за нее поручиться. Она могла вернуться на работу и обеспечивать себя. Она не опасалась, что он убьет ее, если она попытается уйти. Она не опасалась, что он заберет у нее детей.

Одна из школьных мам, Габриэль, после занятий часто болтала с Селестой на детской площадке, пока ее сын и мальчики Селесты играли в ниндзя.

— Завтра я начинаю новую диету, — сказала она Селесте вчера. — Возможно, у меня ничего с ней не получится, и тогда я стану себя ненавидеть. — Она оглядела Селесту с ног до головы. — Ты понятия не имеешь, о чем я говорю, стройняшка.

На самом деле имею, подумала Селеста. Я в точности знаю, о чем ты говоришь.

А сейчас она прижала ладонь к предплечью, стараясь не заплакать. Завтра она не сможет надеть платье без рукавов.

— Не знаю, почему... — Она замолчала. *Не знаю, почему я остаюсь. Не знаю, почему я это заслуживаю. Не знаю, зачем ты это делаешь, зачем мы это делаем, почему это продолжается.*

— Селеста, — хрипло произнес он.

Она ощутила, как его напряжение спадает. DVD заработал снова. Перри взял пульт и выключил телевизор.

— О господи! Прости меня, пожалуйста.

На его лице отразилось сожаление.

Все окончилось. Встречных обвинений по поводу детского праздника не будет. По сути дела, будет прямо противоположное. Он проявит нежность и заботу. В течение следующих нескольких дней до его отъезда он будет холить и лелеять Селесту. Какая-то часть ее существа будет наслаждаться этим: трепетное, слезливое и праведное чувство несправедливо обиженного человека.

Она отвела руку от плеча.

Все могло быть гораздо хуже. Он редко бил ее по лицу. У нее не было переломов конечностей, и ей не накладывали швы. Ее синяки всегда можно было скрыть под воротником-стойкой, рукавами или брюками. Он ни разу и пальцем не тронул детей. Мальчики никогда не были свидетелями происходящего. Могло быть и хуже. Намного хуже. Она читала в прессе о жертвах домашнего насилия. Это было ужасно. Реально. То, что делал Перри, не шло в расчет. Так, ерунда, отчего все становилось еще более унизительным, потому что было таким... вульгарным. Таким несерьезным и банальным.

Он не обманывал ее. Не играл в азартные игры. Много не пил. Не игнорировал ее, как ее отец игнорировал мать. Это было бы хуже всего. Чтобы тебя игнорировали. Не замечали.

Ярость Перри была болезнью. Психическим расстройством. Она видела, как эта болезнь завладевает им, как он изо всех сил сопротивляется. Когда на него накатывал приступ, глаза его становились красными и остекленевшими, как у наркомана. То, что он говорил, часто не имело смысла. Это был не он. Эта ярость не имела к нему отношения. Неужели она бросит его, если у него опухоль мозга, которая влияет на его личность? Конечно нет.

Это было слабое место в их отношениях, в остальном безупречных. Каждый союз имеет свои слабые места. Свои взлеты и падения. Похоже на материнство. Каждое утро мальчишки залезали к ней постель пообниматься, и поначалу это было божественно, но потом, минут через десять, они начинали драться, и это было ужасно. Ее мальчики были чудесными маленькими баловнями. И маленькими дикими зверушками.

Она никогда не бросит Перри, точно так же, как не бросит мальчишек.

Перри протянул к ней руки:

— Селеста?

Повернув голову, она хотела шагнуть прочь, но, кроме него, никто не мог ее утешить. Только он. Настоящий он.

Она сделала шаг вперед и положила голову ему на грудь.

* * *

Саманта. Никогда не забуду тот момент, когда на вечер пришли Перри с Селестой. По залу словно пробежала дрожь. Все замерли и уставились на них.

Глава 23

— Ну разве не КЛАССНО? — прокричала Мадлен Хлое, когда они заняли свои прекрасные места перед гигантским ледяным катком. — Ото льда идет такой холод! Бррр! Интересно, где принцессы...

Хлоя потянулась и осторожно прикрыла ладошкой рот матери:

— Ш-ш-ш.

Мадлен знала, что говорит чересчур много, потому что была взволнована и чувствовала себя немного виноватой. Чтобы оправдать размолвку между собой и Ренатой, сегодняшний день должен стать каким-то необыкновенным. Благодаря Мадлен восемь детей из подготовительного класса, которые должны были присутствовать на празднике Амабеллы, смотрели «Диснея на льду».

Мадлен бросила взгляд на Зигги, который держал на коленях огромную мягкую игрушку. Именно Зигги — причина того, что они сегодня здесь, напомнила она себе. Бедный Зигги не попал бы на день рождения. Милый маленький Зигги, оставшийся без отца. Не исключено, что он скрытый психопат... Но все же!

— Зигги, в это выходные ты заботишься о бегемотике Гарри? — весело спросила она.

Бегемотик Гарри был классной игрушкой. Каждые выходные он отправлялся домой к кому-нибудь из детей вместе с альбомом, который следовало вернуть с маленьким рассказом о выходных, дополненным фотоснимками.

Зигги молча кивнул. Немногословный ребенок.

Джейн наклонилась вперед, как обычно сдержанно жуя резинку.

— С этим Гарри столько хлопот. Мы должны его развлекать. В прошлые выходные он катался на американских горках — ой!

Джейн припомнила, как один из близнецов, который сидел рядом с ней и дрался с братом, двинул ее локтем по голове.

— Джош! — строго произнесла Селеста. — Макс! Сейчас же прекратите!

Мадлен показалось, что с Селестой сегодня что-то не так. У нее был бледный, усталый вид, под глазами багрянистые тени, хотя у Селесты они выглядели как искусный макияж, который следовало бы попробовать каждой.

Свет в зрительном зале стал постепенно гаснуть, и наступила темнота. Хлоя уцепилась за руку Мадлен. Загремела музыка, да так громко, что Мадлен почувствовала вибрацию. Каток заполнился разноцветной толпой бегающих, крутящихся диснеевских персонажей. Мадлен посмотрела вдоль ряда на своих гостей, чьи профили освещались отблесками ослепительных прожекторов, направленных на лед. Дети глядели прямо перед собой, выпрямив маленькие спины, увлеченные зрелищем.

А родители, повернув головы, смотрели на профили своих детей, очарованные их очарованием.

За исключением Селесты, которая опустила голову и прижала ладонь ко лбу.

Придется уйти от него, думала Селеста. Иногда, когда она думала о чем-то другом, в голову неожиданно, как летающий кулак, врывалась эта мысль. *Муж меня бьет.*

Боже правый, что с ней не так? Все эти безумные рассуждения. Слабое место, вот в чем дело. Конечно, ей надо уйти. Сегодня! Прямо сейчас! Как только они вернутся домой после шоу, она соберет чемоданы.

Но мальчики будут такими усталыми и капризными.

— Было потрясающе, — сказала Джейн матери, которая позвонила, чтобы узнать, как прошло представление. — Зигги очень понравилось. Он говорит, что хочет учиться кататься на коньках.

— Твой дедушка любил кататься на коньках! — торжественно объявила мать.

— Вот видишь! — воскликнула Джейн, не удосужившись сообщить матери, что после этого шоу каждый ребенок объявил, что теперь хочет учиться кататься на коньках. Не только те, у кого были прошлые жизни.

— Да, никогда не угадаешь, на кого я сегодня наткнулась в магазинах, — сказала ее мать. — Рут Салливан!

— Правда? — спросила Джейн, подумав, что это и есть истинная причина звонка. Рут была матерью ее бывшего бойфренда. — Как Зак?

— Отлично, — ответила мать. — Он... Гм, ну, он помолвлен, дорогая.

— Да? — вежливо поинтересовалась Джейн, разворачивая новую пластину жвачки.

Засунув жвачку в рот, она пожевала ее, пытаясь понять, как она к этому относится, но ее отвлекало что-то другое: мизерная вероятность мизерной катастрофы. Она принялась разгуливать по неприбранной квартире, поднимая подушки и разбросанную одежду.

— Я не была уверена, что стоит тебе говорить, — сказала ей мать. — Знаю, это было давно, но он же заставил тебя страдать.

— Он не заставил меня страдать, — небрежным тоном произнесла Джейн.

Он все же заставил ее страдать, но сделал это настолько тактично, с таким сожалением и уважением, как это мог сделать симпатичный, хорошо воспитанный девятнадцатилетний парень, которому захотелось побывать в Европе и погулять вволю.

Сейчас она думала о Заке как о давнишнем школьном друге, которого обняла бы с искренней теплотой на встрече выпускников школы и с которым не виделась бы до следующей встречи.

Джейн опустилась на колени и заглянула под диван.

— Рут спрашивала про Зигги, — многозначительно проговорила мать.

— Неужели?

— Я показала ей фото Зигги в первый школьный день и наблюдала за выражением ее лица. Слава богу, она ничего не сказала, но я точно знала, о чем она думает, потому что должна признать: Зигги на этом фото чуть-чуть похож...

— Мама! Зигги совсем не похож на Зака, — сказала Джейн, поднимаясь на ноги.

Ее раздражало, когда она ловила себя на стремлении разложить красивое лицо Зигги на отдельные черты, выискивая что-то знакомое: губы, нос, глаза. Иногда ей казалось, она краем глаза видит что-то, проблеск чего-то, и это приводило ее в трепет, но потом она снова быстро собирала Зигги воедино.

— О, понимаю! — сказала мать. — Ничего похожего на Зака!

— И Зак вовсе не отец Зигги.

— Знаю, милая. Господи! Я это знаю. Ты бы мне сказала.

— Точнее, я сказала бы Заку.

После рождения Зигги Зак позвонил ей. «Ты ничего не хочешь мне сказать, Джейн?» — спросил он наигранно бодрым тоном. «Нет», — ответила Джейн и услышала тихий вздох облегчения.

— Ну, я знаю это, — сказала мать, быстро сменив тему разговора. — Скажи, ты сделала снимки с классной игрушкой? Отец пошлет тебе по электронке адрес того замечательного места, где их можно напечатать. Сколько это стоит, Билл? Сколько? Нет, фотографии Джейн! Для того альбома, который она должна оформить для Зигги!

— Мама, — перебила ее Джейн. Зайдя в кухню, она подняла с пола портфель Зигги, а затем перевернула его. Ничего не выпало. — Хорошо, мама. Я знаю, где можно напечатать фото.

Мать проигнорировала ее.

— Билл! Послушай! Ты говорил, есть такой сайт... — Ее голос замер.

Джейн вошла в спальню Зигги, где он сидел на полу, играя в лего. Она приподняла постельные принадлежности и потрясла их.

— Он пошлет тебе по почте подробности, — сказала мать.

— Замечательно, — рассеянно проговорила Джейн. — Мне пора, мама. Завтра созвонимся.

Она выключила телефон. Сердце гулко стучало. Джейн приложила ладонь ко лбу. Нет. Нет, конечно. Она не могла так сглупить.

Зигги с любопытством взглянул на нее.

— Кажется, у нас проблема, — сказала Джейн.

Когда Мадлен сняла трубку, там молчали.

— Алло? — повторила Мадлен. — Кто это?

Она услышала чей-то плач и невнятные слова.

— Джейн? — Мадлен вдруг узнала голос. — Что случилось? Что такое?

— Ничего, — ответила Джейн, шмыгая носом. — Никто не умер. Это даже смешно. Смешно над этим плакать.

— Что случилось?

— Просто... О-о, что теперь подумают обо мне другие мамы? — Голос Джейн задрожал.

— Кого волнует, что они подумают! — произнесла Мадлен.

— Меня волнует! — сказала Джейн.

— Джейн. Ну скажи мне. В чем дело? Что произошло?

— Мы потеряли его, — рыдала Джейн.

— Кого потеряли? Вы потеряли Зигги?

Мадлен запаниковала. Ее саму преследовали навязчивые страхи потерять своих детей, и она произвела быструю мысленную ревизию: Хлоя в постели, Фред занимается чтением с Эдом, Абигейл у отца (опять).

— Мы оставили его на кресле. Помню, что я подумала, не дай бог нам забыть его там. Я действительно об этом подумала, но потом у Джоша пошла из носа кровь, и мы все отвлеклись. Я послала сообщение на телефон стола находок, но у него не было ярлыка или чего-то в этом роде...

— Джейн. Ты говоришь какую-то чушь.

— Бегемотик Гарри! Мы потеряли бегемотика Гарри!

* * *

Теа. Вот таковы эти дети поколения «игрек». Они такие легкомысленные. Бегемотик Гарри был в школе больше десяти лет. А та дешевая синтетическая игрушка, которую она купила взамен, пахнет просто ужасно. Сделано в Китае. Морда этого бегемота какая-то недружелюбная.

Харпер. Послушайте, дело даже не в том, что она потеряла бегемотика Гарри, а в том, что поместила в альбом снимки эксклюзивной группы, попавшей на «Диснея на льду». Так что все ребятишки это увидели, и бедные малыши думают: почему меня не пригласили? Как я сказала Ренате, это было просто бездумно.

Саманта. Да, и знаете, что действительно удручает? Это были последние снимки бегемотика Гарри. Гарри, внесенного в список школьного наследия. Гарри... Простите, но это не смешно. Совсем не смешно.

Габриэль. Боже мой! Вся эта суета по поводу того, что бедная Джейн потеряла классную игрушку, и все делают вид, что это неважно, но очевидно, что это все-таки важно. И я вот думаю: вы, люди, когда-нибудь поумнеете? Послушай, я кажусь тебе стройнее, чем в последний раз? Я сбросила три кило.

Глава 24

За два месяца до вечера викторин

— ДАВА-А-Й! ЗЕЛЕ-Е-НЫЙ! — закричала Мадлен, прыская на волосы Хлои зеленым лаком. Они готовились к спортивному празднику.

Хлоя с Фредом изображали «Дельфинов», и у них был зеленый цвет. И это было удачно, потому что Мадлен хорошо смотрелась в зеленом. Когда Абигейл посещала начальную школу, их цветом был нелестный для Мадлен желтый.

— Эта штука очень вредна для озонового слоя, — заметила Абигейл.

— Правда? — Мадлен высоко подняла банку с аэрозолем. — И чем же она вредна?

— Мама, от этого в озоновом слое получаются дыры!

Абигейл презрительно закатила глаза, поедая льняное семя домашнего приготовления, без консервантов, или что там еще было в мюсли. В последнее время, возвращаясь домой от отца, она выходила из машины, увешанная пакетами с едой, словно ее снарядили в путешествие по диким местам.

— Сейчас посмотрим, что тут написано про эти дыры.

Мадлен подняла банку и, нахмурившись, попыталась прочитать надпись, но шрифт был чересчур мелкий. Однажды у нее был парень, который считал ее хорошенькой и глупенькой. И действительно, встречаясь с ним, она была хорошенькой и глупенькой. Точно такой же она ощущала себя при общении с дочерью-подростком.

— Фреон, — сказал Эд. — Аэрозоли больше не содержат фреона.

— И все-таки... — начала Абигейл.

— Близнецы думают, что их мама сегодня выиграет гонку мам, — заявила Хлоя, а Мадлен принялась заплетать ее зеленые волосы во французскую косичку. — Но я сказала им, что ты в триллион раз быстрее.

Мадлен рассмеялась. Она с трудом представляла себе Селесту участницей гонки. Подруга могла побежать не в ту сторону или даже не заметить выстрела стартового пистолета. Она всегда такая рассеянная.

— Наверное, выиграет Бонни, — сказала Абигейл. — Она бегает очень быстро.

— Бонни? — переспросила Мадлен.

— Гм, — усомнился Эд.

— Что? — вспылила Абигейл. — Почему она не может быстро бегать?

— Просто я считала, что она больше увлекается йогой и подобными вещами. Которые не укрепляют сердечно-сосудистую систему. — И Мадлен снова обратилась к волосам Хлои.

— Она очень быстрая. Я видела, как они с папой бегали по пляжу, и Бонни, в общем-то, намного моложе тебя, мама.

— А ты смелая, Абигейл, — хихикнул Эд.

Мадлен рассмеялась:

— Когда-нибудь, Абигейл, когда тебе будет тридцать, я повторю тебе кое-что из того, что ты наговорила мне за последний год...

Абигейл бросила на стол ложку:

— Я говорю только, чтобы ты не расстраивалась, если не выиграешь!

— Да-да, о'кей, спасибо, — примирительно сказала Мадлен.

Они с Эдом иногда смеялись над Абигейл, когда та и не думала быть смешной и не понимала, над чем они смеются. Вот и сейчас она смутилась, а потом разозлилась.

— Я просто не понимаю, почему ты все время как будто соревнуешься с ней, — сердито проговорила Абигейл. — Ведь ты не собираешься снова замуж за папу, тогда в чем твоя проблема?

— Абигейл, — начал Эд, — мне не нравится твой тон. Говори с мамой повежливей.

Мадлен, глядя на Эда, слегка покачала головой:

— Господи!

Абигейл отодвинула свою тарелку и встала.

О горе мне! — подумала Мадлен. Утренние сцены. Чтобы наблюдать за сестрой, Хлоя вывернулась из рук Мадлен.

— Мне уже и сказать ничего нельзя! — Абигейл дрожала всем телом. — Не могу быть собой в собственном доме! Не могу отдохнуть!

Мадлен вспомнила о первой вспышке гнева Абигейл, когда той было около трех. До этого Мадлен считала, что дочь никогда не будет выходить из себя, и все благодаря ее хорошему воспитанию. И каким шоком для нее было видеть, как маленькое тельце Абигейл сотрясается от сильных переживаний. Дочка хотела доесть шоколадную лягушку, которую уронила на пол супермаркета. Мадлен следовало оставить бедного ребенка в покое.

— Абигейл, не надо так переживать. Успокойся, — сказал Эд.

Спасибо, дорогой, подумала Мадлен, это всегда помогает, правда ведь? Когда просишь женщину успокоиться.

— Ма-ам! Я нашел только один ботинок! — завопил Фред из коридора.

— Минутку, Фред! — отозвалась Мадлен.

Абигейл медленно покачала головой, словно была возмущена вопиющим обращением, которое ей приходилось терпеть.

— Знаешь что, мама? — не глядя на Мадлен, проговорила она. — Я собиралась сказать тебе об этом позже, но скажу сейчас.

— МА-АМ! — вопил Фред.

— Мамочка занята! — пронзительным голосом произнесла Хлоя.

— Посмотри под кроватью! — прокричал Эд.

У Мадлен звенело в ушах.

— Что такое, Абигейл?

— Я решила все время жить у папы и Бонни.

— Что ты сказала? — спросила Мадлен, хотя она все слышала.

Она уже давно боялась этого, но все твердили: «Нет-нет, этого не случится. Абигейл никогда этого не сделает. Ей нужна мама». Но Мадлен понимала, что все к этому идет. Знала, что это случится. Ей хотелось накричать на Эда: «Зачем ты велел ей успокоиться!»

— Просто я чувствую, что для меня так лучше, — сказала Абигейл. — В духовном смысле.

Она уже не дрожала и спокойно отнесла свою тарелку в раковину. В последнее время она начала ходить так же, как Бонни: выпрямив спину, как балерина, устремив взор на какую-нибудь воображаемую точку на горизонте.

У Хлои сморщилось лицо.

— Не хочу, чтобы Абигейл жила со своим папой!

Из ее глаз полились слезы. Потекла краска с зеленых молний, нарисованных у нее на щеках.

— МА-АМ! — опять закричал Фред.

Соседи подумают, что его убивают.

Эд уронил голову на руки.

— Если ты действительно этого хочешь, — сказала Мадлен.

Абигейл повернула голову и встретилась с ней глазами, и на миг они остались вдвоем, как было все эти годы. Мадлен и Абигейл. Девочки Маккензи. Тогда их жизнь была спокойной и простой. Перед школой они, бывало, вместе завтракали в постели, сидя бок о бок и подложив подушки под спины. Мадлен выдержала ее взгляд. *Помнишь, Абигейл? Помнишь, как мы жили с тобой?*

Абигейл отвернулась:

— Да, я этого хочу.

* * *

Стью. Я ходил на спортивный праздник. Гонка мамаш была охренительно смешной. Извините, вырвалось. Но некоторые из этих женщин... Можно было подумать, это Олимпийские игры. Я не шучу.

Саманта. Чепуха! Не слушайте моего мужа. Никто не принимал этого всерьез. Я смеялась до колик.

* * *

Натан тоже был на празднике. Мадлен не поверила своим глазам, когда наткнулась на него у палатки, где жарились сосиски. Он держал за руку Скай. Надо же было им встретиться именно в это утро.

Обычно на спортивных праздниках папаш было немного, в основном отцы, работающие дома, или те, у которых дети занимались спортом. И вот бывший муж Мадлен берет отгул и приходит сюда в полосатой рубашке поло и шортах, бейсбольной кепке и темных очках, типичной униформе Доброго Папочки.

— Так для тебя это... первый опыт! — сказала Мадлен.

Она заметила у него на шее свисток. Боже правый, он здесь волонтер и участник. Вот Эд всегда выступал в школе в роли волонтера, но сегодня ему надо было завершать работу. И Натан изображал из себя Эда. Он притворялся хорошим человеком, и все этому верили.

— Конечно! — Натан широко улыбнулся, но затем ухмылка сошла с его лица, поскольку его осенило, что в начальной школе его старшая дочь, вероятно, тоже участвовала в спортивных праздниках.

Разумеется, в последнее время он следил за всеми занятиями Абигейл. Спортом Абигейл не занималась, но она играла на скрипке. Натан с Бонни посещали каждый концерт, улыбались и хлопали, будто делали это с самого начала, будто возили ее на музыкальные занятия в Питершам, где негде было припарковаться, будто помогали платить за все эти уроки, которые Мадлен не могла себе позволить как мать-одиночка, а ее бывший муж не заплатил ни единого цента.

А теперь она выбирает его.

— Абигейл говорила с тобой о... — Натан чуть поморщился, словно затрагивал деликатный вопрос о здоровье.

— О том, чтобы жить у тебя? — спросила Мадлен. — Да. Как раз сегодня утром.

Боль была физически осязаемой. Как начало тяжелого гриппа. Как предательство.

Он взглянул на нее:

— Как ты к этому...

— Да все нормально, — сказала Мадлен.

Она не доставит ему удовольствия.

— Нам надо будет решить вопрос о деньгах, — сказал Натан.

Теперь, став примерным семьянином, он платил алименты за Абигейл. Платил вовремя и не жаловался. Ни один из них не упоминал о первых десяти годах жизни Абигейл, когда, очевидно, деньги на еду и одежду ей были не нужны.

— Так ты хочешь сказать, что теперь я должна платить тебе алименты? — спросила Мадлен.

Натан был явно ошарашен.

— О нет, я не это имел в виду...

— Но ты прав. Это только справедливо, если она в основном будет жить у тебя.

— Я, конечно же, не стал бы брать у тебя деньги, Мэдди, — сказал он. — Учитывая, что все эти годы я был не в состоянии... — Лицо его перекосилось. — Послушай, я понимаю, что был не самым лучшим отцом, когда Абигейл была маленькой. Я никогда не заговорил бы о деньгах. Просто в данный момент мы в стесненных обстоятельствах.

— Может, тебе продать эту шикарную спортивную машину? — предложила Мадлен.

— Угу, — обиженно промямлил Натан. — Возможно. Ты права. Хотя она стоит не так уж много... Ладно, посмотрим.

Скай подняла на отца большие встревоженные глаза, опять незаметно моргнув, как это обычно делала Абигейл. Мадлен увидела, как Натан бодро улыбнулся маленькой дочери и сжал ее руку. Мадлен только что пристыдила его. Она стыдила его, пока он стоял, держа за руку свою дочурку.

Бывшим мужьям следует жить в других пригородных районах. Им следует посылать детей в другие школы. Нужно придумать закон, который предотвращал бы проживание в одном районе. Совершенно не обязательно мучить себя переживаниями из-за измены и чувства вины на спортивном празднике с участием твоего ребенка. Подобные чувства нельзя выносить на публику.

— Натан, зачем тебе понадобилось переехать сюда? — со вздохом спросила она.

— Что? — не понял Натан.

— Мадлен! Начинается состязание мам подготовительного класса! Вы участвуете?

Это была мисс Барнс, волосы завязаны в высокий конский хвост, кожа сияет, как у американского чирлидера. Она выглядела свежей и цветущей. Соблазнительный персик. Даже более соблазнительная, чем Бонни. У нее не обвисали веки. Не обвисало ничего. Все в ее яркой молодой жизни было ясным, простым и веселым. Чтобы лучше разглядеть ее, Натан снял темные очки. Он заметно взбодрился даже от одного ее вида. Эд отреагировал бы точно так же.

— Начинайте, мисс Барнс, — сказала Мадлен.

* * *

Сержант уголовной полиции Эдриан Куинлан. Мы исследуем отношения жертвы с каждым родителем, посетившим вечер викторин.

Харпер. Да, по сути дела, у меня есть определенные теории.

Стью. Теории? У меня нет ничего. Ничего, кроме похмелья.

Глава 25

Мамы детей из подготовительного класса выстроились в неровную шумную линию на старте забега. От их темных очков отражался солнечный свет. Небо было как гигантский голубой купол. На горизонте сапфирами поблескивало море. Джейн улыбнулась другим мамам, мамы улыбнулись ей в ответ. Все было очень мило. Вполне дружелюбно. «Не сомневаюсь, что все это только у тебя в голове, — сказала как-то мать Джейн. — Все уже забыли эту глупую неразбериху в ознакомительный день».

Джейн изо всех сил старалась влиться в школьную общину. Раз в две недели она дежурила в столовой. В понедельник утром она вместе с другой мамой-волонтером помогала мисс Барнс, слушая, как дети отрабатывают чтение. Привозя в школу сына и потом забирая его, она дружелюбно болтала с родителями. Она приглашала детей вместе поиграть на детской площадке.

Но все же Джейн чувствовала: что-то не так. То чей-то легкий поворот головы, то улыбка, не достигающая глаз, то мимолетное ощущение, что тебя осуждают.

Это все не важно, повторяла она про себя.

Все это такая чепуха. Бояться абсолютно нечего. Этот мир ланчбоксов и библиотечных пакетов, расцарапанных коленок и перепачканных мордашек не имеет ни малейшего отношения к тревожной теплой весенней ночи, к яркому свету, словно пристальный глаз глядящему на нее с потолка, к комку в горле, к словам, непрестанно сверлящим мозг. *Перестань об этом думать. Перестань об этом думать.*

И вот Джейн помахала Зигги, который вместе с детьми из подготовительного класса сидел на отрытой трибуне у кромки стадиона под строгим присмотром мисс Барнс.

«Ты ведь знаешь, что я не собираюсь выигрывать, да?» — сказала она ему утром за завтраком. У некоторых матерей были персональные тренеры. Одна из них и сама была тренером.

— На старт! — сказал Джонатан, симпатичный папаша, работающий дома. Он ходил с ними на «Диснея на льду».

— Хотя бы сколько здесь метров? — спросила Харпер.

— Кажется, финиш довольно далеко, — заметила Габриэль.

— Это там Рената с Селестой держат финишную ленточку? — поинтересовалась Саманта. — Как им удалось устраниться?

— Кажется, Рената говорила, что она...

— У Ренаты болит голень, — вмешалась Харпер. — Очень сильно.

— Нужно размяться, девочки, — сказала Бонни, одетая как инструктор в группе йоги.

Она медленно подняла лодыжку и отвела ее назад, отчего лямка желтого топа спустилась с одного плеча.

— О, ты, кажется, Джесс? — произнесла Одри, или Андреа.

Джейн никак не могла запомнить ее имя. Подойдя вплотную к Джейн, она заговорила тихим доверительным голосом, словно собиралась поведать страшную тайну. Джейн уже успела к этому привыкнуть. На днях эта женщина подошла к Джейн и, понизив голос, спросила: «Сегодня библиотечный день?»

— Я Джейн, — ответила Джейн. Она редко обижалась.

— Извини, — сказала Андреа, или Одри. — Послушай. Ты за или против?

— За или против чего? — спросила Джейн.

— Дамы! — прокричал Джонатан.

— Кексы, — пояснила Одри, или Андреа. — За или против?

— Она — за, — встряла Мадлен. — Блюститель удовольствий.

— Мадлен, пусть она скажет сама, — возразила Одри, или Андреа. — По-моему, она человек, который заботится о здоровье.

Мадлен закатила глаза.

— Гм, я, в общем-то, люблю кексы, — сказала Джейн.

— Мы составляем петицию о запрете присылать кексы всему классу в дни рождения детей, — сказала Андреа, или Одри. — Некоторые дети страдают ожирением, ведь чуть не каждый день дети едят сладкое.

— Не понимаю только, почему школа так одержима петициями, — раздраженно произнесла Мадлен. — Почему нельзя просто внести предложение?

— Дамы, прошу вас! — Джонатан поднял стартовый пистолет.

— Джонатан, а где сегодня Джеки? — спросила Габриэль.

Все мамы сдержанно восхищались женой Джонатана с тех пор, как несколько дней назад у нее взяли интервью в деловом разделе вечерних новостей. Она потрясающе точно и умно говорила о слиянии корпораций и поставила журналиста на место. К тому же Джонатан был весьма красив, напоминая чем-то Джорджа Клуни, так что постоянные ссылки на его жену должны были продемонстрировать, что они с ним не флиртуют.

— Она в Мельбурне, — сказал Джонатан. — Не надо со мной разговаривать. На старт!

Женщины двинулись к линии старта.

— У Бонни вид профессионала, — прокомментировала Саманта, глядя на Бонни, скорчившуюся в положении низкого старта.

— В последнее время я почти не бегаю, — сказала Бонни. — Это такая нагрузка на суставы.

Джейн заметила, что Мадлен бросила взгляд на Бонни и уперлась в траву носком кроссовки.

— Хватит болтать! — взревел Джонатан.

— Мне нравится, когда ты командуешь, Джонатан, — заметила Саманта.

— Внимание!

— Это очень действует на нервы, — обратилась к Джейн Одри, или Андреа. — Как только бедные детки выдерживают...

Хлопнул пистолет.

* * *

Теа. У меня есть свои соображения по поводу случившегося, но не буду плохо говорить о покойниках. Как я говорю своим четверым детям: «Если не можешь сказать приятное, не говори ничего».

Глава 26

Селеста чувствовала, как Рената тянет за свой конец финишной ленты, стараясь приноровиться, но ей и правда трудно было сосредоточиться на том, где она и что делает.

— Как Перри? — выкрикнула Рената. — Не в отъезде?

Когда бы Рената ни появлялась в школе или на школьных мероприятиях, она взяла себе за правило — и это было смешно — не разговаривать с Джейн или Мадлен. Мадлен это нравилось, бедной Джейн не очень. Но с Селестой она всегда разговаривала обиженным тоном, словно Селеста была ее давнишней подругой, которая плохо с ней обошлась, но она, как взрослый человек, была якобы выше этого.

— Отлично, — отозвалась Селеста.

Вчера вечером все случилось из-за лего. Мальчики разбросали лего повсюду. Надо было заставить их убрать. Перри был прав. Проще было сделать это самой, когда они уснут, чем ссориться с ними. Крики. Обиды. Вчера у нее просто не было сил все это выдержать. Ее пассивность. Она плохая мать.

— Ты совсем испортишь их, — сказал тогда Перри.

— Им всего лишь пять, — откликнулась Селеста. Она сидела на диване, раскладывая постиранные вещи. — Они устают после школы.

— Не хочу жить в свинарнике, — заявил Перри, поддев ногой какую-то деталь.

— Так убери сам, — устало произнесла Селеста.

Ну вот, опять. Она сама виновата. И так каждый раз.

Перри лишь взглянул на нее. Потом опустился на четвереньки и аккуратно собрал с ковра все детали лего и положил их в большую зеленую коробку. Наблюдая за ним, она продолжала складывать белье. Неужели он хочет просто все собрать?

Поднявшись, он отнес коробку к дивану:

— Все очень просто. Либо заставляй детей собирать игрушки. Либо собирай сама. Или плати долбаной прислуге.

Одним быстрым движением он опрокинул коробку с лего над ее головой. На нее обрушился сильный шумный поток.

От потрясения и унижения она едва не задохнулась.

Потом она собрала с коленей пригоршню деталей лего, встала и швырнула прямо ему в лицо.

Господи, опять! Селеста виновата. Она ведет себя как ребенок. Это просто смехотворно. Дешевый фарс. Двое взрослых швыряются вещами.

Он ударил ее по лицу тыльной стороной ладони.

Он никогда не бил ее кулаком. Он никогда бы не допустил подобной грубости. Она пошатнулась и ударилась коленом о край стеклянного кофейного столика. Потом выпрямилась и бросилась на него, растопырив пальцы, как когти. Он с отвращением оттолкнул ее.

Что ж, почему бы и нет? Она вела себя отвратительно.

Потом он пошел спать, а она собрала все лего, а ужин выбросила в мусорное ведро.

Наутро разбитая губа болела, как будто на ней зрел герпес. Колено, которым она ударилась о край кофейного столика, тоже болело и не сгибалось. Не так уж плохо. Совсем ерунда.

Утром Перри проснулся бодрым и, насвистывая, варил яйца для мальчиков.

— Что с твоей шеей, папочка? — спросил Джош.

Сбоку на шее виднелась длинная красная царапина — в том месте, где Селеста оцарапала его.

— Моей шеей?

Перри потрогал царапину рукой и смеющимися глазами взглянул на Селесту. Такими тайными курьезными взглядами обычно обмениваются родители, когда дети говорят что-то невинное и забавное про Санта-Клауса или секс. Словно случившееся вчера было обыденной составляющей жизни в браке.

— Ничего особенного, дружок, — ответил он Джошу. — Шел, не глядя на тропинку, и врезался в дерево.

Селеста не в состоянии была выкинуть из головы выражение лица Перри. Он считал это забавным. Он искренне считал, что это смешно и не влечет за собой никаких последствий.

Селеста прижала палец к разбитой губе.

Неужели это нормально?

Перри сказал бы: «Нет, мы не обычные. Мы не какие-то середнячки. Средние люди со средними отношениями. Мы другие. Мы особенные. Мы любим друг друга больше. У нас сильные переживания. И секс у нас лучше».

Хлопнул стартовый пистолет, напугав ее.

— А вот и они! — воскликнула Рената.

Прямо на них, словно в погоне за вором, бежали четырнадцать женщин, размахивая руками, выпятив вперед груди, задрав подбородки. Некоторые смеялись, но большинство сохраняли неприступную серьезность. Дети кричали и визжали. Селеста поискала глазами своих мальчишек, но не нашла их.

Утром она сказала им:

— Я не смогу участвовать в забеге мам. Вчера, когда вы легли спать, я упала с лестницы.

— Ай-ай-ай! — как обычно заныл Макс.

На самом деле его это не очень расстроило.

— Надо быть осторожней, — не глядя на нее, тихо произнес Джош.

— Постараюсь, — согласилась Селеста. Действительно надо.

Лидировали Бонни и Мадлен. Они шли ноздря в ноздрю. Давай, Мадлен, думала Селеста. Давай, поднажми. ДА! Они почти одновременно коснулись грудью финишной ленты. Определенно Мадлен.

— Бонни выиграла с небольшим преимуществом! — прокричала Рената.

— Нет-нет, я уверена, Мадлен была первой, — возразила Бонни.

Казалось, Бонни совсем не устала, у нее лишь немного порозовели щеки.

— Нет, это была ты, Бонни, — тяжело дыша, проговорила Мадлен, зная, что выиграла, поскольку все время видела Бонни боковым зрением.

Наклонившись вперед и пытаясь отдышаться, она уперлась ладонями в колени. Щеку немного щипало, поскольку во время бега по ней хлестала шейная цепочка.

— Я совершенно уверена, что выиграла Мадлен, — сказала Селеста.

— Определенно Бонни, — вмешалась Рената, и Мадлен едва не рассмеялась. *Так вот до чего дошла твоя вендетта, Рената! Не даешь мне даже выиграть забег мам?*

— Уверена, это была Мадлен, — настаивала Бонни.

— А я знаю, что это была Бонни, — возразила Мадлен.

— О, ради бога, пусть это будет равный счет, — сказала мама шестиклассника, Модная Стрижка, отвечающая за вручение ленточек.

Мадлен выпрямилась:

— Ни в коем случае. Победитель — Бонни. — Она взяла голубую ленточку победителя из руки матери шестиклассника и вложила ее в ладонь Бонни, накрыв сверху своей ладонью, словно дарила ребенку двухдолларовую монету. — Ты обставила меня, Бонни. — Встретившись взглядом со светло-голубыми глазами Бонни, она увидела понимание. — Ты честно меня обставила.

* * *

Саманта. Выиграла Мадлен. Мы все смеялись до колик, когда Рената настояла, что первой пришла Бонни. Но разве это могло привести к убийству? Нет, не думаю.

Харпер. Если кого-нибудь это интересует, я пришла третьей.

Мелисса. Фактически третьей пришла Джульетта. Знаете, няня Ренаты? Но Харпер полагает, что двадцатилетнюю няню можно не принимать в расчет. И потом, в последнее время мы все делали вид, что Джульетты не существует.

Глава 27

Саманта. Послушайте, стоит задуматься о демографических характеристиках этой местности. Прежде всего, у вас есть простые труженики. В Пирриви много таких. Вроде моего Стью. Соль земли. Или соль моря, потому что все они, разумеется, занимаются сёрфингом. Большинство из них здесь выросли и никуда не уезжали. Затем есть альтернативные типы. Ваши чокнутые хиппи. А за последние десять лет или около того сюда переехали все эти богатые чиновники и долбаные банкиры и понастроили себе на скалах огромные особняки. Однако! Есть только одна начальная школа для всех детей! Поэтому на школьных мероприятиях можно увидеть водопроводчика, банкира и специалиста по нетрадиционной медицине, которые, выстроившись в кружок, пытаются завязать беседу. Это нелепо. Неудивительно, что у нас поднялась буча.

* * *

Вернувшись домой после спортивного праздника, Селеста увидела перед домом машину уборщиков. Когда она повернула ключ в двери, то сразу услышала сверху рев пылесоса.

Она пошла на кухню выпить чашку кофе. Уборщики приходили раз в неделю в пятницу утром. За двести долларов они наводили в доме безупречную чистоту.

Узнав, сколько Селеста тратит на уборку, ее мать открыла рот от удивления.

— Дорогая, давай я буду приходить к тебе раз в неделю и помогать с уборкой, — как-то сказала она. — Сэкономишь деньги на что-нибудь полезное.

Ее мать была не в состоянии постичь размер богатства Перри. Впервые приехав в большой дом с роскошным видом на взморье, она расхаживала кругом с вежливым, немного напряженным выражением туриста, осматривающего непривычную культурную среду. В конечном итоге она согласилась с тем, что дом очень просторный. Ей казалось вопиющим потратить двести долларов на что-то такое, что можешь и должна делать сама. Она пришла бы в ужас, увидев сидящую без дела Селесту, когда другие люди прибирались в ее доме. Мать Селесты не позволяла себе ни на минутку присесть. Приходя домой с ночной смены в больнице, она шла прямо на кухню и готовила домочадцам завтрак, пока отец Селесты читал газету, а Селеста с братом дрались.

Боже правый, эти ее драки с братом! Он бил ее. Она всегда давала ему сдачи.

Возможно, если бы она не росла со старшим братом, если бы в ней не развился склад ума австралийской девчонки-сорванца — коли мальчишка ударил тебя, сразу отвечай! — может быть, если бы она тихо разрыдалась, когда Перри ударил ее в первый раз, то этого не повторилось бы.

Пылесос затих, и она услышала мужской голос, а затем взрыв хриплого смеха. Уборщики были молодой женатой корейской парой. Когда Селеста была дома, они обычно работали в полном молчании, так что, должно быть, не слышали, как она вошла. Они показывали ей только свое профессиональное лицо. Она почувствовала беспричинную обиду, как будто хотела стать их другом. Давайте болтать и смеяться, пока вы прибираетесь в моем доме!

Она услышала над головой топот бегущих ног и взрыв девичьего смеха.

Хватит резвиться в моем доме! Занимайтесь уборкой.

Селеста выпила чай. От горячего заболела разбитая губа.

Она позавидовала уборщикам.

Вот она сидит и хандрит в своем большом доме.

Поставив кружку с чаем, она вынула из бумажника карту «Амекс» и открыла ноутбук. Потом зашла на сайт World Vision и стала просматривать фотографии детей, претендующих на спонсорство, как это делали некоторые обеспеченные белые женщины. Она уже спонсировала троих детей и старалась заинтересовать сыновей. Посмотрите! Вот маленькая Блессинг из Зимбабве. Ей приходится за несколько миль ходить за свежей водой. А вам надо лишь подойти к крану. «Почему бы ей не взять денег в банкомате?» — спросил Джош. Отвечал обычно Перри, терпеливо объясняя и рассказывая детям о благодарности и помощи тем, кто менее удачлив в жизни, чем они.

Селеста выбрала для спонсирования еще четверых детей.

Придется часами писать им письма и поздравительные открытки на дни рождения.

Неблагодарная стерва.

Ты заслуживаешь побоев. Заслуживаешь.

Она так сильно ущипнула себя за бедро, что из глаз брызнули слезы. Завтра появятся новые синяки. Синяки, которые она поставила себе сама. Ей нравилось наблюдать, как они изменяются, темнеют, а потом медленно пропадают. Это было ее хобби. Интерес. Здорово, когда у тебя есть интересы.

Она сходит с ума.

Она пролистнула сайты благотворительности, дающие представление обо всей боли и страданиях, которые может предложить мир: рак, редкостные генетические расстройства, бедность, ущемление прав человека, природные катастрофы. Она платила, платила и платила. В течение двадцати минут она пожертвовала двадцать тысяч долларов из денег Перри. Это не вызвало у нее ни удовлетворения, ни чувства гордости, ни удовольствия. Ее тошнило от этого. Она жертвует на благотворительность, а в это время молодая девушка, стоя на четвереньках, отскабливает грязные углы ее душевой кабинки.

Тогда сама убирай свой дом! Уволь уборщиков. Но им это тоже не поможет, верно? Жертвуй больше денег на благотворительность!

Она пожертвовала еще пять тысяч долларов.

Отразится ли это на их финансовом положении? Толком она не знала. Деньгами занимался Перри. В конце концов, это сфера его компетентности. И он не утаивал от нее доходы. Она знала, что он с радостью одобрит все их счета и портфели ценных бумаг, стоит ей только пожелать, но от одной мысли, что она узнает точные цифры, у нее кружилась голова.

— Сегодня я взглянула на счет за электричество и чуть не разревелась, — призналась ей на днях Мадлен.

Селесте захотелось заплатить за нее, но, разумеется, Мадлен не приняла бы подобной благотворительности. Они с Эдом жили в полной гармонии. Однако существует много разных уровней гармонии, и на уровне Селесты никакой счет за электричество не мог бы заставить ее заплакать. Как бы то ни было, невозможно просто предлагать деньги друзьям. Можно при любой возможности платить за обед или кофе, но и тогда надо стараться не обидеть, не делать этого напоказ, словно деньги ее, хотя на самом деле заработал их Перри и они не имеют к ней никакого отношения. Это просто везение, как и ее внешний вид, а не какое-то осознанное решение.

Однажды, учась в университете, она в превосходном настроении легким шагом вошла в аудиторию и села рядом с девушкой по имени Линда.

— С добрым утром, — сказала она.

На лице Линды появилось выражение комического испуга.

— Ох, Селеста, — простонала она, — сегодня мне тебя не выдержать. Особенно когда мне так паршиво, а ты тут пританцовываешь, и вид у тебя просто такой... знаешь... — Она помахала рукой перед лицом Селесты, словно увидела нечто отталкивающее.

Девушки вокруг них разразились веселым смехом, как будто только что было сказано вслух нечто забавное и провокационное. Они смеялись и смеялись, а Селеста улыбалась натянутой глупой улыбкой, не зная, как еще можно отреагировать на подобное поведение. Она чувствовала их неодобрение, но реагировать ей следовало, как на комплимент. Надо быть благодарной. Старайся скрывать свою радость, сказала она себе. Это раздражает окружающих.

Благодарной, благодарной, благодарной.

Наверху опять заработал пылесос.

За все годы совместной жизни Перри ни разу не сделал ей замечания по поводу того, как она тратит их (его) деньги. Лишь время от времени он мягко, с юмором напоминал ей, что если она захочет, то может тратить больше.

— Знаешь, мы можем позволить себе новую, — сказал он ей однажды, застав ее в прачечной, где она ожесточенно оттирала пятно с воротничка шелковой блузки.

— Мне нравится эта, — сказала тогда она.

То было пятнышко крови.

Когда она перестала работать, ее отношение к деньгам изменилось. Она обращалась с ними так же, как с чужой ванной комнатой: бережно и деликатно. Она понимала, что в глазах закона и общества (предположительно) она вносит вклад в жизнь семьи тем, что ведет хозяйство и воспитывает мальчиков, но все же никогда не тратила деньги Перри таким же образом, как некогда свои собственные.

Она определенно еще ни разу не спускала за день двадцать пять тысяч долларов. Сделает ли он ей замечание? Рассердится ли? Неужели она сделала это нарочно? Иногда в те дни, когда она чувствовала, что он сдерживает гнев, что это только вопрос времени, когда она чуяла этот гнев в воздухе, то намеренно провоцировала мужа. Пусть это случится, и тогда с этим можно будет покончить.

И не была ли сама благотворительность лишь очередным па в извращенном танце ее замужества?

Нельзя сказать, что этот эпизод был единственным. Они посещали благотворительные балы, и Перри, сосредоточенно кивая головой, мог предложить двадцать, тридцать, сорок тысяч долларов. Но речь шла не о пожертвовании, а о победе. «Меня никто не обставит», — сказал он ей однажды.

Он действительно был щедр в деньгах. Узнав, что какой-нибудь родственник или друг нуждается в деньгах, он без лишних слов выписывал чек или прямо переводил деньги, отмахиваясь от слов благодарности и стараясь сменить тему. Казалось, он сам смущен той легкостью, с которой способен разрешить финансовые трудности человека.

Зазвонил звонок входной двери, и она пошла открыть.

— Миссис Уайт?

Приземистый бородатый мужчина вручил ей огромный букет цветов.

— Благодарю вас, — сказала Селеста.

— Какая же вы счастливица! — воскликнул мужчина, словно никогда не видел женщин, получающих столь внушительные подношения.

— Да, конечно!

В носу защекотало от тяжелого приторного аромата. Когда-то она любила получать цветы. Теперь это означало выполнение ряда задач. Найти вазу. Подрезать стебли. Красиво расставить цветы.

Неблагодарная стерва.

Она прочитала крошечную карточку: *«Я тебя люблю. Прости меня. Перри».*

Написано почерком продавца цветов. Всегда было немного странно видеть слова Перри, начертанные кем-то другим. Было бы интересно продавцу узнать, что именно сделал Перри? Какой супружеский проступок совершил он накануне вечером? Поздно пришел домой?

Селеста отнесла букет на кухню. Она заметила, что букет дрожит, словно ему холодно. Она сильней сжала стебли. Можно было бы швырнуть цветы об стену, но это прибавило бы ей хлопот. Они шмякнутся на пол, разлетятся в разные стороны. Весь ковер будет усыпан влажными лепестками. Придется собирать их с пола до прихода уборщиков.

Ради бога, Селеста. Ты ведь знаешь, что надо делать.

Она вспомнила тот год, когда ей исполнилось двадцать пять: тот год, когда она впервые появилась в суде, купила свою первую машину и начала покупать акции, тот год, когда она каждую субботу играла в сквош. У нее были развитые трицепсы и громкий смех.

В тот год она познакомилась с Перри.

Материнство и замужество превратили ее в слабую рыхлую версию той девушки, какой она была.

Она осторожно положила цветы на обеденный стол и вернулась к ноутбуку.

Она напечатала слова «консультант по брачно-семейным отношениям» в «Гугле».

Потом остановилась. Возврат, возврат, возврат. Нет. Мы там уже были, делали это. Дело не в домашней работе и ущемленных чувствах. Ей надо было поговорить с человеком, знающим, что люди могут так себя вести, с человеком, который задавал бы правильные вопросы.

Она чувствовала, как горят ее щеки, когда набирала эти два позорных слова.

Домашнее насилие.

Глава 28

Есть вещи и потруднее, думала Мадлен, складывая пару узких белых джинсов и засовывая их в открытый чемодан на кровати Абигейл.

Мадлен не имела права испытывать подобные чувства. Ее озадачивала их интенсивность, их дикая несоразмерность данной ситуации.

Итак, Абигейл захотела жить с отцом и совсем не пытается это смягчить. Но ей четырнадцать. А в этом возрасте подростки не отличаются сочувствием к ближнему.

Мадлен убеждала себя не принимать все близко к сердцу. Она выше этого. Ничего особенного. У нее масса других дел. А потом вдруг становилось тяжело дышать, словно от удара под дых. И она, сама того не сознавая, начинала прерывисто дышать, как при родах.

Двадцать семь часов она промучилась с Абигейл. Пока Мадлен умирала, Натан с акушеркой отпускали шуточки по поводу футбола. Мадлен не умерла, конечно, но думала, что боль прекратится лишь со смертью и последними словами, которые она услышит, будут рассуждения о шансах Мэнли выиграть первенство.

Из корзины с чистым бельем она вытащила один из топов Абигейл. Он был бледно-персикового цвета и не подходил к цвету ее волос, но Абигейл любила этот топ. Его можно было стирать только вручную. Теперь это будет делать Бонни. Или, может быть, новая усовершенствованная версия Натана теперь занимается стиркой. Натан, версия 2.0. Не бросает жену. Работает волонтером в приютах для бездомных. Вручную стирает одежду.

Он должен был приехать позже на внедорожнике брата, чтобы забрать кровать Абигейл.

Накануне вечером Абигейл спросила у Мадлен, нельзя ли ей забрать к Натану свою кровать. Это была красивая кровать с четырьмя столбиками и пологом, которую Мадлен с Эдом подарили Абигейл на четырнадцать лет. Любая переплата стоила того, чтобы наблюдать восторг на лице Абигейл, когда она впервые увидела кровать. Девочка буквально плясала от радости. Мадлен словно вспоминала совсем другого человека.

— Кровать останется здесь, — сказал Эд.

— Это ее кровать, — возразила Мадлен. — Я не против, пусть забирает.

Она сказала это, чтобы досадить Абигейл, сделать больно в ответ на причиненную ею боль, показать, что ей безразличен переезд Абигейл, безразлично, что дочь теперь будет приезжать на выходные, но ее настоящая жизнь, настоящий дом будет в каком-то другом месте. Но Абигейл совсем не обиделась. Она обрадовалась, что получит свою кровать.

— Эй, — позвал Эд от двери спальни.

— Эй, — откликнулась Мадлен.

— Пусть Абигейл сама складывает свою одежду, — сказал Эд. — Она уже достаточно взрослая.

Может быть, и так, но Мадлен занималась всей стиркой в доме. Она знала, где какие вещи находятся, поэтому отбирать одежду удобней было именно ей. С тех пор как Эд познакомился с Абигейл, он всегда ожидал от нее чересчур многого. Сколько раз слышала Мадлен эти самые слова: «Она уже достаточно взрослая»? Он не знал детей возраста Абигейл, и Мадлен казалось, он метит слишком высоко. С Фредом и Хлоей было подругому, потому что он был с ними с самого начала. Он знал и понимал их так, как никогда не знал и не понимал Абигейл. Конечно, он любил ее и был хорошим внимательным отчимом, роль которого он сразу же без всяких жалоб взял на себя. Они встречались всего два месяца, а Эд пошел с Абигейл в школу на утренний чай по случаю Дня отца; в то время Абигейл обожала его. Не исключено, что у них сложились бы прекрасные отношения, если бы блудный отец Натан не вернулся в неудачное время, когда Абигейл было одиннадцать. Достаточно взрослая, чтобы ею можно было манипулировать. Слишком юная, чтобы понимать или контролировать свои чувства. Она изменилась буквально за день. Казалось, она считает даже простую вежливость по отношению к Эду предательством по отношению к отцу. Эд был по-старомодному немного авторитарным и болезненно реагировал на неуважение, в чем, безусловно, проигрывал беспечному Натану.

— Ты считаешь, в этом виноват я? — спросил Эд.

Мадлен подняла на него взгляд:

— В чем?

— В том, что Абигейл переезжает к отцу. — У Эда был расстроенный, неуверенный вид. — Я слишком строго с ней обращался?

— Конечно нет, — ответила она, хотя на самом деле считала это отчасти его виной, но какой толк об этом говорить? — Думаю, в действительности ее привлекает Бонни.

— Тебе не приходило в голову, что Бонни получала электрошоковую терапию? — задумчиво произнес Эд.

— Да, у нее немного прибалдевший вид, — согласилась Мадлен.

Эд дотронулся до одного из столбиков кровати Абигейл.

— Мне пришлось потрудиться, чтобы собрать эту кровать, — сказал он. — Думаешь, Натан справится?

— Может, предложить свою помощь? — фыркнула Мадлен.

Эд не шутил. Ему была невыносима мысль о плохо выполненной работе «сделай сам».

— Не смей, — сказала Мадлен. — Разве ты не должен был уже уйти? У тебя ведь интервью?

— Да. — Эд наклонился поцеловать ее.

— Какая-то интересная личность?

— Это старейший книжный клуб полуострова Пирриви, — объяснил Эд. — Они встречаются раз в месяц уже сорок лет.

— Мне надо открыть книжный клуб, — сказала Мадлен.

* * *

Харпер. Скажу это в пользу Мадлен. Она пригласила всех родителей вступить в ее книжный клуб, включая Ренату и меня. Я уже состою в одном книжном клубе, а потому отказалась — возможно, и к лучшему. Мы с Ренатой предпочитаем качественную литературу, а не эти несерьезные второсортные бестселлеры. Полная чушь! Но, разумеется, каждому свое.

Саманта. Клуб эротической книги начинался как шутка. В этом, в общем-то, моя вина. Я дежурила в столовой вместе с Мадлен и сказала ей что-то по поводу одной непристойной сцены в книге, которую она выбрала. Не такая уж эта сцена была непристойная, честно говоря, я просто посмеялась, но тут Мадлен сказала: «О-о, я, наверное, забыла сказать, что это клуб эротической книги». Так что мы все стали называть его Клубом эротической книги, и чем больше люди вроде Харпер и Кэрол скрежетали зубами, тем больше расходилась Мадлен.

Бонни. Я преподаю йогу по вечерам в четверг, а иначе я бы с удовольствием вступила в книжный клуб Мадлен.

Глава 29

За месяц до вечера викторин

— Мне нужно завтра принести генеалогическое древо, — сказал Зигги.

— Нет, это на следующей неделе, — возразила Джейн.

Она сидела на полу ванной комнаты, прислонившись к стене, а Зигги принимал ванну. Воздух был наполнен паром и земляничным ароматом пены для ванны. Он любил купаться в большой, очень горячей ванне с пеной. «Горячей, мама, горячей! — всегда требовал он, а кожа его сильно краснела, и Джейн боялась, что он обожжется. — Больше пены!» Потом он долго играл в сложные игры с извержением вулканов, рыцарями ордена джедаев, ниндзя и строгими мамами.

— Для генеалогического древа нам нужен специальный картон, — сказал Зигги.

— Ну так мы купим его на выходных. — Джейн улыбнулась сыну. Он соорудил на голове из пузырьков прическу ирокезов. — У тебя смешной вид.

— Нет, у меня суперкрутой вид. — Он вернулся к игре. — Роботы-воины! Берегись, Йода! Где твой световой меч?

Плескалась вода, и разлетались пузырьки.

Джейн обратилась к книге, которую Мадлен выбрала для их первого клубного собрания.

— Я выбрала нечто с обилием секса, наркотиков и убийств, — сказала тогда Мадлен. — Так что у нас будет оживленная дискуссия, а может быть, даже и спор.

Книга была издана в 1920 году. Хорошая книга. Джейн почему-то утратила привычку читать ради удовольствия. Читать роман было все равно что возвращаться в любимое место отдыха.

А сейчас она была посредине любовной сцены. Она перевернула страницу.

— Сейчас дам тебе в морду, Дарт Вейдер! — прокричал Зигги.

— Не говори «дам в морду», — сказала Джейн, не отрывая глаз от книги. — Это некрасиво.

Она продолжала чтение. Над страницей повисло облачко из земляничных пузырьков. Она отвела его пальцем. Ее взбудоражило какое-то смутное ощущение, и она заерзала по плиточному полу. Нет. Конечно нет. Из-за книги? Из-за двух умело написанных абзацев? Да, так и есть. Она была немного возбуждена.

Для нее было откровением, что спустя долгое время она в состоянии испытать эти общечеловеческие, биологические по своей сути и приятные ощущения.

На миг ей привиделся яркий свет потолочного светильника, и у нее сжалось горло, но потом на нее накатил гнев. Отвергаю, сказала она воспоминаниям, отвергаю тебя сегодня, потому что, знаешь, у меня есть другие воспоминания о сексе. Воспоминания об обычном парне и обычной постели, простыни на которой не были такими уж хрустящими, и с потолка не смотрели эти глаза-светильники, и не было той оглушительной тишины, была музыка, и обыденность происходящего, и естественный свет, и он считал меня хорошенькой — ах ты, подонок! — считал хорошенькой, а я и была хорошенькой. Да как ты смеешь, как ты смеешь, как ты смеешь!

— Мамочка! — позвал Зигги.

— Да? — откликнулась она.

Она ощутила безумный, злой приступ счастья, словно кто-то бросал ей вызов.

— Мне нужна та ложка вот такой формы. — Он начертил в воздухе полукруг. Ему нужен был широкий нож для резки яиц.

— Ах, Зигги, в ванной полно кухонной утвари, — сказала она, но отложила книгу и встала, чтобы принести ему нож.

— Спасибо, мамочка, — ангельским тоном произнес Зигги.

Она опустила взгляд на его большие зеленые глаза с крошечными капельками воды на ресницах и сказала:

— Я так люблю тебя, Зигги.

— Мне поскорей нужна эта ложка, — сказал Зигги.

— Хорошо, — откликнулась она.

Она уже хотела выйти из ванной, когда Зигги спросил:

— Как ты думаешь, рассердится на меня мисс Барнс, если я не принесу задания с генеалогическим древом?

— Милый, это на следующей неделе, — сказала Джейн. Она пошла на кухню и прочитала вслух записку, прикрепленную магнитом к холодильнику. — Все дети смогут рассказать о своем генеалогическом древе, когда принесут свои задания в пятницу двадцать четвертого... О-о, горе мне!

Он прав. Генеалогическое древо задано на завтра. У нее застряло в голове, что это должно быть в ту же пятницу, что и ужин в честь дня рождения ее отца, но потом ужин перенесли на неделю вперед, потому что брат уезжал с новой подружкой. Во всем виноват чертов Дэйн.

Нет. Виновата она. У нее всего один ребенок. И у нее есть ежедневник. Ничего в этом сложного нет. Им придется сделать генеалогическое древо сейчас. Прямо сейчас. Она не может послать его в школу без задания. Он привлечет к себе внимание, а он терпеть этого не может. Если бы это была Хлоя, она ничуть бы не смутилась. Она бы хихикнула и мило пожала плечиками. Хлоя любит быть в центре внимания, а бедный Зигги мечтает только о том, чтобы смешаться с толпой, как сама Джейн, но почему-то все время происходят прямо противоположные вещи.

— Зигги, спускай воду! — крикнула она. — Мы должны сделать это задание!

— Мне нужна специальная ложка! — прокричал Зигги в ответ.

— Нет времени! — взвизгнула Джейн. — Сейчас же вылезай из ванны!

Картон. Им понадобится большой лист картона. Где им взять его вечером? Уже больше семи часов. Все магазины закрыты.

Мадлен. У нее наверняка есть лишний картон. Они могли бы заехать к ней. Зигги в пижаме остался бы в машине, а Джейн сбегал бы в дом за картоном.

Она послала Мадлен эсэмэску.

Завал! Забыла о задании с генеалогическим древом!!!! Идиотка! Нет ли у тебя лишнего листа картона? Я могла бы подъехать и забрать.

Она сняла с холодильника инструкцию.

Проект с генеалогическим древом был придуман для развития у ребенка «чувства личной причастности, а также причастности окружающих к людям, имеющим для него важное значение как в настоящей жизни, так и в прошлом». Ребенок должен был нарисовать древо, поместив в центре свою фотографию, а по бокам — фотографии и имена членов семьи, желательно двух предшествующих поколений, включая братьев и сестер, теток, дядьев, бабушек и дедушек, а «по возможности прадедов и прабабок или даже прапрадедов и прапрабабок!»

Внизу была помещена подчеркнутая приписка.

Заметка для родителей. Очевидно, ребенку понадобится ваша помощь, но, пожалуйста, постарайтесь, чтобы он участвовал в проекте! Мне нужно видеть ЕГО работу, а не ВАШУ! ☺ Мисс (Ребекка) Барнс.

На это не уйдет много времени. Фотографии у нее подготовлены. Она похвалила себя за то, что не оставила все на последний момент. Ее мать заказала копии снимков из семейных альбомов. На одном из них был даже прапрапрадед со стороны отца Джейн, снятый в 1915 году, всего за несколько месяцев до своей гибели на поле боя во Франции. Джейн оставалось только заставить Зигги нарисовать дерево и написать по крайней мере несколько имен.

Правда, ему пора уже было спать. Она разрешила ему быть в ванне слишком долго. Он уже приготовился выслушать сказку и лечь в постель. Он будет ныть, зевать и ерзать на стуле, и ей придется упрашивать, подкупать и умасливать его, и вся процедура окажется мучительной.

Это глупо. Надо было просто уложить сына спать. Нелепо заставлять пятилетнего ребенка выполнять школьное задание поздно вечером.

Может быть, просто устроить ему завтра выходной? Сказать, что заболел? Но он любит пятницы. «Клевые пятницы», как называет их мисс Барнс. Кроме того, Джейн действительно нужно было, чтобы сын пошел завтра в школу, чтобы она могла поработать. Ей предстояло закончить три работы.

Сделать задание утром перед школой? Ха-ха! Ну конечно. Утром она с трудом заставляет его надеть обувь. Они оба по утрам никакие.

Дышим глубоко. Дышим глубоко.

Кто знал, что начальная школа будет такой трудной? О, это смешно! Так смешно. Только почему-то рассмеяться у нее не получалось.

Ее мобильник молчал. Она взяла его и посмотрела. Ничего. Мадлен обычно сразу отвечала на эсэмэски. Наверное, ей надоело, что с Джейн вечно что-то происходит.

— Мама! Мне нужна ложка! — прокричал Зигги.

Зазвонил телефон. Она схватила трубку:

— Мадлен?

— Нет, милочка, это Пит. — Это был водопроводчик Пит. У Джейн оборвалось сердце. — Послушайте, милочка...

— Знаю! Простите! Я еще не провела платеж. Сделаю сегодня вечером.

Как она могла забыть? Она всегда оформляла платежные ведомости для Пита к обеду в четверг, чтобы он мог заплатить своим парням в пятницу.

— Без проблем, — сказал Пит. — Увидимся, милочка. — Он повесил трубку. Не любитель светских разговоров.

— Мама!

— Зигги! — Джейн направилась в ванную. — Пора спустить воду! Мы должны выполнить твое задание с генеалогическим древом!

Зигги лежал, вытянувшись на спине и невозмутимо заложив руки за голову, как будто загорал на пляже из пены.

— Ты говорила, что завтра не надо его приносить.

— Надо! Я была права, а ты ошибся! То есть ты был прав, а я ошиблась! Нам надо заняться этим прямо сейчас. Быстро! Надевай пижаму!

Она запустила руку в теплую ванну и вынула затычку, понимая, что допускает оплошность.

— Нет! — в ярости завопил Зигги. Ему нравилось самому вытаскивать затычку. — Я сам!

— Я дала тебе достаточно времени, — произнесла Джейн своим самым строгим тоном. — Пора вылезать. Перестань скандалить.

Зашумела вытекающая вода. Зигги завопил:

— Злая мама! Я сам! Ты разрешаешь мне это делать! Нет! Нет!

Он бросился вперед, чтобы схватить затычку, вставить обратно и самому вытащить. Джейн высоко подняла руку с затычкой:

— У нас нет для этого времени!

Зигги встал в ванне. Маленькое худощавое и скользкое тело было покрыто пеной, лицо искажено бешеной злобой. Он потянулся за затычкой, поскользнулся, и Джейн пришлось крепко ухватить его за руку, чтобы он не упал и не ушибся.

— Мне БОЛЬНО! — заверещал Зигги.

Сначала Джейн очень перепугалась за Зигги, а теперь рассердилась.

— ПРЕКРАТИ ОРАТЬ! — прокричала она.

Схватив полотенце, она накинула его на Зигги и вытащила сына из ванны. Он лягался и визжал. Потом она отнесла его в спальню и очень осторожно положила на кровать, потому что опасалась, что швырнет об стену.

Он визжал и бился на кровати. На губах у него выступила пена.

— Я ТЕБЯ НЕНАВИЖУ! — вопил он.

Соседи, наверное, собирались вызвать полицию.

— Перестань, — сказала она спокойным взрослым голосом. — Ты ведешь себя как младенец.

— Я хочу другую маму! — кричал Зигги.

В какой-то момент он двинул ей ногой в живот, и она едва не задохнулась.

От этого самообладание покинуло ее.

— ПРЕКРАТИ! ПРЕКРАТИ! ПРЕКРАТИ!

Она визжала как полоумная. И хорошо, она это заслужила.

Зигги неожиданно замолчал. С ужасом глядя на нее, он отодвинулся к спинке кровати. Потом свернулся клубком и, горестно плача, уткнулся головой в подушку.

— Зигги, — сказала она.

Она попыталась погладить его по спине, но он резко сбросил ее руку. Джейн мучило чувство вины.

— Прости, что накричала на тебя, — сказала она и завернула его в полотенце. *Прости, что хотела швырнуть тебя об стену.*

Он повернулся и прижался к ней, как коала, обняв руками за шею, обвив ногами за талию и зарывшись мокрым сопливым лицом ей в шею.

— Ну ладно. Все хорошо. — Подняв с кровати полотенце, она снова завернула сына. — Быстро. Давай наденем пижаму, пока ты не замерз.

— Где-то звонят, — сказал Зигги.

— Что? — спросила Джейн.

Зигги поднял голову с тревожным выражением на лице:

— Слышишь?

Кто-то звонил в их квартиру по домофону.

Джейн внесла его в гостиную.

— Кто это? — испуганно спросил Зигги.

Слезы на его щеках еще не высохли, но глаза ярко блестели. Казалось, этого ужасного инцидента не было и в помине.

— Не знаю, — ответила Джейн.

Кто-то пожаловался из-за шума? Полиция? Приехала служба защиты детей, чтобы забрать ребенка?

Она подняла трубку домофона:

— Алло?

— Это я! Впусти меня! Холодно.

— Мадлен?

Джейн нажала на кнопку, спустила Зигги на пол и пошла открывать дверь.

— Хлоя тоже здесь?

Зигги радостно прыгал, и полотенце соскользнуло с его плеч.

— Хлоя, наверное, уже в постели, как положено и тебе. — Джейн заглянула в лестничный пролет.

— Добрый вечер! — Мадлен с сияющей улыбкой поднималась по лестнице в кардигане дынного цвета, джинсах и остроносых сапогах на высоком каблуке, которые громко цокали по ступеням.

— Привет, — сказала Джейн.

— Привезла тебе картон. — Мадлен подняла свернутый в трубку желтый картон, напоминающий полицейскую дубинку.

Джейн разревелась.

Глава 30

— Не за что! Я была только рада выбраться из дому, — сказала Мадлен в ответ на слезливую благодарность Джейн. — Давай быстренько оденем тебя, Зигги, и займемся твоим заданием.

Проблемы других людей всегда кажутся вполне преодолимыми, а чужие дети — более послушными, думала Мадлен, глядя на Зигги. Пока Джейн собирала семейные фото, Мадлен осматривалась в маленькой опрятной квартире Джейн, напомнившей ей о ее квартире с одной спальней, в которой они жили с Абигейл.

Она понимала, что идеализирует те дни. Она не вспоминала о постоянной нехватке денег или об одиноких вечерах, когда Абигейл спала, а по телевизору ничего хорошего не показывали.

Абигейл уже две недели жила у Натана и Бонни, и, казалось, у всех, за исключением Мадлен, дела идут превосходно. Этим вечером, когда пришла эсэмэска от Джейн, малыши уже спали, Эд работал над очередной статьей, а Мадлен только уселась смотреть «Следующую американскую топ-модель». Включив телевизор, она позвала: «Абигейл!» — и только потом вспомнила о пустой спальне, кровати с четырьмя колонками, которую заменили диваном-кроватью для Абигейл, когда она будет приезжать на выходные. Мадлен не знала, как теперь обращаться с дочерью, потому что у нее возникло ощущение, будто ее уволили с должности матери.

Обычно они с Абигейл вместе смотрели «Следующую американскую топ-модель», жуя маршмэллоу и отпуская колкости в адрес участниц, но теперь Абигейл счастливо обитала в доме без телевизора. Бонни не верила телевидению. Вместо этого после ужина они садились в кружок, слушали классическую музыку и беседовали.

— Чушь! — услышав об этом, усмехнулся Эд.

— Очевидно, это правда, — сказала Мадлен.

Разумеется, когда Абигейл приезжала в гости, ей хотелось только валяться на диване и смотреть телевизор. А поскольку Мадлен теперь играла роль доброй родительницы, она не возражала. После недели классической музыки и бесед ей бы тоже захотелось смотреть телевизор.

Мадлен воспринимала само существование Бонни как пощечину в свой адрес. Деликатную пощечину, скорее снисходительное, ласковое похлопывание, ведь Бонни не способна была на злой поступок. Поэтому так приятно было помогать Джейн, проявлять спокойствие, предлагать ответы и решения.

— Не могу найти клей, — обеспокоенно сказала Джейн, когда они выложили все на стол.

— У меня есть. — Мадлен достала из сумки пенал и выбрала для Зигги черный фломастер. — Посмотрим, как ты нарисуешь большое дерево.

Все шло хорошо, пока Зигги не произнес:

— Нужно написать имя моего папы. Мисс Барнс сказала, что если нет фото, то можно просто написать имя человека.

— Ты же знаешь, что у тебя нет папы, Зигги, — спокойно произнесла Джейн.

Она уже говорила Мадлен, что всегда старается быть честной с Зигги по поводу его отца.

— Но тебе везет, потому что у тебя есть дядя Дэйн, и дедушка, и дядя Джимми. — Она зажала в руке, как карты, фотоснимки улыбающихся мужчин. — И посмотри, у нас есть даже это удивительное фото твоего прапрапрадеда, который был солдатом!

— Да, но все же надо написать в этой рамке имя моего папы, — настаивал Зигги. — А потом проводится линия от меня к маме и папе. Вот как надо сделать.

Он указал на образец генеалогического древа, приложенного мисс Барнс, для идеальной нуклеарной семьи с матерью, отцом и двумя отпрысками.

Мисс Барнс следовало бы изменить это задание, подумала Мадлен. Она сама намучилась, помогая Хлое с ее заданием. Им пришлось поломать голову над тем, надо ли проводить линию от фото Абигейл к Эду. «Надо вклеить фото настоящего папы Абигейл, — заглядывая ей через плечо, с готовностью сказал Фред. — А его машину?» — «Нет, не надо», — сказала тогда Мадлен.

— Твой проект не должен быть в точности таким, как у мисс Барнс, — объяснила Мадлен Зигги. — У всех будут разные проекты. Это просто пример.

— Да, но надо написать имена мамы и папы, — настаивал Зигги. — Как зовут моего папу? Скажи, мамочка. Скажи по буквам. Я не знаю, как его писать. Если я не напишу его имя, мне попадет.

Дети способны на такое. Они чувствуют какие-то сомнительные и потаенные вещи, а потом напирают и напирают, как маленькие обвинители.

Бедная Джейн оцепенела.

— Милый, — глядя на Зигги, осторожно сказала она. — Я много раз рассказывала тебе эту историю. Если бы твой папа знал тебя, то полюбил бы. Очень жаль, я не знаю его имени, и я понимаю, что это несправедливо...

— Но ты должна написать здесь имя! Мисс Барнс сказала!

В его голосе послышались знакомые истеричные нотки. С переутомленными пятилетними детьми следует обращаться, как со взрывными устройствами.

— Но я не знаю его имени! — воскликнула Джейн, и Мадлен уловила в ее голосе те же истеричные нотки, потому что в наших детях есть нечто, заставляющее нас подчас вести себя по-детски.

Ничто и никто не может так разозлить нас, как собственные дети.

— О, Зигги, милый, понимаешь, такое случается постоянно, — сказала Мадлен.

Ради всего святого. Возможно, случается. В их округе достаточно матерей-одиночек. Мадлен решила назавтра поговорить с мисс Барнс и убедить ее не давать детям столь нелепых заданий. Зачем пытаться запихнуть распавшиеся семьи в аккуратные рамочки?

— Вот что ты сделаешь. Напиши: «Папа Зигги». Ты ведь знаешь, как писать «Зигги», да? Конечно знаешь.

К ее облегчению, Зигги подчинился и принялся выводить свое имя, от усердия высунув язык.

— Как ты аккуратно пишешь! — горячо похвалила Мадлен. Она не давала ему времени подумать. — Ты пишешь гораздо аккуратней моей Хлои. Ну вот! Готово! Ты пойдешь спать, а мы с твоей мамой приклеим остальные фото. А теперь время сказки, да? И я подумала: можно я прочитаю тебе сказку? Ты не против? Мне бы хотелось увидеть твою любимую книгу.

Зигги молча кивнул, явно огорошенный потоком слов. Он встал, опустив худенькие плечи.

— Спокойной ночи, Зигги, — произнесла Джейн.

— Спокойной ночи, мама, — ответил Зигги.

Они поцеловались на ночь, стараясь не смотреть друг на друга, как поссорившиеся супруги. Потом Зигги взял Мадлен за руку и позволил ей отвести себя в спальню.

Меньше чем через десять минут Мадлен вернулась в гостиную. Джейн подняла на нее глаза. Она как раз приклеивала на генеалогическое древо последнюю фотографию.

— Отключился моментально, — сообщила Мадлен. — По сути дела, он уснул, пока я читала, как ребенок из фильма. Я и не знала, что дети так могут.

— Мне ужасно неудобно, — сказала Джейн. — Не стоило тебе приезжать сюда и укладывать в постель чужого ребенка, но я так благодарна тебе, потому что мне не хотелось перед сном вступать с ним в разговор *об этом* и...

— Ш-ш-ш. — Мадлен села рядом с Джейн и положила руку ей на плечо. — Мне это совсем не трудно. Я знаю, что это такое. Начальная школа — большой стресс для детей. Они очень устают.

— Раньше он не был таким, — сказала Джейн. — В отношении отца. То есть я всегда понимала, что когда-нибудь эта проблема возникнет, но считала, не раньше тринадцати или типа того. Я надеялась, у меня будет время обдумать свои слова. Мама и папа всегда советовали мне говорить правду, но, знаешь, правда не всегда, не всегда...

— Удобоварима, — подсказала Мадлен.

— Да, — согласилась Джейн. Она подправила уголок снимка, который только что приклеила, и осмотрела кусок картона. — Он будет единственным в классе без фото отца.

— Это еще не конец света, — заявила Мадлен. Она дотронулась до фотографии отца Джейн с Зигги на коленях. — В его жизни полно замечательных мужчин. — Мадлен взглянула на Джейн. — Досадно, что в классе нет никого с двумя мамами. Или двумя папами. Когда Абигейл ходила в школу на западе, у нас были семьи всех сортов. Здесь, на полуострове, мы считаем себя особенными. Привыкли думать, что здорово отличаемся друг от друга, хотя отличаются только наши банковские счета.

— Я все-таки знаю его имя, — тихо произнесла Джейн.

— Ты имеешь в виду отца Зигги? — Мадлен тоже понизила голос.

— Да, — ответила Джейн. — Его зовут Саксон Бэнкс. — Эти слова она произнесла немного неуверенно, словно это были незнакомые звуки иностранного языка. — Звучит вполне респектабельно, да? Отличный честный гражданин. К тому же весьма сексуальный! Сексуальный Саксон. — Она поежилась.

— Ты когда-нибудь пыталась связаться с ним? — спросила Мадлен. — Рассказать про Зигги?

— Нет, — ответила Джейн.

Ответ прозвучал на удивление формально.

— А почему — нет? — в тон ей спросила Мадлен.

— Потому что Саксон Бэнкс был не таким уж приятным парнем, — произнесла Джейн высокомерным тоном и вздернула подбородок, но глаза ее блестели. — Он вовсе не был хорошим парнем.

Мадлен заговорила своим обычным голосом:

— Ах, Джейн, что же сделал с тобой этот мерзавец?

Глава 31

Джейн не верилось, что она вслух назвала это имя Мадлен. Саксон Бэнкс. Как будто настоящий Саксон Бэнкс был кем-то другим.

— Хочешь рассказать? — спросила Мадлен. — Ты не обязана.

Конечно, ей было любопытно, но не в той степени, как подругам Джейн на следующий день после происшествия. «Давай, Джейн, давай! Расскажи все подробно!» К тому же сочувствие Мадлен не отягощалось материнской любовью, как это было бы с матерью.

— Не так уж это важно, в самом деле, — сказала Джейн.

Мадлен откинулась на стуле. Она сняла с запястья два раскрашенных деревянных браслета и аккуратно положила их один на другой перед собой на стол. Картон с генеалогическим древом она отодвинула в сторону.

— О'кей, — сказала она, понимая, что это важно.

Джейн откашлялась и достала из упаковки пластину жвачки.

— Мы пошли в бар, — начала она.

За три недели до этого с ней порвал Зак.

Для нее это было настоящим шоком. Словно ей в лицо выплеснули ведро ледяной воды. Она полагала, их ожидают обручальные кольца и ипотека.

Сердце ее было разбито. Определенно разбито. Но она знала, это пройдет. Она даже находила в этом некоторое удовольствие, как иногда получаешь удовольствие от простуды. Она упивалась своим горем, часами рыдая над фотографиями, где были они с Заком, но потом осушала слезы и покупала себе новое платье, потому что заслуживала это — ведь у нее было разбито сердце. Окружающие возмущались и сочувствовали ей. «Вы были такой прекрасной парой! Он ненормальный! Он об этом пожалеет!»

Было ощущение, что это переходный обряд. Какая-то ее часть уже оглядывалась на это время издалека. *Первый раз, когда у меня разбилось сердце.* А другая ее часть любопытствовала о том, что произойдет дальше. Ее жизнь шла своим путем и вдруг — бах! — повернула в другом направлении. Увлекательно! Может быть, получив степень, она год проведет в путешествиях, как Зак. Может быть, станет встречаться с совершенно другим парнем. Неумытым музыкантом. Парнем, помешанным на компьютерах. Ее ждала уйма парней.

— Надо выпить водки! — сказала ей подруга Гейл. — И потанцевать.

Они пошли в бар городской гостиницы. Виды на гавань. Теплый весенний вечер. У Джейн была сенная лихорадка. Чесались глаза, саднило горло. Весна всегда приносила сенную лихорадку, но также и перспективы чудесного лета.

За столиком рядом с ними сидели мужчины постарше, лет тридцати с небольшим. По виду административные работники. Они купили девушкам выпивку. Большие и дорогие густые коктейли. Джейн и Гейл пили их большими глотками, как молочные коктейли.

Мужчины приехали из материковых штатов и остановились в гостинице. Одному из них приглянулась Джейн.

— Саксон Бэнкс, — представился он, беря ее руку в свою огромную ручищу.

— Вы мистер Бэнкс, — сказала Джейн. — Папа из «Мэри Поппинс».

— Я больше похож на трубочиста, — возразил Саксон и, глядя ей в глаза, пропел песенку из этого фильма.

Не так уж трудно взрослому мужчине с черным «Ролексом» и мужественной челюстью вскружить голову подвыпившей девятнадцатилетней девчонке. Смотреть в глаза. Тихо напевать что то. Не фальшивить. Ну и вот, дело сделано.

— Не упусти возможность, — шепнула ей на ухо подруга Гейл. — Почему бы и нет?

Она не смогла найти причину, почему бы и нет.

У него не было обручального кольца. Возможно, дома есть подружка, но Джейн не было дела до его связей, и она не собиралась заводить с ним роман. Одна ночь любви. У нее никогда такого не было. Она всегда отличалась стыдливостью. Теперь пришло время быть молодой, свободной и чуть-чуть сумасшедшей. Это все равно что поехать в отпуск и повеселиться на всю катушку. И это будет такая классная ночь в пятизвездочном отеле с пятизвездочным мужчиной. Сожалений не будет. Пусть Зак отправляется в свое жалкое путешествие и щупает девиц на заднем сиденье автобуса.

Саксон был забавным и сексуальным. Успешный застройщик. Он не говорил слова «успешный», но это подразумевалось. Они все смеялись и смеялись, пока стеклянная кабина лифта скользила вверх. Потом приглушенная ковром неожиданная тишина коридора. Он вставил ключ в замочную скважину, и зажегся крошечный зеленый огонек.

Она напилась, но не сильно. Легкое опьянение и оживление. Почему бы и нет? Она все повторяла про себя: почему бы не оторваться по полной? Почему не встать на край и не спрыгнуть в никуда? Стать немного испорченной? Это весело. Это забавно. Это настоящая жизнь, которую хотел испытать Зак, отправившись в автобусный тур по Европе и залезая на Эйфелеву башню.

Саксон налил ей бокал шампанского, и они вместе выпили, глядя на открывающуюся из окна панораму, а потом он взял у нее бокал и поставил его на ночной столик. У нее было ощущение, будто она участвует в сцене из кино, которую видела до этого не раз, хотя в душе смеялась над его претенциозной властностью.

Он положил ей ладонь на затылок и притянул к себе, словно исполнял безупречное танцевальное па. Потом поцеловал, положив другую руку ей на поясницу. Его лосьон после бритья пах деньгами.

Она пришла сюда, чтобы заняться с ним сексом. Она не передумала, не сказала «нет». Безусловно, это не было изнасилованием. Она, глупо хихикая, сама помогла ему раздеть себя. Потом легла с ним в постель. Был один момент, когда они прижимались друг к другу обнаженными телами, и она, увидев эту волосатую, незнакомую ей грудь, испытала вдруг отчаянную тоску по родному телу Зака, по его запаху, но все было нормально, она была готова довести дело до конца.

— Презерватив? — в нужный момент пробормотала она подходящим для случая хриплым шепотом, подумав, что он позаботится об этом с той же осмотрительностью, с какой делал все остальное, и что презерватив будет первоклассный, но в этот момент он сомкнул руки вокруг ее шеи и спросил: — Когда-нибудь пробовала такое?

Она почувствовала твердые тиски его рук.

— Это здорово. Тебе понравится. Кайф, как от кокаина.

— Нет, — сказала она.

Схватив его за руки, она пыталась остановить его. Сама мысль об удушье была ей невыносима. Она не любила даже плавать под водой.

Продолжая сжимать ей шею, он не сводил с нее глаз. Потом осклабился, словно не душил, а щекотал ее.

Потом отпустил.

— Мне не нравится! — еле выдохпула она.

— Извини, — сказал он. — Вкус к этому можно развить. Тебе надо расслабиться, Джейн. Ты какая-то одеревенелая. Давай.

— Нет. Прошу тебя.

Но он сделал это снова. Она слышала издаваемые ею самой омерзительные и позорные рыгающие звуки. Она думала, ее вырвет. Тело покрылось холодным потом.

— Все-таки нет? — Он отвел руки. Глаза его стали жесткими. Но, скорее, они всегда были жесткими.

— Пожалуйста, не надо. Пожалуйста, не делай этого больше.

— Ты занудливая маленькая сучка. Просто хочешь, чтобы тебя трахнули. Ты за этим сюда пришла, а?

Навалившись на нее, он толчками вошел в нее, словно управлял каким-то механизмом. Двигаясь, он приблизил губы к ее уху и разразился потоком обидных, злых слов, которые проникли прямо ей в душу и остались там.

Ты ведь просто жирная, уродливая девчонка, правда? С этой дешевой бижутерией и дрянным платьем. Кстати, у тебя изо рта разит. Надо бы заняться гигиеной полости рта. Господи. И похоже, никаких оригинальных мыслей. Хочешь совет? Научись немного уважать себя. Займись похудением. В спортзал, блин, пойди, что ли. Перестань есть всякую дрянь. Ты никогда не станешь красивой, но по крайней мере не будешь толстой.

Она никак не отреагировала на эти слова, а только таращилась на светильник под потолком, который смотрел на нее немигающим злобным оком, все подмечая и соглашаясь со всем, что он сказал. Когда он отодвинулся от нее, она не пошевелилась, словно ее тело больше ей не принадлежало, словно она была под анестезией.

— Посмотрим телик? — взяв пульт, сказал он, и телевизор в ногах кровати ожил.

Шел один из «Крепких орешков». Пока он переключал каналы, она надела платье, которое ей нравилось. Никогда прежде она не тратила столько денег на платье. Она двигалась медленно и напряженно. Только через несколько дней она обнаружит синяки у себя на руках, ногах, животе и шее. Одеваясь, она не пыталась спрятаться от него, потому что он был вроде врача, который прооперировал ее и удалил нечто отталкивающее. Зачем пытаться спрятать тело, если он уже знал, какое оно омерзительное?

— Уже уходишь? — спросил он, когда она оделась.

— Да. Пока, — сказала она, понимая, что говорит, как тупоголовая двенадцатилетняя девчонка.

Она так и не поняла, зачем ей понадобилось сказать «пока». Иногда ей казалось, она больше всего ненавидит себя именно за это. За это глуповатое «пока». Зачем? Зачем она это сказала? Удивительно, что не сказала «спасибо».

— Ну давай, пока!

Похоже было, он еле сдерживает смех. Он находил ее смехотворной. Отталкивающей и смехотворной. Она была отталкивающей и смехотворной.

Она спустилась вниз в стеклянном лифте.

— Вам вызвать такси? — спросил консьерж.

Она знала, что он с трудом сдерживает отвращение: толстая, растрепанная, нетрезвая и распутная девица собралась домой.

После этого она на все стала смотреть по-другому.

Глава 32

— О-о, Джейн!

Мадлен захотелось взять Джейн на руки и покачать, как она качала Хлою. Вот бы найти этого мужика, и врезать ему, и осыпать бранью.

— Наверное, надо было принять на следующее утро противозачаточную таблетку, — сказала Джейн. — Но я даже не подумала об этом. В юности я страдала эндометриозом, и врач говорил, что мне трудно будет забеременеть. У меня по нескольку месяцев не бывает менструаций. Когда я наконец поняла, что беременна, было... — Джейн говорила тихим голосом, и Мадлен приходилось напрягаться, чтобы услышать ее, но теперь она перешла на шепот, поглядывая в сторону коридора, ведущего в спальню Зигги. — Было поздно делать аборт. А потом умер мой дед, и для нас это стало большим потрясением. И со мной творилось что-то странное. Наверное, депрессия. Не знаю. Я бросила университет и вернулась домой. Я почти все время спала. Часы напролет. Так себя чувствует человек, принявший успокоительное или совершивший длительный перелет. Я злилась, когда меня будили.

— Наверное, ты еще пребывала в шоке. Ах, Джейн, мне так жаль, что с тобой это случилось.

Джейн покачала головой, словно ей дали что-то, чего она не заслуживает.

— Да ладно. Меня же не изнасиловали в переулке. Надо отвечать за свои поступки. Не так уж это страшно.

— Он оскорбил тебя! Он...

Джейн подняла руку:

— Множество женщин прошли через отрицательный сексуальный опыт. Вот и со мной то же. Вывод: не гуляй с незнакомыми мужчинами, которых встретила в баре.

— Уверяю тебя, я тоже встречалась с мужчинами из бара, — сказала Мадлен. С ней это случалось пару раз. И никогда не было ничего подобного. Она бы выколола ему глаза. — Даже и не думай, Джейн, что ты в чем-то виновата.

— Знаю. — Джейн покачала головой. — Постараюсь приберечь это на будущее. Некоторым действительно нравится подобная чепуха с эротическим удушением. — (Мадлен заметила, что Джейн непроизвольно потянулась к шее.) — Кто знает, тебя это могло бы заинтересовать.

— Для нас с Эдом это могло бы быть эротичным, окажись мы в постели без извивающегося ребенка посередине, — сказала Мадлен. — Джейн, дорогая моя девочка, это не было сексуальным экспериментированием, то, что сделал с тобой этот человек, не было...

— Ну, не забывай, ты слышала мою версию истории, — перебила ее Джейн. — У него могут быть другие воспоминания. — Джейн пожала плечами. — Если он вообще что-нибудь помнит...

— А оскорбительные слова. Те, что он сказал тебе. — Мадлен почувствовала, как в ней вновь закипает гнев. Как бы разделаться с этим подонком? Как заставить его ответить? — Все эти низости.

Когда Джейн рассказала Мадлен свою историю, ей не было нужды в точности вспоминать те слова. Она проговорила его оскорбления скучным монотонным голосом, как будто читала стихотворение или молитву.

— Да. Жирная, уродливая девчонка.

— Ты не такая, — поморщилась Мадлен.

— Я была полной, — возразила Джейн. — Некоторые, возможно, назвали бы меня толстой. Я много ела.

— Гурманка, — сказала Мадлен.

— Нет, все гораздо проще. Просто я любила всю еду, и особенно ту, от которой толстеют. Пирожные. Шоколад. Масло. Я очень любила масло. — На ее лице появилось почти благоговейное выражение, словно она не могла до конца поверить, что описывает себя. — Сейчас покажу тебе фото. — Джейн бегло пролистнула дисплей телефона. — Моя подруга Эм только что разместила его в «Фейсбуке» к вечеру встречи. Это я на ее дне рождения, когда ей исполнилось девятнадцать. Всего за несколько месяцев до того, как я... забеременела.

Она поднесла телефон ближе к Мадлен. На фото была Джейн в облегающем красном платье с глубоким вырезом. Она стояла между двумя девушками одних с ней лет, и все они широко улыбались. Джейн казалась совершенно другим человеком — более мягким, раскованным и совсем молодым.

— А ты была фигуристая, — заметила Мадлен, отдавая Джейн телефон. — И не толстая. На этом снимке ты просто потрясающая.

— Даже любопытно становится, как подумаешь. — Джейн еще раз взглянула на фото, а потом пролистнула большим пальцем. — Почему меня так сильно оскорбили именно эти два слова? Более всего, что он сделал со мной, обидели эти два слова. Жирная. Уродливая. — Она с нажимом произнесла эти слова. Мадлен неприятно было это слышать. — То есть жирный уродливый мужчина все же может быть забавным, обаятельным и успешным, — продолжала Джейн. — Но получается, что для женщины это самая позорная вещь.

— Но ты не была такой и сейчас не такая... — начала Мадлен.

— Да, хорошо, а что, если была бы! — прервала ее Джейн. — Что, если была бы? В этом-то и дело. Что из того, если я была полноватой и не особенно смазливой? Что в этом такого ужасного? Такого отталкивающего? Это что — конец света?

Мадлен не нашлась с ответом. Для нее быть толстой и уродливой было бы равносильно концу света.

— А все потому, что самооценка женщины основывается на ее внешности, — сказала Джейн. — Вот почему. Мы живем в обществе, помешанном на красоте, когда главное для женщины — сделать себя привлекательной для мужчин.

Мадлен прежде не слышала, чтобы Джейн говорила так агрессивно и свободно. Обычно она была застенчивой и неуверенной в себе, готовой выслушать чужое мнение.

— Неужели это правда? — спросила Мадлен. Ей почему-то не хотелось соглашаться. — Знаешь, в душе я часто завидую женщинам вроде Ренаты или этой зазнайки, жены Джонатана. Они зарабатывают кучу бабок, ходят на заседания членов правления или бог их знает куда, а я неполный рабочий день занимаюсь своим милым маркетингом.

— Да, но в глубине души ты знаешь, что обставила их, потому что красивее, — заметила Джейн.

— Ну, не знаю, — сказала Мадлен. Она поймала себя на том, что гладит свои волосы, и опустила руку.

— Вот почему, когда ты в постели с мужчиной, обнаженная, уязвимая, предполагаешь, что он считает тебя хотя бы немного привлекательной, а он говорит потом нечто подобное, ну это... — Джейн искоса посмотрела на Мадлен. — Это опустошает. — Джейн немного помолчала. — И, Мадлен, меня бесит, что я так остро отреагировала. Меня бесит, что он имел надо мной власть. Я каждый день смотрю в зеркало и думаю: я уже не толстая, но по-прежнему уродливая. Умом я понимаю, что не уродливая, что вполне сносная. Но чувствую себя уродливой, потому что один мужчина сказал, что это так, и я поверила. Это унизительно.

— Он придурок, — беспомощно сказала Мадлен. — Просто долбаный придурок.

Ей пришло в голову, что чем больше Джейн разглагольствует об уродливости, тем краше выглядит — эти распущенные волосы, горящие щеки и сверкающие глаза.

— Ты красивая, — начала Мадлен.

— Нет! — сердито воскликнула Джейн. — Это не так! И хорошо, что я некрасивая. Не все люди красивы, как не все музыкальны, и это нормально. И не говори мне о внутренней красоте, которая просвечивает сквозь грубую оболочку.

Мадлен, которая собиралась сказать именно это, закрыла рот.

— У меня и в мыслях не было так сильно худеть, — сказала Джейн. — Меня раздражает, что я похудела, как будто делала это ради него, но после того случая я стала как-то странно относиться к еде. Каждый раз, садясь за стол, я словно видела со стороны, как я ем. Я смотрела на себя его глазами: вот ест неопрятная толстая девица. И глотка у меня просто... — Она поднесла руку к горлу и сглотнула. — Как бы то ни было, это оказалось вполне эффективным! Типа шунтирования желудка. Следует запатентовать этот способ. Диета Саксона Бэнкса. Один недолгий, почти безболезненный сеанс в гостиничном номере — и пожалуйста: на всю жизнь нарушение питания. Рентабельно!

— Ах, Джейн, — прошептала Мадлен.

Она вспомнила о матери Джейн и о ее замечании на пляже по поводу того, что «никто не захочет увидеть это в бикини». Ей показалось, что мать Джейн могла заложить фундамент неправильных представлений дочери о еде. Свою лепту внесли СМИ и женщины в целом с их стремлением критически относиться к своей внешности, а Саксон Бэнкс довершил дело.

— Что бы там ни было, — сказала Джейн, — извини за эту тираду.

— Не извиняйся.

— К тому же у меня вовсе не разит изо рта. Я проверялась у дантиста. Много раз. Но мы перед тем ели пиццу, и от меня пахло чесноком.

Так вот причина ее пристрастия к жевательной резинке.

— Твое дыхание благоухает фиалками, — сказала Мадлен. — У меня обостренное обоняние.

— Думаю, потрясение было слишком сильным. Внезапная перемена в нем. Он казался таким приятным, а я всегда считала, что неплохо разбираюсь в людях. После всего этого я почувствовала, что не смогу до конца доверять интуиции.

— Неудивительно, — откликнулась Мадлен.

Могла бы она подцепить такого типа? Клюнула бы она на песенки из «Мэри Поппинс»?

— Я об этом не жалею, потому что у меня есть Зигги. Мой чудесный малыш. Когда он родился, я словно бы проснулась. Мне казалось, он не имеет никакого отношения к той ночи. Этот красивый крошечный ребенок. И только когда он начал превращаться в маленького человека со своими чертами характера, до меня дошло, что он мог, понимаешь, мог унаследовать что-то от своего... отца. — Впервые голос Джейн дрогнул. — И я тревожусь, когда Зигги ведет себя странно. Как в ознакомительный день, когда Амабелла сказала, что он душил ее. Подумать только! Душил! Я никак не могла в это поверить. А иногда мне кажется, я вижу в глазах Зигги что-то, напоминающее мне о нем, и я начинаю думать: а что, если у моего прекрасного Зигги есть скрытая склонность к жестокости? Что, если мой сын когда-нибудь сделает то же самое с девушкой?

— Нет у Зигги никакой склонности к жестокости, — заявила Мадлен. Отчаянная потребность успокоить Джейн укрепляла ее веру в доброту Зигги. — Он очаровательный милый мальчик. Не сомневаюсь, твоя мама права, и он реинкарнация твоего деда.

Джейн рассмеялась. Она взяла свой мобильник, чтобы посмотреть время на дисплее.

— Уже поздно! Тебе пора домой к семье. Долго же я продержала тебя здесь, болтая о себе.

— Ты не болтала.

Джейн встала. Она вытянула руки над головой, футболка задралась, и Мадлен увидела плоский белый живот, показавшийся ей каким-то уязвимым.

— Большое спасибо за помощь с этим дурацким проектом.

— Не стоит благодарности. — Мадлен тоже поднялась. Она взглянула на то место, где Зигги написал «папа Зигги». — Ты когда-нибудь скажешь Зигги его имя?

— О господи, не знаю, — ответила Джейн. — Может быть, когда ему исполнится двадцать один и он станет вполне взрослым, тогда я смогу рассказать ему всю правду, и только правду.

— Может быть, его уже нет в живых, — с надеждой произнесла Мадлен. — Его, в конце концов, должна настичь карма. Ты пыталась найти его по Интернету?

— Нет. — На лице Джейн появилось непонятное выражение. Мадлен не понимала, то ли Джейн лжет, то ли сама мысль о поиске в Сети раздражает ее.

— Я сама поищу в «Гугле» этого жуткого подонка, — сказала Мадлен. — Как его зовут, напомни? Саксон Бэнкс, верно? Я найду его и подошлю к нему наемного убийцу. В наше время должна быть какая-то онлайн-услуга типа «убей мерзавца».

Джейн не стала смеяться:

— Пожалуйста, Мадлен, не надо гуглить его. Прошу, не надо. Не знаю, почему мне невыносима сама мысль о том, что ты будешь его искать, но это так.

— Разумеется, не буду, если не хочешь. Я слишком легкомысленная. Глупая. Надо мне стать более серьезной. Не обращай на меня внимания. — Она обняла Джейн.

К ее удивлению, Джейн, которая обычно чопорно подставляла щеку для поцелуя, шагнула навстречу и крепко обняла подругу:

— Спасибо, что привезла картон.

Мадлен погладила Джейн по душистым волосам. Она чуть не сказала: «Не за что, моя красавица», как говорила Хлое, но в тот момент слово «красавица» показалось ей чересчур наполненным. Вместо этого она произнесла:

— Не за что, милая моя девочка.

Глава 33

— В вашем доме есть оружие? — спросила консультант.

— Прошу прощения? — переспросила Селеста. — Вы сказали «оружие»?

Сердце ее гулко стучало при мысли о том, что она сейчас здесь, в этой небольшой комнате с желтыми стенами, с рядами кактусов на подоконниках, красочными правительственными постерами, с номерами горячей линии на стенах и дешевой офисной мебелью на деревянном полу из красивых старинных досок. Офисы консультантов размещались в федеральном здании вблизи автострады Пасифик на северном побережье. Эта комната, вероятно, была когда-то спальней. Здесь спали люди, которые не могли и помыслить, что в следующем столетии в этой комнате другие люди будут рассказывать свои постыдные секреты.

Проснувшись в то утро, Селеста была уверена, что не поедет. Она собиралась позвонить и отменить визит, как только отвезет детей в школу, но потом вдруг оказалась в машине. И вот она вводит адрес в GPS, едет по извилистой дороге через полуостров, думая о том, что через пять минут съедет на обочину, позвонит и, извинившись, скажет, что у нее сломался автомобиль, и запишется на другой день. Но она, словно во сне или в трансе, продолжала ехать, размышляя о других вещах — например, что приготовит на ужин, а потом, не успев ничего понять, въехала на парковку за домом и смотрела, как, яростно попыхивая сигаретой, из дома вышла какая-то женщина и открыла дверь разбитой старомодной белой машины. На женщине были джинсы и короткий топ. По всей длине тонких белых рук шли татуировки, издали напоминающие ужасные раны.

Селеста представила себе лицо Перри. Его веселое, надменное лицо. «Ты ведь не серьезно, правда? Это так...»

Так вульгарно. Да, Перри. Верно. Консультирование в пригородах по вопросам домашнего насилия. Это было указано на их сайте наряду с депрессией, тревожностью и нарушениями в питании. Она выбрала этот офис, потому что он располагался на удалении от Пирриви, и она знала, что не встретит знакомых. Кроме того, у нее не было намерения повторять визит. Она хотела только назначить встречу, доказать себе, что она не жертва, доказать какой-то невидимой сущности, что она пытается как-то решить проблему.

— Вульгарно наше поведение, Перри, — вслух произнесла она в тишине машины, выключила зажигание и вошла в дом.

— Селеста? — напомнила о себе консультант.

Консультант знала ее имя. Консультант знала о ней правды больше любого человека на свете, за исключением Перри. Селеста словно оказалась в одном из тех ночных кошмаров, когда приходилось идти голышом по многолюдному торговому центру и все люди вокруг пялились на ее постыдную шокирующую наготу. Пути назад не было. Ей пришлось пройти до конца. Она рассказала этой женщине все. Говорила очень быстро, стараясь не смотреть консультанту прямо в глаза. Говорила тихим безучастным голосом, словно рассказывала врачу о каком-то отталкивающем симптоме. Говорила вслух неприятные вещи, а ведь она была взрослой женщиной и матерью. «У меня бывает такая разрядка». «Испытываю что-то вроде насилия со стороны мужа». «Что-то вроде». Как подросток, она избегала прямых слов, дистанцировалась.

— Извините. Вы только что спросили об оружии?

Селеста поменяла положение ног, разгладила платье на коленях. Она умышленно выбрала особенно красивое платье, которое Перри привез ей из Парижа. Раньше она его не надевала. Она сделала макияж: основа, пудра и все прочее. Ей хотелось позиционировать себя — нет, не выше по отношению к другим женщинам. Но ее ситуация отличалась от ситуации той женщины на парковке. Селесте не нужен был телефонный номер для прикрытия. Ей требовалась стратегия спасения их брака. Ей требовались советы. Десять важных советов, как не позволить мужу бить себя. Десять советов, как не позволить себе бить его в ответ.

— Да, оружие. Есть в вашем доме оружие?

Консультант оторвала взгляд от какой-то бумаги. Ради всего святого, подумала Селеста. Оружие! Неужели она думает, что Селеста живет в доме, где муж прячет под кроватью нелицензионный пистолет?

— Оружия нет, — сказала Селеста. — Хотя у близнецов есть световые мечи.

Она заметила, что говорит голосом благовоспитанной выпускницы частной школы, и попыталась прекратить это.

Консультант вежливо рассмеялась и пометила что-то на планшете перед собой. Ее звали Сьюзи, что указывало на досадный недостаток рассудительности. Почему она не называет себя Сьюзен? Имя Сьюзи подходит стриптизерше.

Еще одна проблема Сьюзи состояла в том, что на вид ей было лет двенадцать, и, вполне естественно, в таком возрасте она не умела правильно подводить глаза. Карандаш на веках был смазан, придавая ей сходство с енотом. Как эта девчонка могла дать Селесте советы по поводу ее сложного необычного брака? Селеста сама могла бы проконсультировать ее на предмет макияжа и мальчиков.

— Ваш партнер нападает на домашних животных или калечит их? — мягко спросила Сьюзи.

— Что? Нет! Ну, у нас нет животных, но он не такой! — Селеста испытала приступ гнева. Зачем она подвергла себя подобному унижению? Ей захотелось глупо выкрикнуть: «Это платье из Парижа! Мой муж водит „порше"! Мы не такие!» — Перри никогда не обидел бы животного.

— Но он обижает вас, — заметила Сьюзи.

«Ты обо мне ничего не знаешь, — с обидой и гневом подумала Селеста. — Ты думаешь, я как та девушка с татуировками, но я не такая».

— Да, — сказала Селеста. — Как я уже говорила, время от времени мы прибегаем к физическому... насилию. — Она опять заговорила аристократическим тоном. — Но я пыталась объяснить, что должна взять на себя часть вины.

— Ни один человек не заслуживает жестокого обращения, миссис Уайт, — произнесла Сьюзи.

Должно быть, в колледже их заставляют заучивать эту фразу.

— Да, — согласилась Селеста. — Разумеется. Я знаю. Думаю, я этого не заслуживаю. Но я не жертва. Я бью его в ответ. Бросаю в него вещи. Так что я ничем не лучше его. Иногда я начинаю сама. То есть у нас очень нездоровые отношения. Нам необходима методика, необходима стратегия помощи... которая заставила бы нас прекратить это. За этим я сюда и приехала.

Сьюзи медленно кивнула:

— Понимаю. Как думаете, ваш муж боится вас, миссис Уайт?

— Нет, — ответила Селеста. — Не в физическом смысле. Возможно, он боится, что я уйду от него.

— Вы когда-нибудь пугались во время этих инцидентов?

— Пожалуй, нет. Или немного. — Она понимала, куда клонит Сьюзи. — Послушайте, я знаю, какими жестокими бывают мужчины, но у нас с Перри это не так уж страшно. Да, это плохо! Знаю, что плохо. Я не строю иллюзий. Но, понимаете, я никогда не попадала в больницу или типа того. У меня нет необходимости идти в приют, или убежище, или как там его называют. Не сомневаюсь, вы наблюдаете случаи намного хуже моего, а со мной все в порядке. В полном порядке.

— Вы когда-нибудь боялись умереть?

— Никогда, — без колебаний ответила Селеста. Но потом задумалась. — Ну, только один раз. Просто мое лицо... Он придавил меня лицом в угол дивана.

Ей припомнилось прикосновение его руки к своему затылку. Ее лицо было повернуто так, что нос смялся и ноздри защемились. Она отчаянно боролась, чтобы высвободиться, как проткнутая булавкой бабочка.

— Видимо, он не понимал, что делает. Но я действительно на миг подумала, что сейчас задохнусь.

— Наверное, вам было очень страшно, — монотонно произнесла Сьюзи.

— Да, немного. — Селеста помолчала. — Помню пыль. Там было очень пыльно.

На миг Селеста подумала, что сейчас разразится безудержными громкими рыданиями. Для такого случая на кофейном столике между ними лежала коробка с салфетками. Тогда уж тушь потечет у нее. У нее тоже будут глаза, как у енота, а Сьюзи подумает: «Не такая уж вы аристократка, леди?»

Справившись с приступом самоуничижения, она отвела от Сьюзи глаза и уставилась на свое обручальное кольцо.

— В тот раз я упаковала чемодан, — сказала она. — Но ведь... мальчики были совсем маленькими. А я страшно устала.

— В среднем большинство жертв пытаются шесть или семь раз избежать насильственной ситуации и только потом уходят окончательно, — сказала Сьюзи. Она пожевала кончик ручки. — А как ваши мальчики? Ваш муж хоть когда-нибудь...

— Нет! — отрезала Селеста.

Ею овладел внезапный ужас. Боже правый! Безумием было приходить сюда. О ней могут сообщить в Департамент общественных служб. Детей могут забрать.

Она вспомнила о задании с генеалогическим древом, которое мальчики сегодня отнесли в школу. Аккуратные линии, соединяющие каждого из них с близнецом, с ней и Перри. Их счастливые сияющие лица.

— Перри никогда и пальцем не трогал детей. Он замечательный отец. Если бы я хоть раз подумала, что мальчики в опасности, то ушла бы. Ни за что не стала бы подвергать их риску. — Ее голос дрожал. — Это одна из причин, почему я не ушла от него, ведь он так хорошо с ними обращается. Он такой терпеливый! Более терпеливый, чем я. Он их обожает!

— Как вы думаете... — начала Сьюзи, но Селеста перебила ее.

Ей хотелось, чтобы консультант поняла, как Перри относится к детям.

— Я перенесла столько мучений, связанных с сохранением беременности! Четыре выкидыша подряд. Это было ужасно.

Как будто им с Перри пришлось вынести изнурительное двухгодичное путешествие по штормовым морям и бесконечным пустыням. А потом они дошли до оазиса. Близнецы! Естественная беременность близнецами! Она увидела выражение на лице женщины-гинеколога, когда та прослушала второе сердцебиение. Близнецы. Рискованная беременность для женщины с повторяющимися выкидышами. Гинеколог задумалась. «Исключено». Но Селеста доходила до тридцати двух недель.

— Мальчики родились недоношенными. Мы без конца ездили взад-вперед в больницу на ночные кормления. И не могли поверить своему счастью, когда наконец привезли их домой. Мы стояли в детской и не отрываясь смотрели на них. А потом, потом... эти несколько первых месяцев были настоящим кошмаром. Они плохо спали. Перри взял отпуск на три месяца. Он просто чудо. Мы вместе преодолели это.

— Понимаю, — сказала Сьюзи.

Но Селеста видела, что не понимает.

Консультант не понимала, что Селеста и Перри навечно связаны друг с другом совместными переживаниями и любовью к сыновьям. Для нее порвать с ним было все равно что нанести глубокую рану.

— Как, по-вашему, насилие влияет на ваших сыновей?

Селесте не нравилось, что консультант часто употребляет слово «насилие».

— Никак не влияет, — ответила она. — Они понятия об этом не имеют. То есть в основном мы очень счастливая, вполне обыкновенная любящая семья. Неделями и даже месяцами у нас не происходит ничего из ряда вон выходящего.

Говорить о месяцах было, пожалуй, преувеличением.

Она уже начинала страдать от клаустрофобии в этой маленькой комнате. Ей не хватало воздуха. Она провела пальцем над бровью и ощутила влагу. Чего она от этого ожидала? Зачем пришла сюда? Она знала, что ответов нет. Нет стратегии. Нет подсказок и методик, ради всего святого! Перри — это Перри. Остается только уйти, но она не уйдет, пока дети маленькие. Она уйдет, когда они поступят в университет. Она уже решила.

— Миссис Уайт, что заставило вас прийти сюда сегодня? — словно читая ее мысли, спросила Сьюзи. — Вы говорили, это все продолжается с того времени, когда дети были совсем маленькими. В последнее время обострились конфликты?

Селеста попыталась вспомнить, почему записалась на прием. Это был день спортивного праздника.

Утром того дня ее удивило веселое выражение на лице Перри, когда Джош спросил его об отметине на шее. А потом она вернулась домой после праздника и позавидовала уборщикам, потому что они смеялись. И послала двадцать пять тысяч долларов на благотворительность. «Приступ филантропии, дорогая?» — с кривой ухмылкой спросил Перри несколько недель спустя, когда пришел чек с кредитной карты, но других комментариев не последовало.

— Нет, обострения не было, — сказала она Сьюзи. — Не знаю даже, зачем я в конечном итоге записалась на прием. Мы с Перри однажды ходили к консультанту, но это не... Ничего из этого не вышло. Все усложняется из-за того, что он часто бывает в командировках. На следующей неделе опять уезжает.

— Вы скучаете без него, когда он уезжает? — спросила Сьюзи.

Похоже, этого вопроса не было в планшете, она сама захотела спросить об этом.

— Да, — ответила Селеста. — И нет.

— Как все сложно, — заметила Сьюзи.

— Да, сложно, — согласилась Селеста. — Но все браки имеют свои сложности, разве нет?

— Да, — улыбнулась Сьюзи. — И нет. — Улыбка исчезла. — А вам известно, миссис Уайт, что в Австралии от домашнего насилия каждую неделю погибает женщина? Каждую неделю.

— Он не собирается меня убивать. Ничего похожего.

— Вам сегодня безопасно ехать домой?

— Конечно, — сказала Селеста. — Я в полной безопасности. — (Сьюзи подняла брови.) — Наши отношения похожи на детские качели-доску, — объяснила Селеста. — Сначала преимущество имеет один, потом другой. При каждой нашей ссоре, особенно если дело доходит до потасовки и если сначала достается мне, потом я беру реванш и оказываюсь наверху. — Говоря на любимую тему, Селеста воодушевилась. Постыдно было делиться со Сьюзи подобными вещами, но было также большим облегчением рассказать ей обо всем, объяснить, как все происходит, вслух произнести свои секреты. — Чем больше он мне досаждает, тем выше я поднимаюсь и дольше остаюсь наверху. Проходят недели, и я чувствую, что все изменяется. Чувство вины и раскаяния у него затихает. Синяки — а они у меня появляются быстро — исчезают. Его начинают раздражать всякие мелочи в моем поведении, и он злится. Я пытаюсь успокоить его, веду себя очень осторожно, но в то же время злюсь, что приходится сдерживаться, поэтому иногда перестаю ходить на цыпочках и топаю ногой. Я нарочно раздражаю его, потому что сержусь на него и на себя. А потом это происходит опять.

— Значит, сейчас у вас преимущество, — сказала Сьюзи. — Потому что недавно он обидел вас.

— Да, — согласилась Селеста. — Сейчас я могу сделать что угодно, потому что он все еще переживает из-за последнего инцидента. С лего. Так что прямо сейчас все здорово. Очень здорово. В этом-то и проблема. Сейчас так хорошо, что почти... — Она замолчала.

— Стоит того, — закончила Сьюзи. — Это почти того стоит.

Селеста встретилась с глазами Сьюзи в черной обводке, как у енота.

— Да.

Невыразительный взгляд Сьюзи говорил только одно: я поняла. Она не проявляла доброты и не пыталась опекать, она не упивалась превосходством собственной доброты. Она просто делала свою работу, как та проворная дама из банка или телефонной компании, которая стремится просто выполнить свою работу и распутать клубок ваших проблем.

На некоторое время они замолчали. За дверью офиса Селеста различала гул голосов, телефонные звонки и отдаленный шум транспорта. Ее охватило чувство умиротворения. Пот на лице высох. На протяжении пяти лет, с того момента, как это началось, она жила с тайным позором, тяжелым грузом, давящим на ее плечи, и вот этот груз на миг сняли, и она вспомнила себя такой, какой была раньше. У нее по-прежнему не было решения, не было выхода, но сейчас перед ней сидел человек, который понимал ее.

— Он снова будет вас бить, — сказала Сьюзи.

И опять этот беспристрастный профессионализм. Никакой жалости. Никакого осуждения. Она не задавала вопроса. Она констатировала факт, чтобы продолжить разговор.

— Да, — согласилась Селеста. — Это случится снова. Он ударит меня. Я ударю его.

Снова пойдет дождь. Мне опять будет тошно. Наступят плохие дни. Но разве я не могу наслаждаться хорошими временами, пока они длятся?

Но тогда зачем я вообще здесь?

— Ну, так я хотела бы поговорить о составлении плана, — сказала Сьюзи, листая планшет.

— Плана, — повторила Селеста.

— Плана, — подтвердила Сьюзи. — Плана следующей встречи.

Глава 34

— У тебя никогда не возникало желания поэкспериментировать с этим, как его, эротическим удушением? — спросила Мадлен у Эда, когда они легли в постель.

У него была книга, у нее айпад.

Это было на следующий вечер после того, как она отвезла Джейн картон. Она весь день думала о рассказанной Джейн истории.

— Конечно. Я готов. Давай попробуем. — Эд снял очки и отложил книгу в сторону, с энтузиазмом поворачиваясь к жене.

— Что? Нет! Шутишь?! — воскликнула Мадлен. — Как бы то ни было, я не хочу секса. Слишком много ризотто съела на ужин.

— Правильно. Ну конечно. Глупо с моей стороны. — Эд снова надел очки.

— Делая это, люди случайно убивают себя! Умирают все время! Эд, это очень опасно. — (Эд посмотрел на нее поверх очков.) — Не могу поверить, что ты хотел меня придушить.

Он покачал головой:

— Просто я хотел продемонстрировать свою готовность оказать тебе услугу. — Он глянул на ее айпад. —

Выискиваешь способы оживить нашу сексуальную жизнь или типа того?

— О господи, нет! — пожалуй, чересчур горячо ответила Мадлен.

Эд фыркнул.

Она нашла в «Википедии» статью об эротическом самоудушении.

— «Очевидно, при зажимании артерий с двух сторон шеи в мозгу наступает внезапная нехватка кислорода, и человек впадает в полугаллюциногенное состояние». — Она задумалась. — Я замечала, что, болея насморком, я часто бываю любвеобильной. Причина может быть в этом.

— Мадлен, ты никогда не бываешь любвеобильной с насморком.

— Правда? — удивилась Мадлен. — Может быть, я просто забывала об этом упомянуть.

— Угу, может быть. — Эд снова обратился к чтению. — У меня была подружка, которая увлекалась этим.

— Серьезно? Какая именно?

— Ну, пожалуй, она не была подружкой, а, скорее, случайной знакомой.

— И эта случайная знакомая хотела, чтобы ты... — Мадлен обхватила себя руками за горло, высунула язык и захрипела.

— Черт возьми, у тебя это получается сексуально, — признался Эд.

— Благодарю. — Мадлен опустила руки. — Так ты это делал?

— Без особого энтузиазма, — ответил Эд. Сняв очки, он ухмыльнулся, вспоминая. — Я был немного навеселе и неточно следовал инструкциям. Помню, она была во мне разочарована, что, может быть, недоступно твоему пониманию, но я не всегда заставлял трепетать и ублажал...

— Да, да. — Мадлен жестом руки попросила его замолчать и снова уставилась в свой айпад.

— Так откуда этот внезапный интерес к самоудушению?

Она рассказала ему историю Джейн, примечая, что у него заходили желваки на скулах и сощурились глаза, как это бывало, когда он слушал в новостях какую-нибудь историю о жестоком обращении с детьми.

— Мерзавец, — наконец произнес он.

— Знаю, — сказала Мадлен. — И он улизнул от наказания.

Эд покачал головой.

— Глупая, глупая девочка, — вздохнул он. — Такого рода мужчины просто охотятся за...

— Не называй ее глупой девочкой! — Мадлен села так быстро, что айпад соскользнул с ее коленей. — Как будто ты обвиняешь ее!

Эд поднял руку, словно отгораживаясь от чего-то:

— Конечно нет. Я лишь хотел...

— Что, если это была бы Абигейл или Хлоя?! — воскликнула Мадлен.

— По сути дела, я как раз думал об Абигейл и Хлое, — сказал Эд.

— Так ты обвинял бы их, да? Говорил бы: «Глупая девчонка, ты получила то, что заслужила»?

— Мадлен, — спокойно произнес Эд.

Их споры всегда принимали подобный оборот. Чем сильней злилась Мадлен, тем более необъяснимо спокойным становился Эд, напоминая переговорщика о заложниках, имеющего дело с психом и тикающей бомбой. Это выводило ее из себя.

— Ты обвиняешь жертву! — Она думала о Джейн, сидящей в холодной и неуютной маленькой квартире. Вспоминала выражение ее лица, когда та рассказывала свою постыдную историю. Все эти годы Джейн, должно быть, испытывает стыд, думала Мадлен. «Надо отвечать за свои поступки, — говорила тогда Джейн. — Не так уж это страшно». Мадлен подумала о снимке, который Джейн тогда ей показала. Открытое, раскованное выражение лица. Красное платье. Джейн носила раньше одежду ярких цветов! У Джейн была ложбинка между грудей! Теперь Джейн облачает свое худощавое тело в неброскую одежду, словно хочет исчезнуть, словно пытается стать невидимой, превратиться в ничто. И это сделал с ней тот человек.

— У вас считается классным переспать со случайной женщиной, а если такое делает женщина, это глупо. Какие-то двойные стандарты!

— Мадлен, — начал Эд, — я ее не обвинял.

Он по-прежнему говорил с женой голосом зрелого человека, который общается с психом, но она заметила в его глазах искру гнева.

— Обвинял! Не могу поверить, что ты мог это сказать! — Слова бурно извергались из нее. — Ты вроде тех людей, которые говорят: «Ах, чего же она ждет? Выпивала в час ночи и, конечно, заслуживает, чтобы ее изнасиловала целая футбольная команда!»

— Да не обвинял я ее!

— Нет, обвинял!

В лице Эда что-то переменилось. Щеки запылали, а голос возвысился.

— Позволь сказать тебе кое-что, Мадлен. Если моя дочь однажды пойдет с каким-нибудь подонком, с которым только что познакомилась в гостиничном баре, я оставляю за собой право назвать ее дурой!

Глупо было ссориться из-за этого. Рациональная часть ее ума понимала это. Она понимала, что на самом деле Эд не винил Джейн. Она знала, что муж лучше и добрей ее самой, но все же не могла простить ему замечание по поводу «глупой девочки». Это казалось ей ужасной несправедливостью. Будучи женщиной, Мадлен обязана была рассердиться на Эда за Джейн, и за любую другую «глупую девочку», и за себя, потому что, в конце концов, такое могло случиться и с ней тоже, и даже мягкое словечко «глупая» казалось пощечиной.

— Не могу сейчас оставаться в одной комнате с тобой. — Она выскочила из постели, прихватив с собой айпад.

— Это просто смехотворно, — сказал Эд, надевая очки.

Он расстроился, но Мадлен знала, что он почитает книгу минут двадцать, выключит свет и моментально уснет.

Мадлен с силой закрыла за собой дверь (она предпочла бы хлопнуть дверью, но не хотела разбудить детей) и в темноте стала спускаться по лестнице.

— Не повреди на лестнице лодыжку! — выкрикнул Эд из-за двери.

Он уже успел остыть, подумала Мадлен.

Заварив себе чай из ромашки, она уселась на диван. Она терпеть не могла чай из ромашки, но он считался успокоительным и каким-то там еще, поэтому она всегда старалась заставить себя выпить его. Бонни, разумеется, пьет только травяной чай. Если верить Абигейл, Натан теперь тоже избегает кофеина. В этом и состоит проблема с детьми и распавшимися браками. Узнаешь информацию о бывшем муже, которую в противном случае не узнала бы. Она знала, например, что

Натан называет Бонни своей «милой Бон». Об этом однажды поведала на кухне Абигейл. Эд, стоявший рядом с Мадлен, молча засунул палец в глотку, что вызвало у Мадлен смех, но все же она могла бы прожить, не слыша этого. Зачем Абигейл надо было рассказывать о подобных вещах? Эд считал, что это делается нарочно, что она пытается поддразнить Мадлен, обидеть ее, но Мадлен не верила, что Абигейл такая злая.

Теперь Эд всегда видел в Абигейл худшее.

Вот что стояло за внезапными нападками Мадлен на Эда в спальне. На самом деле это не имело ничего общего с замечанием по поводу «глупой девочки». Просто она все еще сердилась на Эда за то, что Абигейл переехала к Натану и Бонни. Чем больше проходило времени, тем более правдоподобным казалось Мадлен, что виноват в этом Эд. Может быть, Абигейл балансировала на грани, обыгрывая идею переезда, но не задумываясь об этом всерьез, а замечание Эда «успокойся» оказалось тем толчком, который был ей необходим. А иначе Абигейл по-прежнему оставалась бы здесь. Для нее это могло быть сиюминутным капризом. У подростков это бывает. Их настроение быстро меняется.

В последнее время память Мадлен была заполнена воспоминаниями о том времени, когда они с Абигейл жили вдвоем. Поэтому у нее иногда возникало престранное чувство, что Эд, Фред и Хлоя — какие-то чужаки. Что это за люди? Ей казалось, они ворвались в ее жизнь с Абигейл с криками, всей этой чепухой, шумными компьютерными играми и ссорами и отодвинули бедную Абигейл в сторону.

Мадлен рассмеялась при мысли о том, как возмутились бы Фред и Хлоя, узнай они, что она посмела усомниться в их существовании, особенно Хлоя. «А где была я? — всегда спрашивала она, глядя на старые фотографии Мадлен и Абигейл. — Где был папа? Где был Фред?» — «Ты была в моих мечтах», — ответила тогда Мадлен, и это была правда. Но в мечтах Абигейл их не было.

Мадлен прихлебывала чай, ощущая, как гнев медленно улетучивается. А все этот дурацкий чай.

Действительно, виноват был тот мужчина.

Мистер Бэнкс. Саксон Бэнкс.

Необычное имя.

Она дотронулась кончиками пальцев до прохладной гладкой поверхности айпада.

Не ищи его в Интернете, умоляла Джейн, и Мадлен обещала, но желание увидеть мерзавца оказалось непреодолимым. Точно так же, услышав сюжет о преступлении, она всегда хотела увидеть преступника, рассмотреть его или ее лицо — а нет ли на нем признаков порока. Почти всегда она их находила. А как это было просто — набрать в маленьком прямоугольнике всего несколько слов. Казалось, пальцы делают это без ее ведома, и, пока она все еще раздумывала, нарушать обещание или нет, перед ней на экране уже появились результаты поиска, словно «Гугл» был частью ее интеллекта и стоило ей только подумать о чем-то, как это происходило.

Она просто быстренько глянет, пробежит глазами, а потом закроет страницу и удалит все ссылки на Саксона Бэнкса из регистрации поиска. Джейн никогда не узнает об этом. Вряд ли Мадлен могла бы предпринять что-то в отношении него. В ее планы не входило замышлять месть. Хотя часть ее сознания уже работала в этом направлении. Провернуть какую-нибудь аферу?

Украсть его деньги? Публично унизить или дискредитировать его? Можно найти способ.

Она сделала двойной клик, и на экране появилась фотография главы корпорации. Застройщик по имени Саксон Бэнкс живет в Мельбурне. Это он? Красивый мужчина с сильной челюстью и самодовольной ухмылкой, казалось, смотрит прямо на Мадлен с задорным, едва ли не агрессивным выражением.

— Ты козел, — громко произнесла Мадлен. — Думаешь, тебе позволено творить что угодно и с кем угодно?

Что она сделала бы на месте Джейн? Она не могла себе вообразить, что отреагировала бы, как Джейн. Мадлен отвесила бы ему оплеуху. Ее не обескуражили бы слова «жирная» и «уродливая», потому что самооценка в отношении ее внешности была высокой, даже в девятнадцать или особенно в девятнадцать. Она знала себе цену.

Возможно, этот человек специально выбирал девушек, которые, по его мнению, были бы уязвимы для его оскорблений.

Или такой ход ее мыслей просто еще один способ обвинить жертву? *Такого со мной не случилось бы. Я бы сопротивлялась. Я бы этого не потерпела. Он не пошатнул бы мое самоуважение.* В тот момент Джейн была такой уязвимой — обнаженная, с ним в постели, глупая девочка.

Мадлен одернула себя. «Глупая девочка». Она сейчас подумала то же самое, что и Эд. Утром она извинится перед ним. Пожалуй, вслух извиняться не станет, но сварит ему яйцо всмятку, и он поймет.

Она снова стала вглядываться в фотографию. И не находила сходства с Зигги. Или оно все-таки было? Может быть, что-то в глазах. Она прочитала краткую биографию, помещенную рядом со снимком. Бакалавр того-то, магистр сего-то, член такой-то ассоциации, и тому подобное, и так далее. *В свободное время Саксон занимается парусным спортом, скалолазанием, а также посвящает досуг жене и трем маленьким дочкам.*

Мадлен поморщилась. У Зигги есть три сводные сестры.

Теперь Мадлен это узнала. Она узнала что-то, чего ей не следовало знать, и этого уже не изменишь. Она узнала о сыне Джейн нечто такое, чего не знала сама Джейн. Она не просто нарушила обещание, она вторглась в частную жизнь Джейн. Она пошлая вуайеристка, шныряющая по Интернету и раскапывающая фотографии отца Зигги. Она негодовала по поводу того, что произошло с Джейн, но какая-то часть ее существа смаковала эту историю, ведь так? И разве она не получала удовольствия от того возмущения, с которым приняла печальную и постыдную историю Джейн? Ее состраданием двигало чувство превосходства женщины, живущей пристойной жизнью среднего класса — муж, дом, ипотека. Мадлен уподобилась подругам своей матери, которые проявляли к ней столь живое сочувствие, когда ее и Абигейл бросил Натан. Они огорчались и негодовали, но все их охи и ахи лишь обостряли ее незащищенность и обиду — пусть даже она была искренне благодарна за домашние запеканки, которые они торжественно ставили на кухонный стол.

Мадлен уставилась в глаза Саксона, и он, казалось, тоже смотрит на нее проницательным взором, словно зная обо всех постыдных вещах, имеющих к ней отношение. На нее накатила волна отвращения, заставляя поежиться.

Сонную тишину дома прорезал пронзительный крик:

— Мамочка! Мама, мама, мама!

Мадлен с бьющимся сердцем вскочила на ноги, хотя заранее знала, что это очередной ночной кошмар Хлои.

— Иду, иду! — прокричала она и бросилась бегом по коридору.

Она справится с этим. Она легко с этим справится, и как же ей стало от этого хорошо. Ведь Абигейл она больше не нужна, а на свете встречаются злые люди вроде Саксона Бэнкса, которые могут так или иначе обидеть ее детей, и она ни черта не сможет с этим поделать. Но она, по крайней мере, может вытащить из-под кровати Хлои того самого монстра и убить его голыми руками.

Глава 35

М**исс Барнс.** После того небольшого инцидента в ознакомительный день я готовила себя к трудному году, но начало оказалось хорошим. Отличные ребятишки, и родители не слишком досаждали. Потом, примерно в середине первого семестра, все стало разваливаться.

За две недели до вечера викторин

— Кофе латте и кекс.

Джейн подняла глаза от ноутбука, а потом снова опустила к стоящей перед ней тарелке. От пышного, душистого кекса, обсыпанного сахарной пудрой, медленно поднималось колечко пара. Рядом с кексом на тарелку были красиво выложены взбитые сливки.

— О, спасибо, Том, но я не заказывала...

— Я знаю. Кекс за счет заведения, — сказал Том. — Я слышал от Мадлен, ты хорошо печешь. Вот и захотел узнать мнение специалиста по поводу нового рецепта. Персики, орехи макадамия и лайм. Отпадная смесь. Я имею в виду лайм.

— Я только пеку кексы, — сказала Джейн. — Сама никогда не ем.

— Серьезно? — У Тома немного вытянулось лицо.

— Но сегодня сделаю исключение, — поспешно добавила Джейн.

На этой неделе похолодало — репетиция зимы, — и дома у Джейн стало прохладно. От созерцания через окно квартиры серебристо-серого океана становилось еще холодней. Казалось, от лета не осталось даже воспоминаний, словно она жила в сером и хмуром мире, пережившем апокалипсис.

— Господи, Джейн, зачем же так мучиться? Почему бы тебе не взять ноутбук и не устроиться за столиком в «Блю блюз»? — предложила как-то Мадлен.

Вот так Джейн стала каждый день появляться там с ноутбуком и файлами. Кафе было заполнено солнцем и светом, и Том растапливал дровяную печь. Переступая порог, Джейн всякий раз восхищенно вздыхала. Ей казалось, она села в самолет и перенеслась в совершенно иное окружение, не имеющее ничего общего с ее жалкой сырой квартирой. Она старалась приходить в промежутке между утренним и вечерним наплывом посетителей и, разумеется, заказывала в течение дня скромный ланч и кофе.

Бариста Том представлялся ей теперь чем-то вроде коллеги, занимающего соседний отсек. С ним было приятно поболтать. Им нравились одни и те же телевизионные шоу, а случалось, одна и та же музыка. Музыка! Она и забыла о существовании музыки, как и о книгах тоже.

— Я превращаюсь в бабушку, да? — ухмыльнулся Том. — Кормлю всех насильно. Попробуй кусочек. Не съедай все из вежливости.

Джейн смотрела, как он уходит, но потом отвела глаза, сообразив, что с удовольствием созерцает его широкие плечи в форменной черной футболке. От Мадлен она узнала, что Том — гей и сейчас приходит в себя после любовной драмы. Мужчины-геи обычно хорошо сложены, каким бы банальным ни казалось это мнение.

За последние несколько недель, с тех пор как она прочитала сексуальную сцену в ванной, с ней что-то творилось. Как будто ее истосковавшееся по ласке тело начинало само по себе возрождаться к жизни. Она ловила себя на том, что бросает случайные праздные взгляды на мужчин и на женщин, но в основном на мужчин. Но эти ее взгляды выражали, пожалуй, не вожделение, а заинтересованность и любование.

Внимание Джейн привлекали не такие безусловно красивые люди, как Селеста, а обычные люди с заурядными, но по-своему красивыми телами. Загорелое предплечье с татуировкой солнца, виднеющееся над стойкой станции обслуживания. Затылок старика в очереди супермаркета. Икроножные мышцы и ключицы. Происходили странные вещи. Она вспомнила об отце, которому несколько лет назад сделали операцию на пазухах, вернувшую ему обоняние, об утрате которого он не догадывался. Самые обычные запахи приводили его в восторг. Он без конца нюхал шею матери Джейн, мечтательно говоря: «Я позабыл запах твоей мамы! И даже не знал, что забыл его!»

Дело было не только в той книге.

А также и в том, что она рассказала Мадлен о Саксоне Бэнксе и повторила его дурацкие словечки. От этого его слова потеряли силу. Теперь они провисли и съежились, как надувной детский батут, когда из него выпускают воздух.

Саксон Бэнкс — мерзкий тип. На свете существуют мерзкие люди. Это знает каждый ребенок. Родители учат детей держаться от них подальше. Игнорировать их. Уходить прочь. Громким и твердым голосом говорить: «Нет. Мне это не нравится», а если они не отстают, позвать учителя.

Даже оскорбления Саксона годились для школьного двора. «От тебя воняет. Ты уродина».

Джейн всегда понимала, что ее реакция на ту ночь была чересчур сильной или, быть может, чересчур слабой. Она даже не расплакалась. И никому не рассказала. Она проглотила все целиком, сделав вид, что это ничего не значит, и это стало значить очень многое.

А теперь получалось, что ей хочется говорить на эту тему. Несколько дней назад, когда они с Селестой были на утренней прогулке, она рассказала ей сокращенный вариант своей истории. Селеста только посочувствовала ей, добавив, что Мадлен совершенно права и Зигги совсем не похож на отца. На следующий день Селеста подарила Джейн красную бархатную коробочку с кулоном. На тонкой серебряной цепочке висел голубой камешек.

— Этот камень называется лазурит, — застенчиво произнесла Селеста. — Считается, что этот камень залечивает душевные раны. Я не особо верю в такие вещи, но, как бы то ни было, кулон симпатичный.

А сейчас Джейн приложила к подвеске ладонь.

Новые подруги? Дело в этом? Морской воздух?

Вероятно, помогали и регулярные физические нагрузки. Они с Селестой постепенно приобретали хорошую форму. Они обе очень радовались, когда замечали, что, поднявшись наверх по лестнице около кладбища, не останавливаются, чтобы перевести дух.

Да, вероятно, физические нагрузки.

Все, чего ей недоставало по жизни, — это быстрая ходьба на свежем воздухе и целительный камень.

Она воткнула вилку в кекс и отломила кусочек. Прогулки с Селестой к тому же возвращали ей аппетит. Если не поостеречься, можно снова растолстеть. Горло сдавил спазм, и она положила вилку. Значит, еще не совсем вылечилась. Неправильное отношение к еде.

Но нельзя же обижать милого Тома. Она взяла вилку и положила в рот крошечный кусочек. Кекс был воздушным, и Джейн распробовала все ингредиенты, о которых говорил Том: макадамия, персик, лайм. Закрыв глаза, она почувствовала уютное тепло кафе, вкус кекса, знакомый аромат кофе и запах подержанных книг. Отломив кусок побольше, она зачерпнула взбитых сливок.

— Ну как? — Том склонился над соседним столиком, протирая его салфеткой, которую достал из заднего кармана.

Джейн подняла руку, показывая, что у нее набит рот. Том взял книгу, оставленную на столе посетителем, и положил ее на верхнюю полку. Его черная футболка задралась над джинсами, и Джейн на миг увидела его поясницу. Совершенно обычную поясницу. Ничего особенно примечательного. Осенью его кожа была цвета некрепкого латте, а летом — горячего шоколада.

— Замечательно, — сказала она.

— Вкусно? — Том повернулся к ней. Сейчас в кафе были только они двое.

Джейн указала вилкой на кекс:

— Потрясающе! Заслуживаешь приз. — Зазвонил ее мобильник. — Извини.

На дисплее появилось слово «школа». Из школы ей звонили только однажды, когда у Зигги заболело горло.

— Миз Чепмен? Говорит Патриция Липман.

Директор школы. У Джейн свело живот.

— Миссис Липман? Все в порядке?

Ей не нравились трусливые нотки в собственном голосе. Мадлен разговаривала с миссис Липман бодрым, немного снисходительным и приязненным тоном, как мог бы говорить старый чудаковатый дворецкий.

— Да, все хорошо, правда, мне хотелось бы безотлагательно встретиться с вами, если это возможно. Сегодня было бы идеально. Вас устроит около двух часов, как раз перед окончанием занятий?

— Конечно. Все ли...

— Замечательно. Тогда до скорой встречи.

Джейн положила телефон:

— Со мной хочет встретиться миссис Липман.

Том знал почти всех детей, родителей и учителей из школы. Он вырос в этой округе и сам ходил в ту же школу, когда миссис Липман была скромной учительницей третьего класса.

— Уверен, тебе не о чем беспокоиться, — сказал он. — Зигги — хороший парнишка. Может быть, она хочет перевести Зигги в специальный класс или что-то еще.

— Ммм.

Джейн в рассеянности съела еще кусок кекса. Зигги не был «одаренным или талантливым». Так или иначе, по голосу миссис Липман было понятно, что ничего хорошего ее не ожидает.

* * *

Саманта. Когда начались эпизоды с буллингом, Рената просто голову потеряла. Сложность была еще и в том, что няня ничего не сообщала, поэтому какое-то время все происходило без ведома Ренаты. Разумеется, теперь мы знаем, что у Джульетты на уме были другие вещи, кроме работы.

Мисс Барнс. Родители не понимают, что ребенок в какой-то момент может быть забиякой, а в следующий — жертвой. Они и рады навесить ярлык! Конечно, я понимаю, что здесь было что-то другое. Что-то... нехорошее.

Стью. Отец учил меня: если парень тебя ударит, ударь в ответ. Очень просто. А что в наше время? Награда каждому пареньку за футбол. Приз за каждую ступеньку игры «передай сверток». Мы воспитываем поколение слабаков.

Теа. Рената наверняка винила себя. Из-за своей работы она почти не видела детей! Так жалко бедных крошек! Очевидно, им трудно с этим справиться. Очень трудно. Их жизнь никогда не вернется в прежнее русло, правда?

Джеки. Никто не говорит, что Джеф подолгу работает. Никто не спрашивает, знал ли Джеф о том, что происходит с Амабеллой. Как я понимаю, у Ренаты была более высокооплачиваемая и напряженная работа, чем у Джефа, но никто не порицал Джефа за его карьеру, никто не говорил: «Ах, мы совсем не видим Джефа в школе». Нет! Но если сидящие дома мамочки видят папу, приехавшего за ребенком, им кажется, он заслуживает золотую медаль. Возьмите моего мужа. У него свое маленькое окружение.

Джонатан. Они мои друзья, а не просто мое окружение. Простите мою жену. Она оказалась в гуще враждебного противостояния. Поэтому может показаться кому-то недружелюбной. Полагаю, ответственность должна взять на себя школа. И куда смотрели учителя?

Глава 36

— Рената Клейн узнала, что на протяжении последнего месяца ее дочь Амабелла была жертвой систематического скрытого запугивания, — начала миссис Липман, как только Джейн села напротив. — К несчастью, Амабелла не может точно сказать, что именно происходило или кто принимал в этом участие. Тем не менее Рената уверена, что это Зигги.

Джейн судорожно вздохнула. Странно было, что она по-прежнему испытывает потрясение, как если бы сохранившийся в ней оптимизм давал ей надежду, что Зигги собираются перевести в какой-то специальный класс для незаурядных детей.

— Какого рода... — Голос Джейн прервался. Она с трудом откашлялась. У нее было ощущение, что она играет роль, к которой толком не подготовилась. На этой встрече должны были присутствовать ее родители. Люди одного возраста с миссис Липман. — Какого рода запугивание?

Миссис Липман слегка поморщилась. У нее был вид светской дамы, хорошо одетой и пользующейся дорогой косметикой. В ее голосе слышались строгие четкие нотки, действующие, очевидно, даже на несносных мальчишек из шестого класса.

— К сожалению, у нас мало подробностей, — сказала миссис Липман. — У Амабеллы на руках непонятно откуда взявшиеся синяки и царапины и... след от укуса. Она говорит только, что «кто-то ее сильно обижал». — Директриса вздохнула и забарабанила ногтями с безукоризненным маникюром по папке из плотной бумаги, лежащей у нее на коленях. — Послушайте, если бы не тот инцидент в ознакомительный день, я бы не пригласила вас, пока мы не выяснили что-то более определенное. Мисс Барнс говорит, что подобный инцидент произошел лишь однажды. Из-за этого случая она стала внимательно присматриваться к Зигги и характеризует его как очаровательного ребенка, которого учить одно удовольствие и который внимательно и деликатно относится к другим детям.

Неожиданная доброжелательность слов мисс Барнс едва не заставила Джейн разрыдаться.

— Безусловно, в школе Пирриви мы совершенно не приемлем запугивание. Ни под каким видом. Но, к вашему сведению, в тех редких случаях, когда мы сталкиваемся с подобными случаями, мы стараемся уделить внимание как жертве, так и обидчику. И если мы выясним, что Зигги обижал Амабеллу, то не станем просто наказывать его, а постараемся немедленно пресечь подобное поведение, а затем будем докапываться до причин. В конце концов, ему всего лишь пять лет. Некоторые специалисты утверждают, что пятилетний ребенок не способен кого-то запугивать.

Миссис Липман улыбнулась Джейн, а та сдержанно улыбнулась в ответ. Послушайте, он очаровательный ребенок. Он этого не делал!

— Были ли у вас подобные инциденты, помимо случившегося в ознакомительный день? В группе по уходу за детьми? В дошкольном учреждении? При общении Зигги с детьми вне школы?

— Нет, — ответила Джейн. — Никаких. И он всегда... ну...

Она собиралась сказать, что Зигги неизменно отрицал обвинения Амабеллы, но, возможно, именно это усложняло проблему. Миссис Липман могла подумать, что он привык врать.

— Значит, по-вашему, в прошлом Зигги, в его домашней жизни, в биографических данных нет ничего существенного, о чем нам следует знать? — Миссис Липман, тепло улыбаясь, выжидающе смотрела на Джейн, словно давая понfive, что ничто ее не смутит. — Как я понимаю, отец Зигги не принимает участия в воспитании, верно?

Обычно Джейн немного терялась, когда малознакомые люди вскользь упоминали отца Зигги. Слово «отец» у Джейн ассоциировалось с любовью и надежностью. Она всегда думала сначала о своем отце, как будто говорили именно о нем. Приходилось мысленно переноситься в гостиничный номер со светильником под потолком.

Ну как, миссис Липман, это, по-вашему, существенно? Мне известно об отце Зигги только то, что он знал толк в эротическом удушении женщин, а также их унижении. Он показался мне обаятельным и добрым. Пел песенки из «Мэри Поппинс». Возможно, вы тоже сочли бы его «очаровательным», но, по сути, он оказался совсем другим. Пожалуй, вы могли бы охарактеризовать его как обидчика. Так что это может оказаться существенным. Для полноты картины могу предполо-

жить, что Зигги, по сути дела, — это повторное перевоплощение моего покойного деда. А у деда была очень добрая душа. Пожалуй, все зависит от того, верите ли вы в наследственную склонность к насилию или в реинкарнацию.

— Не могу припомнить ничего существенного, — сказала Джейн. — У него перед глазами достаточно образцов для подражания...

— О да, да, не сомневаюсь, — согласилась миссис Липман. — Господи! У некоторых наших детей отцы постоянно в командировках или подолгу задерживаются на службе, и дети совсем не видят их. И я вовсе не хочу сказать, что Зигги уделяется мало внимания, потому что его воспитывает одна мать. Я лишь пытаюсь получить полную картину.

— Вы спрашивали его об этом? — поинтересовалась Джейн.

При мысли о том, что Зигги расспрашивала директор школы без ее присутствия, Джейн разволновалась. Он спал ночью с плюшевым медведем. Утомившись, он садился к ней на колени и сосал большой палец. Ей по-прежнему казалось маленьким чудом то, что он умеет ходить, разговаривать и одеваться. И вот теперь он живет отдельно от нее своей жизнью, в которой случаются большие пугающие драмы, как у взрослых.

— Спрашивала, и он категорически все отрицает, так что без участия Амабеллы очень трудно решить, что делать дальше...

Ее прервал стук в дверь кабинета, а затем в дверь просунулась голова школьной секретарши. Та осторожно посмотрела на Джейн:

— Э-э, я подумала, вам надо сообщить. Пришли мистер и миссис Клейн.

Миссис Липман побледнела:

— Но они должны были прийти через час!

— Перенесли мое заседание членов правления, — произнес знакомый резкий голос. Из-за плеча секретарши выглянула Рената, явно готовая вторгнуться в кабинет. — Мы хотели узнать, сможете ли вы нас принять... — Она заметила Джейн, и ее лицо напряглось. — О-о, понимаю.

Миссис Липман бросила на Джейн страдальческий извиняющийся взгляд.

От Мадлен Джейн знала, что Джеф и Рената регулярно жертвуют школе значительные суммы денег.

— На прошлогоднем вечере викторин нам всем пришлось изображать из себя признательных крестьян, когда миссис Липман благодарила Клейнов за то, что оплатили систему кондиционирования для школы, — сказала ей тогда Мадлен. Потом она вдруг просияла. — Может быть, в этом году это возьмут на себя Селеста с Перри. Они бы всех обставили.

— Полагаю, все мы пришли сюда для обсуждения одной и той же темы, — заявила Рената.

Миссис Липман поспешно встала из-за стола:

— Миссис Клейн, в самом деле было лучше...

— Это так неожиданно!

Рената прошествовала в кабинет мимо секретарши, за ней следом вошел бледный приземистый рыжеволосый мужчина в костюме и галстуке, предположительно Джеф. Джейн не видела его раньше. Она не была пока знакома с большинством отцов.

Джейн встала и, обхватив себя руками, вцепилась в одежду, словно эту одежду с нее хотели сорвать. Клейны собираются разоблачить ее и выставить напоказ ее отвратительные постыдные секреты. Зигги родился не от нормальной плотской любви, а от постыдных действий молодой, глупой, жирной и уродливой девицы.

Существование Зигги неоправданно, потому что Джейн позволила этому человеку стать его отцом. Она понимала, это нелогично, ибо в противном случае Зигги не было бы на свете, но чувства ее находили в этом свою логику, поскольку Зигги непременно должен был стать ее сыном — да, конечно — и другой матери быть у него не могло. Но он должен был родиться позже, когда Джейн нашла бы для него подходящего папу и подходящую жизнь. Если она бы сделала все правильно, он не был бы отмечен этим ужасным генетическим пятном. И не вел бы себя подобным образом.

Она вспомнила о том, как увидела Зигги впервые. Само появление на свет, казалось, огорчило его. Он громко кричал, молотя крошечными ручками и ножками, словно падал куда-то, и ее первой мыслью было: «Прости меня, малыш. Прости за то, что заставила тебя пройти через это». Острые мучительные ощущения, пронизывающие ее тело, вызывали скорее печаль, несмотря на то что следовало назвать их радостью, — это было одно и то же. Она подумала, что мощный всплеск любви к этому трогательному существу с красным личиком наверняка смоет неприятные воспоминания о той ночи. Но воспоминания оставались, подобно мерзкой черной пиявке шевелясь в недрах памяти.

— Вам придется следить за вашим сыночком!

Рената встала прямо перед Джейн, едва ли не тыча ей пальцем в грудь. За стеклами очков были видны налитые кровью глаза. Ее осязаемый праведный гнев словно подтверждал сомнения Джейн.

— Рената, — с упреком произнес Джеф и протянул руку Джейн. — Джеф Клейн. Пожалуйста, извините Ренату. Она очень расстроена.

Джейн пожала его руку:

— Джейн.

— Хорошо, тогда, может быть, раз уж мы все собрались здесь, давайте поговорим по существу, — произнесла миссис Липман твердым, немного напряженным голосом. — Желаете чай или кофе? Воды?

— Мне ничего не нужно, — сказала Рената.

Джейн с нездоровым интересом увидела, что все тело Ренаты дрожит, и сразу отвела взгляд. Быть свидетелем открытых чувств Ренаты было все равно что увидеть ее раздетой.

— Рената. — Джеф схватил жену за талию, словно та собиралась броситься под машину.

— Я скажу вам, чего мне хочется, — обратилась Рената к миссис Липман. — Я хочу, чтобы ее ребенок держался подальше от моей дочери.

Глава 37

Мадлен отодвинула раздвижную дверь с заднего двора и увидела Абигейл, которая сидела на диване, глядя в ноутбук.

— Эй, привет! — сказала Мадлен и сразу поморщилась от наигранной бодрости собственного голоса.

Она не могла теперь естественно разговаривать с дочерью. Когда Абигейл приезжала только на уикэнды, выходило, что Мадлен — хозяйка, а Абигейл — важная гостья. Мадлен вроде должна была предлагать ей напитки и заботиться о комфорте. Это было нелепо. Когда Мадлен ловила себя на том, что ведет себя именно так, она ужасно злилась и сердито требовала, чтобы Абигейл занялась какой-нибудь домашней работой, например развесила белье. Хуже всего было то, что Абигейл поступала как хорошо воспитанная гостья — такой вырастила ее Мадлен — и без единого слова брала корзину с бельем, а Мадлен испытывала чувство вины. Как могла она просить Абигейл развесить белье, если дочь не привозила с собой никаких вещей? С тем же успехом можно просить гостя развесить ваше белье.

После этого Мадлен бросалась помогать Абигейл развешивать белье, заводя натянутый разговор, а в голове проносились слова, которые она не решалась произнести: «Вернись домой, Абигейл. Вернись и прекрати это. Он бросил нас. Он бросил тебя. Ты была моим утешением. Его наказанием было то, что его лишили возможности общаться с тобой. Как ты могла выбрать его?»

— Чем занимаешься? — Мадлен плюхнулась на диван рядом с Абигейл и глянула на экран ноутбука. — Это «Следующая топ-модель Америки»?

Теперь она не знала, как обращаться с дочерью. Это напоминало ей попытку остаться друзьями с бывшим бойфрендом. Доказывало случайность человеческих отношений. Хрупкость твоих чувств, сознание того, что маленькие причуды твоего характера больше никого не умиляют, а могут даже раздражать.

Мадлен всегда подыгрывала своей роли курьезно ненормальной мамаши. Она чрезмерно волновалась и чрезмерно сердилась по пустякам. Когда дети не хотели делать так, как им велели, она возмущалась и обижалась. Стоя у двери кладовки, она напевала глупые песенки собственного сочинения: «Где, о где вы, томаты в банках? Томаты, куда вы пропали?» Дети и Эд любили поддразнивать ее по разным поводам, начиная ее одержимостью знаменитостями и кончая блестящими тенями для век.

Но теперь, когда приезжала Абигейл, Мадлен ощущала себя пародией на себя саму. Она решительно настроилась не притворяться кем-то, чем она не была. Ей сорок! Поздно менять характер. Но она продолжала смотреть на себя глазами Абигейл, полагая, что ее сравнивают с Бонни невыгодно для нее самой. Потому что

Абигейл выбрала Бонни, так ведь? Абигейл предпочла бы такую мать, как Бонни. По сути дела, все это не имеет к Натану никакого отношения. Атмосферу в доме определяет мать. Сейчас на ум Мадлен пришли все ее тайные страхи по поводу собственных недостатков. Очевидно, она чересчур вспыльчива, быстро выносит суждения, чрезмерно интересуется нарядами, тратит на обувь слишком много денег. Считает себя красивой и забавной, а на самом деле, возможно, просто надоедливая и вульгарная. Пора повзрослеть, говорила она себе. Не принимай все на свой счет. Дочь по-прежнему любит тебя. Просто она решила жить с отцом. Это не так важно. Но каждая встреча с Абигейл превращалась в постоянное противостояние между: «Вот я какая, Абигейл, можешь принимать это или нет» и «Стань лучше, Мадлен, будь спокойней, будь добрее, постарайся быть похожей на Бонни».

— Ты видела, как на прошлой неделе турнули Элоизу? — спросила Мадлен.

Это она сказала бы и раньше, поэтому сказала сейчас.

— Я не смотрю «Следующую топ-модель Америки», — вздохнула Абигейл. — А смотрю «Эмнести интернэшнл». Читаю про нарушение прав человека.

— О-о, боже правый, — только и сказала Мадлен.

— Бонни и ее мама — обе члены «Эмнести интернэшнл», — пояснила Абигейл.

— А то как же, — пробормотала Мадлен.

«Наверное, так себя чувствует Дженнифер Энистон, — подумала Мадлен, — когда слышит об очередной сироте, усыновленной Анджелиной и Брэдом».

— Что?

— Здорово! — жизнерадостно сказала Мадлен. — Эд, наверное, тоже. Мы каждый год вносим пожертвования.

О господи, прислушайся к себе! Хватит соперничества! А правда ли это? Возможно, Эд прекратил свое членство.

Они с Эдом изо всех сил стараются быть хорошими людьми. Она покупает лотерейные билеты на благотворительность, дает деньги уличным музыкантам, всегда спонсирует надоедливых подруг, которые участвуют в очередном марафоне, имеющем некую достойную цель, даже если истинная цель — поддержание у них хорошей формы. Когда дети подрастут, она предполагает заняться какой-нибудь волонтерской работой, как когда-то ее мать. Этого вполне достаточно, так ведь? Для занятой работающей матери? Как смеет Бонни заставлять ее сомневаться в каждом принятом ею решении?

По словам Абигейл, Бонни недавно решила, что у них не будет больше детей. Мадлен не стала спрашивать почему, хотя ей было интересно узнать. Поэтому Бонни пожертвовала в приют для женщин, подвергшихся насилию, две детские коляски, кроватку, пеленальный столик и детскую одежду. «Ну разве это не удивительно, мама? — со вздохом спросила тогда Абигейл. — Другие люди продали бы это барахло». Мадлен недавно продала через интернет-магазин старые детские платья Хлои. Потом с энтузиазмом потратила эти деньги на пару новых дизайнерских сапог, купленных за полцены.

— Ну, так о чем ты читаешь?

Надо ли знать четырнадцатилетней девочке о жестокости этого мира? Наверное, ей это было любопытно.

Бонни воспитывала в Абигейл общественное сознание, в то время как Мадлен заботилась лишь о бренном теле. Она вспомнила слова бедной Джейн о том, что общество одержимо идеей красоты. Мадлен представила себе, как Абигейл заходит в гостиничный номер с незнакомцем, который делает с ней то, что тот мужчина сделал с Джейн. В ней закипела ярость. Она вообразила, как хватает его за волосы сзади и снова и снова бьет лицом по какой-нибудь бетонной поверхности до тех пор, пока оно не превращается в кровавое месиво. Боже правый. Она смотрит слишком много передач со сценами насилия.

— О чем читаешь, Абигейл? — повторила Мадлен, с неудовольствием заметив нотку раздражения в своем голосе.

Разве у нее снова предменструальный синдром? Нет. Время еще не подошло. Дело не в этом. Просто теперь у нее постоянно бывает плохое настроение.

Абигейл вздохнула, не поднимая глаз от монитора.

— Браки несовершеннолетних и сексуальное рабство, — ответила она.

— Но это ужасно, — сказала Мадлен. Потом немного помолчала. — Наверное, не надо... — Она умолкла.

Она хотела сказать что-то вроде: «Не надо, чтобы тебя это огорчало». Это были бы ужасные слова — именно те самые слова, которые могла произнести пользующаяся привилегиями легкомысленная белая женщина. Женщина, находящая чересчур большое удовольствие в паре новых туфель или флаконе духов. Что бы сказала Бонни? «Давай вместе медитировать, Абигейл. Ом шанти». Вот. Опять ее поверхностность. Высмеивание медитаций. Каким образом медитация может кому-то помешать?

— Им бы в куклы играть, — сказала Абигейл хриплым от негодования голосом. — Вместо этого они работают в борделях.

Тебе тоже надо бы играть в куклы, подумала Мадлен, или по меньшей мере с косметикой.

Мадлен испытала приступ праведного гнева к Натану и Бонни, потому что, по сути дела, Абигейл была еще слишком юной и чувствительной для восприятия знаний о торговле людьми. Ее чувства отличались горячностью и необузданностью. Она унаследовала от Мадлен вспыльчивость, но в душе была гораздо мягче матери. Абигейл была способна на сильное сопереживание, хотя, разумеется, это сопереживание не было направлено на Мадлен, или Эда, или Хлою, или Фреда.

Мадлен вспомнила тот случай, когда Абигейл было пять или шесть и она очень гордилась тем, что научилась читать. Мадлен нашла ее сидящей за кухонным столом. Шевеля губами, девочка с выражением неподдельного ужаса и недоверия старательно читала заголовок на первой странице газеты. Теперь Мадлен не могла припомнить, о чем была статья. Убийство, смерть, стихийное бедствие. Нет. Она фактически вспомнила. Статья рассказывала о маленькой девочке, похищенной из постели в начале восьмидесятых. Ее тело так никогда и не нашли. В то время Абигейл еще верила в Санта-Клауса. «Это неправда, — поспешно произнесла Мадлен, выхватив газету у дочери и поклявшись себе никогда не оставлять такие вещи в пределах доступности. — Это все придумано».

Натан об этом не знал, потому что его с ними не было.

Хлоя и Фред совершенно другие создания. Гораздо более жизнерадостные. Ее милые смышленые дикари-потребители.

— Я собираюсь что-нибудь предпринять в этом направлении, — заявила Абигейл, прокручивая экран.

— Правда? — спросила Мадлен. «Ну, в Пакистан ты не поедешь, если задумала именно это. Останешься здесь и будешь смотреть „Следующую топ-модель Америки", юная леди». — Что ты имеешь в виду? Письмо? — Мадлен просияла. У нее диплом по маркетингу, и она умеет писать деловые письма гораздо лучше Бонни. — Могу помочь тебе написать письмо члену парламента с петицией по поводу...

— Нет, — насмешливо перебила ее Абигейл. — Этим ничего не добьешься. У меня есть идея.

— Какая идея? — спросила Мадлен.

Впоследствии она спрашивала себя, стала ли бы Абигейл отвечать ей правдиво и смогла бы она остановить это безумие, прежде чем оно началось, но в тот момент послышался стук в дверь, и Абигейл захлопнула ноутбук.

— Это папа, — вставая, сказала она.

— Но еще только четыре, — запротестовала Мадлен. Она тоже встала. — Я думала, отвезу тебя в пять.

— Мы едем на ужин к матери Бонни, — сообщила Абигейл.

— К матери Бонни, — повторила Мадлен.

— Не драматизируй, мама.

— Я ни слова не сказала, — откликнулась Мадлен. — Я не сказала даже, что ты уже несколько недель не виделась с *моей* матерью.

— Бабушка очень занята общественной жизнью и этого даже не замечает, — веско произнесла Абигейл.

— Приехал папа Абигейл! — завопил Фред с лужайки перед домом.

— Привет, дружище!

Мадлен услышала слова Натана, обращенные к Фреду. Иногда даже звук голоса Натана поднимал в ней волну глубоко запрятанных воспоминаний: предательство, негодование, гнев и смущение. *Он просто ушел. Просто взял и бросил нас, Абигейл. И я не могла в это поверить, просто не могла. В ту ночь ты кричала и кричала тем нескончаемым криком новорожденных, который...*

— Пока, мама, — произнесла Абигейл.

Она наклонилась и жалостливо поцеловала мать в щеку, как будто Мадлен была престарелой теткой, которую она навещала, а теперь — уф! — пора было выбираться из этого заплесневелого жилища и возвращаться домой.

Глава 38

Стью. Сейчас расскажу вам кое-что интересное. Однажды я случайно встретил Селесту Уайт. Я работал в одном из районов Сиднея, и мне пришлось пойти в магазин за новыми кранами... Короче, иду я через магазин «Харви Норман», где выставлена мебель для спальни, и вдруг вижу Селесту Уайт. Она лежала на спине посредине двуспальной кровати и смотрела в потолок. Я взглянул на нее еще раз и сказал: «Привет, красотка», и она подскочила как ужаленная. Как будто я застукал ее за ограблением банка. Почему она лежала на двуспальной кровати так далеко от дома? Изумительная женщина, просто потрясающая, но часто немного... легкомысленная, знаете. Грустно думать об этом сейчас. Очень грустно.

* * *

— Вы новая съемщица?

Селеста подскочила и чуть не выронила лампу, которую несла.

— Простите, я не хотела вас напугать, — сказала пухлая женщина в спортивном костюме, лет сорока с небольшим, которая вышла из квартиры напротив.

Вместе с ней были две маленькие девочки, по виду близнецы, примерно одного возраста с Джошем и Максом.

— В известной мере, — ответила Селеста. — То есть да. Точно не знаю, когда мы переедем. Наверное, уже скоро.

Это не входило в ее план. Разговоры с людьми. Это как-то чересчур реально. Мероприятие в целом было гипотетическим. Возможно, оно никогда не осуществится. Она просто забавлялась с идеей о новой жизни. Селеста делала это, чтобы произвести впечатление на Сьюзи. Ей хотелось прийти на следующую встречу с продуманным планом. Большинство женщин, вероятно, пришлось бы долго подталкивать. Большинство женщин, наверное, явились бы на следующую встречу, ничего не сделав. Только не Селеста. Она всегда выполняла домашнее задание.

— Я сняла квартиру на полгода, — собиралась она сказать Сьюзи. — В Макмахонс-Пойнт. Могу пешком ходить в Северный Сидней. У меня есть подруга, она партнер в небольшой юридической фирме. Примерно полгода назад она предлагала мне работу, но я отказалась. Все же я думаю, она сможет мне что-нибудь найти. Так или иначе, если этот вариант не пройдет, я смогу найти работу в городе. Добираться на пароме совсем недолго.

— Ух ты! — скажет Сьюзи, подняв брови. — Хорошая работа.

Лучшая ученица в классе. Какая хорошая девочка! Какая благонравная жена, даром что ее поколачивает муж.

— Я Роза, — представилась женщина. — А это Изабелла и Даниэлла.

«Она это серьезно? Назвала детей Изабеллой и Даниэллой?»

Девочки вежливо улыбнулись. Одна из них даже сказала: «Здравствуйте». Эти близнецы были воспитаны явно лучше мальчиков Селесты.

— А я Селеста. Приятно познакомиться! — Селеста постаралась как можно скорей повернуть ключ в двери. — Я лучше...

— У вас есть дети? — с надеждой спросила Роза, и девочки выжидающе посмотрели на нее.

— Два мальчика, — ответила Селеста.

Если она скажет, что у нее близнецы, то это поразительное совпадение продлит разговор еще как минимум минут на пять, а ей этого не выдержать.

Селеста толкнула дверь плечом.

— Если вам что-нибудь понадобится, не стесняйтесь, — сказала Роза.

— Спасибо! До скорого. — Она услышала, как девочки начали спорить, кому нажимать на кнопку лифта.

— Ради бога, девочки, неужели надо делать это каждый раз? — произнесла мать, очевидно, своим обычным голосом, в отличие от вежливого светского голоса, которым только что общалась с Селестой.

Едва закрылась дверь в ее квартиру, как наступила полная тишина. Фраза матери оборвалась на полуслове. Хорошая звукоизоляция.

Рядом с входной дверью размещалась зеркальная стена, очевидно оставшаяся после амбициозного косметического ремонта семидесятых. В остальном же квартира была заурядной: пустые белые стены, практичный серый ковер. Типичная арендуемая собственность. Перри являлся владельцем арендуемых квартир, вероятно похожих на эту. Теоретически Селеста тоже была владелицей, но она даже не знала их местоположения.

Если бы они вместе накопили средства на арендуемую квартиру, пусть одну, она с удовольствием занялась бы обустройством. Она помогала бы обновить ее, выбирала бы кафельную плитку, общалась с агентом по недвижимости, говорила бы: «О да, конечно!» — в ответ на просьбу съемщика что-то исправить.

При таком уровне благосостояния она чувствовала бы себя комфортно. Невообразимые пучины богатства Перри иногда вызывали у нее тошноту.

Она замечала то особое выражение на лицах людей, когда они впервые попадали в ее дом. То, как они блуждали взором по обширным пространствам, высоченным потолкам, прекрасным комнатам, обставленным наподобие небольших музейных экспозиций обеспеченной семейной жизни. Каждый раз в ней боролись на равных гордость и стыд. Она жила в доме, где каждая комната молча кричала: «У НАС КУЧА ДЕНЕГ. НАВЕРНОЕ, БОЛЬШЕ, ЧЕМ У ВАС».

Эти красивые комнаты были совсем как постоянные сообщения Перри в «Фейсбуке»: стильный образ их жизни. Да, они действительно сидели иногда на этом восхитительном комфортабельном диване, поставив на кофейный столик бокалы с шампанским и наблюдая заход солнца над океаном. Да, так оно и было. И часто это бывало восхитительно. Но на этом самом диване он однажды сильно прижал ее лицом в угол, и она боялась, что умрет. А та фотография из «Фейсбука» с надписью «Веселый день с детьми» соответствовала действительности, только у них не было снимка того, что произошло после укладывания детей в постель. У Селесты легко шла из носа кровь. Это было всегда.

Селеста внесла лампу в хозяйскую спальню квартиры. Комната была совсем небольшой. Там стояла двуспальная кровать. У них с Перри была, разумеется, кровать королевского размера. Но в эту комнату с трудом вошла стандартная кровать.

Она поставила лампу на пол. Это была красочная лампа в форме гриба, стиля ар-деко. Селеста купила ее, потому что любила этот стиль и потому что Перри его терпеть не мог. Нет, он, конечно, не стал бы возражать против покупки лампы, но морщился бы при каждом взгляде на нее — точно так же, как она морщилась бы при виде удручающих образцов современного искусства, которые он показывал ей в галереях. Итак, он их не покупал.

Брак — это всегда компромисс.

— Милая, если тебе и вправду нравится этот наивный старомодный вид, я достану тебе подлинную вещь, — ласково говаривал он. — Это просто дешевая безвкусная подделка.

Когда он говорил подобные вещи, ей слышалось: «Ты дешевка».

Она займется украшением этого дома дешевыми безвкусными вещами, которые ей нравятся. Селеста отодвинула одну из штор, чтобы впустить свет, и провела пальцами по чуть запыленному подоконнику. Дом был довольно чистым, но в следующий раз она принесет средства для уборки и отмоет все до блеска.

До настоящего момента она не смогла бы уйти от Перри, потому что была не в состоянии себе представить, куда пойдет и как будет жить дальше. Таков был привычный образ ее мыслей. Перемена казалась невозможной.

А теперь она подготовится к новой жизни и будет ждать подходящего момента. Она застелет кровати для мальчиков. Заполнит холодильник продуктами. Разложит в шкафу игрушки и одежду. Ей не придется даже упаковывать чемодан. Она заполнит анкету для поступления в местную школу.

Она подготовится.

В следующий раз, когда Перри ударит ее, она не даст ему сдачи, не заплачет и не уляжется на кровать. Она скажет: «Я ухожу от тебя прямо сейчас».

Селеста опустила взгляд на костяшки пальцев.

Или она уйдет, когда он будет в отъезде. Может быть, это даже лучше. Она скажет ему по телефону: «Пора понять, что так продолжаться не может. Когда ты вернешься, мы уже уедем».

Невозможно представить его реакцию.

Если она действительно уйдет.

Если она прекратит их отношения, то насилие тоже прекратится, потому что он потеряет право ударить ее, точно так же, как и целовать ее. Насилие, как и секс, было составной частью их отношений. Если она уйдет, то уже не будет принадлежать ему, как прежде. Она вернет его уважение. У них сложатся дружеские отношения. Он станет вежливым, но холодным бывшим мужем. Она предчувствовала, что его холодность заденет ее больше, чем кулаки. Он очень скоро встретит другую женщину.

Селеста вышла из хозяйской спальни и по узенькому коридору прошла в комнату мальчиков. Места там хватало лишь для двух односпальных кроватей. Она купила для них новые лоскутные покрывала, чтобы было симпатично. Пытаясь представить себе озабоченные личики детей, она запаниковала. О господи! Неужели она и в самом деле поступит с ними подобным образом?

Сьюзи считала, что Перри попытается получить единоличную опеку над детьми, но она не знала Перри. Его гнев вспыхивал подобно пламени паяльной лампы и быстро гас. Не так, как у нее. Селеста была злее. Она была злопамятной, а Перри — нет. В общем, она была ужасной. Она помнила все, помнила каждый случай, каждое слово. Сьюзи настаивала, чтобы Селеста начала фиксировать «оскорбления», как она это называла. «Записывайте все, — говорила она. — Фотографируйте свои ушибы и синяки. Сохраняйте врачебные записи. Это важно при судебном разбирательстве или слушаниях дела об опекунстве». — «Конечно», — согласилась Селеста, но делать этого не собиралась. До чего унизительно будет увидеть словесную интерпретацию их поведения. Все равно что описывать драку детей. *Я нагрубила ему. Он заорал на меня. Я заорала в ответ. Он толкнул меня. Я ударила его. В ответ получила синяк, но успела его поцарапать.*

— Он не станет пытаться забрать у меня детей, — сказала Селеста Сьюзи на консультации. — Он понимает, что для них самое лучшее.

— Возможно, он считает, что для них самое лучшее — остаться с ним, — произнесла Сьюзи сухим прозаичным голосом. — Мужчины вроде вашего мужа часто подают на опекунство. У них есть средства. Контакты. Вам следует быть готовой к этому. Ваши свойственники тоже могут быть в это вовлечены. Неожиданно у каждого появится свое мнение.

Ее свойственники. Селеста опечалилась. Ей всегда нравилось быть частью обширной семьи Перри. Ей нравилось, что их было так много: легкомысленные тетушки, орды кузенов и кузин, трио седовласых сварливых двоюродных дедушек. Ей нравилось то, что Перри не нужен был даже список, когда он покупал в дьюти-фри духи. «„Мадемуазель Коко Шанель“ для тетушки Аниты, „Иссей Мияки“ для тетушки Эвелин», — бормотал он себе под нос. Ей нравилось смотреть, как Перри со слезами на глазах обнимает любимого кузена, с которым долго не виделся. Это как будто доказывало, что в ее муже есть нечто в высшей степени хорошее.

С самого первого дня семейство Перри тепло встретило Селесту, словно чувствуя, что ее небольшая скромная семья совсем другая и они могут дать ей, помимо денег, то, чего у нее никогда не было. Перри и его семья предлагали ей изобилие во всем.

Когда Селеста сидела за большим длинным столом, лакомясь пирогом со шпинатом тетушки Аниты, глядя, как Перри терпеливо беседует с ворчливыми двоюродными дедушками, пока близнецы гоняются как сумасшедшие с другими детьми, порой в ее памяти мелькало воспоминание о том, как Перри ударил ее, но оно казалось ей невозможным, фантастическим, абсурдным, даже если случилось накануне. И вместе с недоверием приходил стыд, поскольку она понимала: в какой-то степени здесь и ее вина — ведь это хорошая, любящая семья, а она чужая. Только представить себе, в какой ужас пришли бы они, увидев, как она молотит и царапает их любимого Перри.

Ни один человек из этой большой жизнерадостной семьи не поверит, что Перри бывает агрессивным, и Селеста не хотела, чтобы они узнали, потому что тот Перри, который дарил тетушкам духи, сильно отличался от того Перри, который выходил из себя.

Сьюзи не знала Перри. Она знала учебные примеры, досье и статистику. Она не знала, что крутой нрав Перри — лишь его часть, а не его суть. Он не просто мужчина, бьющий жену. Он мужчина, читающий на ночь детям сказки, смешно подражая голосам персонажей. Перри не злодей. Он человек, который иногда ведет себя очень дурно.

Другие женщины в подобной ситуации боятся, что, если они попытаются уйти, муж разыщет и убьет их. Селеста боялась, что будет сильно скучать. Она искренне радовалась, видя, как мчатся к нему мальчишки, когда он приезжает из командировки, смотрела, как он бросает сумки и опускается на колени, широко раскидывая руки. «А теперь хочу поцеловать маму», — говорил он.

Все это было не так просто. Этот брак был таким необычным.

Она прошла через квартиру, не заходя на кухню, тесную и убогую. Ей не хотелось думать о том, как она будет готовить на этой кухне. Мальчишки будут хныкать: «Хочу есть! Я тоже!»

Вместо этого Селеста вернулась в хозяйскую спальню и включила лампу. Электричество еще работало. Насыщенные цвета лампы словно затрепетали. Откинувшись на стуле, она залюбовалась. Ей нравилась ее смешная лампа.

Переехав сюда, она станет приглашать в гости Джейн и Мадлен. Она покажет им свою лампу. Они втиснутся на крошечный балкон и будут пить чай.

Если она заберет детей из школы Пирриви, то будет скучать по утренним прогулкам с Джейн вдоль мыса. Они по большей части шли молча. Как будто вместе медитировали. Если с ними была Мадлен, то все трое говорили без умолку, но у Джейн с Селестой была особая динамика.

В последнее время они начали осторожно открываться друг другу. Удивительно, что во время ходьбы можно было говорить всякие вещи, которые вряд ли скажешь при беседе за столом, глядя друг на друга. Селеста вспомнила о том утре, когда Джейн рассказала ей о биологическом отце Зигги, омерзительном мужике, который в каком-то смысле изнасиловал ее. Селеста содрогнулась.

Во всяком случае, в ее сексе с Перри насилие никогда не присутствовало, даже если близость наступала сразу после насилия. Даже если секс был составной частью их странной напряженной игры в притворство, прощение и забвение, он всегда имел отношение к любви и был весьма качественным. До знакомства с Перри она никогда не чувствовала столь сильного влечения к мужчине и понимала, что такое не повторится. Это было бы невозможно. В их отношениях было что-то особенное.

Ей будет недоставать секса. Она будет скучать по взморью. Скучать по кофе, который они пили с Мадлен. Ей будет недоставать позднего вставания и просмотра вместе с Перри сериалов на DVD. Она будет скучать по семейству Перри.

Когда с кем-нибудь разводишься, то разводишься со всей семьей, сказала ей однажды Мадлен. Мадлен когда-то была близка со старшей сестрой Натана, а теперь они видятся редко. Селесте придется отказаться от семьи Перри, как и от многого другого.

Слишком многого придется лишиться, слишком многим пожертвовать.

Ну ладно. Это всего лишь репетиция.

Ей необязательно проходить через все это. Ведь сейчас просто теоретическая подготовка, с помощью которой она хочет произвести впечатление на своего консультанта. А консультанта, вероятно, поразить вовсе не удастся, потому что в конечном итоге дело в деньгах. Селеста не проявила какой-то особой дерзости. На деньги, заработанные мужем, она могла себе позволить снять и обставить квартиру, которой, возможно, никогда не воспользуется. Большинство клиенток Сьюзи, вероятно, не имели доступа к деньгам, в то время как Селеста могла снимать приличные суммы наличных с разных счетов, и Перри мог ничего не заметить, а если и замечал, то она легко находила себе оправдание. Она могла сказать, что деньги понадобились подруге, и он, не моргнув глазом, мог предложить даже больше. Он не был похож на других мужчин, которые фактически лишают жен свободы, ограничивая их перемещение, их доступ к деньгам. Селеста была свободной как птица.

Она оглядела комнату. Никакого встроенного шкафа. Придется купить шкаф. Как же она упустила это при осмотре?

Когда Мадлен впервые увидела громадный встроенный шкаф Селесты, у нее засияли глаза, словно она услышала прекрасную музыку. «Вот это моя воплощенная мечта».

Жизнь Селесты была воплощенной мечтой какого-то другого человека.

«Никто не заслуживает такой жизни», — сказала тогда Сьюзи, но Сьюзи не видела их жизнь в целом. Она не видела выражения лиц мальчишек, когда Перри рассказывал свои безумные истории об утренних полетах над океаном. «Папа, ты и правда умеешь летать?

Мама, он умеет летать? Умеет?» Сьюзи не видела, как Перри танцует с детьми рэп или медленно танцует с Селестой на террасе их дома, а низко висящая в небе луна светит на море только для них.

Оно того стоит, сказала она Сьюзи.

Может быть, это даже справедливо. Небольшое насилие — просто договорная цена за жизнь, которая в противном случае была бы тошнотворно и расточительно идеальна, вся в лунном свете.

Тогда какого черта она здесь делает, как узник втайне замышляя побег?!

Глава 39

— Зигги, — сказала Джейн.

Они сидели на пляже и строили песчаный замок из холодного песка. Низко нависало вечернее небо, и свистел ветер. Стоял май, и назавтра погода может быть погожей и солнечной, но в этот день побережье было практически пустым. В отдалении Джейн заметила человека с собакой, а также одинокого сёрфера в гидрокостюме, который шел к воде с доской под мышкой. Неспокойный океан накатывал на берег волну за волной. Белая пена бурлила и пузырилась, как кипяток, выплевывая в воздух фонтаны брызг.

Зигги что-то напевал себе под нос и, сооружая замок, прихлопывал песок лопаткой, которую купила ему мать Джейн.

— Вчера я виделась с миссис Липман, — начала Джейн. — И с мамой Амабеллы.

Зигги поднял глаза. На нем была круглая шапочка, натянутая на уши и прикрывающая волосы. Щеки пылали от холода.

— Амабелла говорит, что кто-то из класса тайком обижает ее, когда учительница не смотрит, — сказала Джейн. — Щиплет и даже... кусает.

Господи, просто ужасно думать об этом! Неудивительно, что Рената жаждет крови. Зигги ничего не сказал. Положил лопатку и взял пластмассовые грабли.

— Мама Амабеллы считает, что это ты, — произнесла Джейн. Она чуть не сказала: «Это ведь не ты, правда?», но одернула себя. Вместо этого она спросила: — Это ты, Зигги? — (Он проигнорировал ее, опустив глаза в песок и усердно чертя граблями прямые линии.) — Зигги!

Положив грабли, он взглянул на нее. Гладкое личико ничего не выражало. Глаза высматривали что-то у нее за спиной.

— Я не хочу об этом говорить, — заявил он.

Глава 40

Саманта. Вы слышали про ходатайство? Вот тогда я поняла, что ситуация выходит из-под контроля.

Харпер. Не стыжусь признаться, что придумала ходатайство я. Боже правый, школа бездействовала! Бедная Рената была на грани. Когда отправляешь ребенка в школу, необходимо знать, что он в безопасности.

Миссис Липман. Я решительно не согласна. Школа не бездействовала. Мы составили обширный план действий. И позвольте уточнить. У нас фактически не было доказательств, что именно Зигги занимался запугиванием.

Теа. Я подписала ходатайство. Бедная крошка!

Джонатан. Я, разумеется, не подписал. Бедный парнишка!

Габриэль. Никому не говорите, но я, кажется, подписала случайно. Думала, это ходатайство к совету по поводу пешеходного перехода на Парк-стрит.

За неделю до вечера викторин

— Добро пожаловать на церемонию открытия Клуба эротической книги полуострова Пирриви! — возвестила Мадлен, широким жестом распахивая входную дверь.

Она уже успела угоститься бокалом шампанского.

Готовясь к сегодняшнему вечеру, она ругала себя за то, что открывает книжный клуб. Это ведь только для того, чтобы отвлечься от печали в связи с переездом Абигейл. Не слишком ли драматично слово «печаль»? Возможно. Но так она это воспринимает. У нее было ощущение, что она понесла потерю, но никто не приносил ей цветов, и она занялась книжным клубом. Почему просто не пошла по магазинам? Она нарочито пригласила всех родителей из класса, и десять из них согласились. Затем она выбрала довольно смелую книгу, не слишком пристойную, зная, что книга должна ей понравиться, и отвела всем кучу времени на прочтение. Мадлен не сразу поняла, что родители будут читать книгу по очереди и в конце концов ей придется обратиться к каким-то до ужаса приличным книгам. Ну и ладно. У нее было изрядно опыта по части невыполнения домашнего задания. Она проведет вечер экспромтом. Или сжульничает и попросит Селесту изложить резюме.

— Перестань называть это Клубом эротической книги, — заявила пришедшая первой Саманта и вручила Мадлен блюдо с шоколадными пирожными. — Начнутся всякие пересуды. Кэрол просто вне себя.

Саманта была миниатюрной и жилистой — этакая легкоатлетка карманного размера. Она бегала марафон, но Мадлен прощала ей этот недостаток, потому что Саманта говорила то, что думает, и к тому же была одной из тех, кто полностью отдается во власть чувства юмора. Часто можно было видеть, как на детской площадке она хватается за чью-нибудь руку, чтобы удержаться на ногах во время приступа безудержного смеха.

Саманта нравилась Мадлен еще и потому, что в первую школьную неделю Хлоя страстно влюбилась в дочь Саманты Лили (вздорную принцессу). Таким образом, страхи Мадлен, что Хлоя подружится со Скай, оказались напрасными. Слава богу! Достаточно того, что Абигейл переехала к отцу. Но приглашать в гости ребенка бывшего мужа Мадлен считала уже перебором.

— Я приехала первая? — спросила Саманта. — Уехала из дому рано, потому что не терпелось оторваться от детей. Я сказала Стью: «Даю тебе полную свободу действий, дружище».

Мадлен провела ее в гостиную:

— Заходи и выпей что-нибудь.

— Джейн тоже придет? — поинтересовалась Саманта.

— Да, а что? — насторожилась Мадлен.

— Просто интересно, знает ли она о петиции, которая ходит по рукам.

— Какой петиции? — Мадлен заскрежетала зубами. Джейн говорила ей о новых обвинениях, выдвинутых против Зигги.

Очевидно, Амабелла отказалась подтвердить или отрицать, что ее обижает Зигги, а Джейн сказала, когда она напрямую спросила его об этом, Зигги повел себя странно. Джейн не знала, доказывает ли это его вину или тут что-то другое. Накануне она ходила к врачу за направлением к психологу, который, вероятно, будет стоить ей уйму денег. «Мне просто надо убедиться, — сказала она Мадлен. — Знаешь, из-за его... из-за его происхождения».

Мадлен подумала о трех дочерях, сводных сестрах Зигги. Уж не задиры ли они? Потом зарделась, устыдившись, что узнала об этом неправедным путем.

— Это ходатайство об исключении Зигги из школы, — произнесла Саманта с извиняющейся гримаской, как будто наступила Мадлен на палец.

— Что? Это абсурдно! Неужели Рената думает, будто у родителей хватит ума подписать его?

— Это не Рената. По-моему, все затеяла Харпер, — сказала Саманта. — Они ведь хорошие подруги. Никак не могу привыкнуть к стилю общения в этой школе.

— Харпер — очень хорошая подруга Ренаты, и она стремится к тому, чтобы все это знали. Они сблизились благодаря своим одаренным детям. — Мадлен взяла бокал с шампанским и осушила его.

— Амабелла — такая прелестная девчушка, — сказала Саманта. — Неприятно думать, что кто-то обижает ее, но ходатайство? Избавиться от пятилетнего ребенка? Это возмутительно. — Она покачала головой. — Не знаю, право, что бы я сделала, если бы в подобной ситуации оказалась Лили, но Зигги с его большими зелеными глазами кажется таким очаровательным, и Лили говорит, он дружит с ней. Помог как-то найти ее любимый шарик или что-то в этом роде. Ты дашь мне чего-нибудь выпить?

— Извини, — проговорила Мадлен, наливая Саманте шампанского.

— Это объясняет странный телефонный звонок от Теа, — произнесла Мадлен. — Она сказала, что выходит из книжного клуба. Мне это показалось немного странным, поскольку она уже давно толковала о том, что хочет вступить в клуб, что ей нужно сделать что-то для себя самой. Она даже отпускала какие-то глупые замечания по поводу похабных сексуальных сцен из книжки, и это было, знаешь, неприятно. Но вот буквально десять минут назад она позвонила и сказала, что у нее накопилось много дел.

— Ты ведь знаешь, у нее четверо детей, — сказала Саманта.

— О да, это настоящий логистический кошмар.

И обе ехидно рассмеялись.

— До смерти хочу пить! — выкрикнул из спальни Фред.

— Сейчас папа принесет тебе воды! — крикнула в ответ Мадлен.

Саманта наконец успокоилась.

— Знаешь, что мне сегодня сказала Лили? Она сказала: «Ты разрешишь мне поиграть с Зигги?», и я ответила: «Ну конечно», а она сказала... — Саманта на миг умолкла, потом заговорила другим тоном: — Привет, Хлоя.

В дверях с плюшевым мишкой стояла Хлоя.

— Я думала, ты спишь, — строго произнесла Мадлен, хотя сердце ее, как всегда, растаяло при виде дочки в пижаме.

Предполагалось, что на время встречи гостей книжного клуба Эд присмотрит за детьми. Он прочитал эту книгу, но не захотел вступить в клуб. Сказал, что идея книжных клубов вызвала у него в памяти жуткие воспоминания о претенциозных одноклассниках на уроках английской литературы. «Если кто-нибудь воспользуется словосочетаниями „великолепная совокупность художественных приемов“ или „повествовательная дуга“, тресни его от моего имени», — сказал он ей.

— Я спала, но папин храп меня разбудил, — сказала Хлоя.

Из-за недавнего вторжения в ее комнату монстра Хлоя выработала новый ритуал, состоящий в том, что, перед тем как она заснет, с ней должны были ложиться «всего на несколько минуток» мама или папа. Единственная проблема заключалась в том, что Мадлен или Эд тоже неизбежно засыпали, а час спустя, сонно моргая, выходили из комнаты Хлои.

— Папа Лили тоже храпит, — сказала Саманта Хлое. — Это похоже на тормозящий поезд.

— Вы говорили про Зигги? — непринужденно спросила Хлоя Саманту. — Сегодня он плакал, потому что папа Оливера сказал, что Оливер должен держаться подальше от Зигги, потому что Зигги задира.

— О, умоляю тебя, — сказала Мадлен. — Папа Оливера сам задира. Видела бы ты его на собраниях школьного совета.

— Ну, я стукнула Оливера, — призналась Хлоя.

— Что? — удивилась Мадлен.

— Совсем чуть-чуть, — сказала Хлоя. Она подняла на взрослых ангельский взгляд и прижала к себе плюшевого медведя. — Ничего страшного с ним не сделалось.

Звонок зазвонил в тот самый момент, когда Фред выкрикнул:

— Чтобы вы знали: я жду стакан воды!

Услышав это, Саманта покачнулась от приступа безудержного смеха и схватилась за руку Мадлен.

Глава 41

Джейн узнала про ходатайство за десять минут перед тем, как пойти на первое собрание книжного клуба Мадлен. Она чистила зубы в ванной, когда зазвонил ее мобильник и Зигги ответил на звонок.

— Сейчас позову ее, — услышала она его голос. Раздался топот шагов, и он появился в ванной. — Это моя учительница! — с благоговейным страхом произнес он и протянул ей телефон.

— Секунду, — пробормотала Джейн, у которой во рту была зубная паста и вода. Она подняла руку со щеткой, но Зигги просто сунул телефон ей в руку и быстро отступил назад. — Зигги!

Она неловко взяла телефон, едва не уронив его, потом подняла вверх, а сама быстро прополоскала рот и выплюнула воду. Что теперь? Вечером после школы Зигги был тихим и задумчивым, но он сказал, что Амабеллы на занятиях не было, так что вряд ли дело в этом. О господи! Неужели он обидел еще кого-нибудь?

— Здравствуйте, мисс Барнс. Ребекка, — сказала Джейн.

Ей нравилась Ребекка Барнс. Она знала, что они примерно одного возраста (дети были очень взбудоражены тем, что мисс Барнс скоро исполнится двадцать пять), и, хотя они не были подругами, Джейн иногда чувствовала между ними невысказанную общность, естественное родство двух человек одного поколения, окруженных старшими или младшими по возрасту людьми.

— Привет, Джейн, — сказала Ребекка. — Извините, я старалась выбрать время, когда Зигги будет в постели, но не слишком поздно...

— О, он как раз собирается спать.

Джейн шикнула на Зигги. Он сразу побежал в спальню, видимо испугавшись, что ему попадет от учительницы за то, что еще не спит. В школе Зигги неукоснительно выполнял все правила и всегда старался угодить мисс Барнс. Вот почему невозможно было заподозрить его в столь плохом поведении, если была хоть малейшая вероятность попасться. Джейн без конца наталкивалась на мысли о невозможности этого. Зигги не такой ребенок, чтобы творить подобные вещи.

— Что случилось? — спросила Джейн.

— Хотите, чтобы я перезвонила позже? — предложила Ребекка.

— Нет, все в порядке. Он ушел к себе. Случилось что-нибудь?

В собственном голосе ей послышалась резкость. К счастью, ей удалось записаться к психологу на следующую неделю. Она снова и снова повторяла Зигги, что он не должен и пальцем прикасаться к Амабелле или другим детям, но он всегда монотонно отвечал: «Я знаю, мама. Я никого не трогаю, мама», а немного погодя добавлял: «Не хочу об этом говорить». Что еще могла она сделать? Наказывать за что-то, чему не было убедительного доказательства?

— Просто собиралась спросить, знаете ли вы об этой петиции, которая ходит по рукам? — сказала Ребекка. — Хочется, чтобы вы услышали об этом от меня.

— Петиция? — переспросила Джейн.

— Петиция с просьбой исключить Зигги. Мне очень жаль. Не знаю, какие родители за этим стоят, но хочу, чтобы вы знали, меня это возмущает, и я уверена, миссис Липман тоже будет возмущаться, и, очевидно, это ни на что не повлияет.

— Вы хотите сказать, родители уже подписывают эту петицию? — спросила Джейн. Она ухватилась за спинку стула, заметив, как побелели у нее костяшки пальцев. — Но мы даже не знаем наверняка...

— Я понимаю, — сказала мисс Барнс. — Понимаю, что не знаем! По моим наблюдениям, Амабелла и Зигги дружат. Я совершенно сбита с толку. Я слежу за ними, как ястреб. Правда, я стараюсь, но у меня двадцать восемь детей, двое с дефицитом внимания, один с плохой обучаемостью, двое одаренных детей, по меньшей мере четверо, родители которых считают их одаренными, и один с очень сильной аллергией и... — Мисс Барнс тараторила пронзительным голосом, но вдруг остановилась на полуслове и откашлялась, а потом спокойнее добавила: — Извините, Джейн, мне не следовало говорить с вами в таком тоне. Это непрофессионально. Просто я очень переживаю из-за вас... и Зигги.

— Все нормально, — успокоила ее Джейн.

Было почему-то утешительно услышать напряжение в голосе учительницы.

— У меня слабость к Зигги, — призналась мисс Барнс. — И, должна сказать, слабость к Амабелле тоже. Они оба такие милые. Знаете, в отношении детей у меня довольно хорошая интуиция, и поэтому вся эта история такая странная, такая неприятная.

— Да, — согласилась Джейн. — Не знаю, что и делать.

— Мы что-нибудь придумаем, — сказала мисс Барнс. — Обещаю, мы решим эту проблему.

Было совершенно очевидно, что она тоже не знает, что делать.

Окончив разговор, Джейн пошла в комнату Зигги. Он сидел на кровати, скрестив ноги и прислонившись спиной к стене. По его лицу струились слезы.

— Теперь никому не разрешат играть со мной? — спросил он.

* * *

Теа. Вы, наверное, слышали, что Джейн напилась на вечере викторин. Это совсем негоже для школьного мероприятия. Я понимаю, ее, конечно, очень расстраивала эта история с Зигги, но я все время спрашивала себя: почему бы ей не забрать его из школы? У нее ведь нет в этой округе семейных связей. Ей следовало бы вернуться в западные пригороды, где она выросла и где наверняка прижилась бы.

Габриэль. Мы были в восхитительном подпитии. Помню эти слова Мадлен: «У меня восхитительное подпитие». Как это на нее похоже. Бедная Мадлен... Так или иначе, дело было в тех коктейлях. В них было, наверное, по тысяче калорий.

Саманта. Напились буквально все. Вечер был, по сути дела, отличным, пока все не полетело к чертям.

Глава 42

— А где Перри на этот раз? — спросила Гвен, усаживаясь с вязанием на диван Селесты.

Гвен была няней мальчиков с младенчества. Сама бабка двенадцати внуков, она отличалась завидной строгостью, но всегда носила в сумке небольшой запас шоколадных монет в золотой фольге, которые сегодня не понадобятся, потому что близнецы уже крепко спали.

— В Женеве, — ответила Селеста. — Или, постой, может быть, в Генуе? Не помню. Он сейчас еще летит. Вылетел сегодня утром.

Гвен изучала ее зачарованным взглядом.

— У него экзотическая жизнь, правда?

— Да, — ответила Селеста. — Пожалуй, да. Я долго не задержусь. Это новый книжный клуб, и я не знаю, когда...

— Зависит от книги! — заявила Гвен. — В нашем книжном клубе мы недавно разбирали очень интересную книгу. Как она называлась? Она была о... о чем бишь она была? Честно говоря, никому она особенно не понравилась, но моя подруга Пип, она любит угощать блюдом, которое вроде как дополняет книгу. И она приготовила это изумительное рыбное карри, но очень острое, так что мы все еле отдышались. — Гвен помахала руками перед ртом, демонстрируя жгучесть блюда.

Единственная проблема с Гвен состояла в том, что от нее подчас было трудно улизнуть. Перри проделывал это очаровательно, но Селесте было неловко.

— Ну, мне уже пора. — Селеста наклонилась за телефоном, лежавшим перед Гвен на кофейном столике.

— Какой ужасный синяк! — воскликнула Гвен. — Что ты с собой сделала?

Селеста опустила на запястье рукав шелковой блузки.

— Ушиблась на теннисе, — ответила она. — Мы с партнером по двойной игре бросились отбивать один удар.

— Ух ты! — Она внимательно посмотрела на Селесту. На миг воцарилось молчание.

— Что ж, как я сказала, мальчики не должны проснуться...

— Пожалуй, пришло время найти другого партнера по теннису, — сказала Гвен.

В ее голосе прозвучал металл. Тот самый металл, который производил поразительное действие, когда мальчишки дрались.

— Ну, я в этом тоже виновата, — возразила Селеста.

— Готова поспорить, что нет.

Гвен смотрела прямо Селесте в глаза. Селесте пришло в голову, что за все годы ее общения с Гвен муж не упоминался ни разу. Гвен казалась такой выдержанной, такой словоохотливой и занятой со всеми ее разговорами о подругах и внуках, что мысль о муже представлялась излишней.

— Я, пожалуй, пойду, — сказала Селеста.

Глава 43

Зигги продолжал плакать, когда в дверь постучала няня. Он успел рассказать Джейн, что три или четыре ребенка сказали ему, что им не разрешают играть с ним.

Он рыдал, уткнувшись в живот Джейн, которая сидела на его кровати. Она чувствовала нажим его маленького носа и влагу слез на джинсах, когда он утыкался лицом в ее ноги, словно пытаясь спрятаться внутри ее.

— Это, наверное, Челси.

Пытаясь переместить его, Джейн потянула Зигги за худенькие плечи, но он даже не пошевельнулся.

— Они убегали от меня, — рыдал он. — Очень быстро. Как будто мы играли в «Звездные войны»!

Ладно, подумала Джейн. Она не пойдет в книжный клуб. Нельзя оставлять его в таком состоянии. И потом, вдруг там будут родители, подписавшие петицию? Или те, кто не разрешил своим детям играть с Зигги?

— Подожди здесь, — пробормотала она, отрывая от своих ног его обмякшее тяжелое тело.

Он поднял на нее заплаканное мокрое лицо, а потом бросился ничком на подушку.

— Извини. Придется отменить, — сказала Джейн Челси. — Но я заплачу.

У нее не было ничего мельче пятидесяти долларов.

— О-о, круто, спасибо, — обрадовалась Челси.

Тинейджеры никогда не предлагают сдачи.

Джейн закрыла дверь и пошла позвонить Мадлен.

— Я не приду, — сказала она подруге. — Зигги... Зигги нездоров.

— Это из-за истории с Амабеллой? — спросила Мадлен.

В отдалении были слышны голоса. Некоторые из родителей уже пришли.

— Да. Ты слышала про ходатайство? — Джейн старалась говорить ровным голосом.

Мадлен, наверное, уже тошнит от нее — рыдания над бегемотиком Гарри, рассказывание постыдных любовных историй. Она, вероятно, проклинает тот день, когда подвернула лодыжку.

— Это возмутительно! — заявила Мадлен. — Я вне себя от гнева.

Послышался взрыв смеха. Шум стоял такой, как на вечеринке, а не на собрании книжного клуба. Этот смех заставил Джейн почувствовать себя скучной и всеми брошенной, хотя она и была приглашена.

— Не буду тебе докучать, — сказала Джейн. — Веселитесь.

— Я тебе позвоню. Не волнуйся. Мы все уладим.

Когда Джейн повесила трубку, опять послышался стук в дверь. Это была соседка снизу, мать Челси, Айрин, с пятидесятидолларовой купюрой в руке. У высокой, строгого вида женщины были волосы с проседью и умные глаза.

— Не надо платить ей пятьдесят долларов за ничегонеделание, — сказала она.

Джейн с благодарностью приняла деньги. Она потом пожалела, что дала Челси деньги. Все-таки пятьдесят долларов — это пятьдесят долларов.

— Мне было как-то неудобно.

— Ей пятнадцать. И ей надо всего лишь спуститься на лестничный пролет. Зигги в порядке?

— У нас кое-какие проблемы в школе, — сказала Джейн.

— О господи! — произнесла Айрин.

— Запугивание, — объяснила Джейн.

Она знала Айрин в основном по разговорам на лестнице.

— Кто-то запугивает бедного маленького Зигги? — нахмурилась Айрин.

— Говорят, что это Зигги запугивает детей.

— Ах, какая чепуха! — воскликнула Айрин. — Не верьте этому. Я двадцать четыре года преподавала в начальной школе. Могу отличить задиру за версту. Зигги не задира.

— Ну, надеюсь, нет, — сказала Джейн. — На самом деле я в этом уверена.

— Готова поспорить, родители подняли шумиху, так? — Айрин бросила на нее проницательный взгляд. — В наше время родители уделяют детям чересчур много внимания. Хорошо бы вернуть старые добрые времена добродушной беззаботности. На вашем месте я бы относилась к этому скептически. Маленькие детки — маленькие бедки. Вот погодите, когда придется беспокоиться по поводу наркотиков, секса и средств информации.

Вежливо улыбнувшись, Джейн взяла банкноту:

— Что ж, спасибо. Скажите Челси, что я скоро приглашу ее посидеть с моим сыном.

Она плотно закрыла дверь, слегка обеспокоившись замечанием Айрин по поводу «маленьких деток — маленьких бедок». Идя по коридору, она слышала плач Зигги — не сердитый настойчивый плач ребенка, требующего к себе внимания, и не испуганный плач ребенка, которому больно. Это был плач взрослого — невольные, тихие и печальные слезы.

Джейн вошла в его спальню и на миг остановилась в дверях, глядя, как он ничком лежит на кровати. Плечи его вздрагивали, а маленькие руки вцепились в одеяло со «Звездными войнами». Она почувствовала в себе какую-то силу и твердость. В этот момент ее не волновало, обижал Зигги Амабеллу или нет, унаследовал ли он от биологического отца некую скрытую склонность к насилию. И, так или иначе, кто сказал, что склонность к насилию у него от отца, ибо, если бы сейчас перед ней стояла Рената, Джейн ударила бы ее. Она с удовольствием ударила бы ее. Джейн так сильно ударила бы Ренату, что дорогие очки слетели бы с ее лица. Возможно, она даже раздавила бы эти очки каблуком, как настоящая забияка. И если ее посчитали бы одержимой родительницей, то ей было бы наплевать.

— Зигги? — Она села на кровать рядом с ним и погладила его по спине. Он поднял заплаканное лицо. — Давай поедем в гости к бабушке и дедушке. Возьмем с собой пижамы и останемся там ночевать.

Он засопел носом. Маленькое тельце горестно содрогнулось.

— А всю дорогу будем есть чипсы и шоколадные конфеты.

* * *

Саманта. Я знаю, что смеялась и шутила и все такое, и вы, наверное, считаете меня бессердечной стервой, но это было что-то вроде защитного механизма или типа того. Хочу сказать, это трагедия. Похороны были просто... Когда этот милый мальчуган положил на гроб письмо. Не могу прийти в себя.

Теа. Страшно грустно. Это напомнило мне похороны принцессы Дианы, когда принц Гарри оставил записку со словом: «Мамочка». Но мы не будем говорить здесь о королевской семье.

Глава 44

Селеста почти сразу поняла, что это такой книжный клуб, в котором книга вторична по отношению к жизненным ситуациям. Она почувствовала легкое разочарование, поскольку предвкушала беседу о книге. Она даже, немного смущаясь, как старательный юрист, подготовилась к обсуждению, отметив некоторые страницы самоклеящимися листочками и написав на полях краткие комментарии.

Взяв книгу с колен, Селеста, пока кто-нибудь не заметил и не начал поддразнивать ее, засунула книгу в сумку. Шутки будут добродушными, но у нее больше не осталось восприимчивости к шуткам. Брак с Перри привел к тому, что она всегда была готова оправдывать свои действия, постоянно контролируя свои слова и поступки, одновременно принимая оборонительную позицию. В результате ее мысли и чувства скручивались в жуткие узлы, и по временам, когда она, как сейчас, сидела в комнате с нормальными людьми, все невысказанные мысли подступали к горлу, и на миг у нее перехватывало дыхание.

Что подумали бы эти люди, узнай они, что за женщина сидит за одним с ними столом? Это были воспитанные некурящие люди, которые вступали в книжные клубы и умели красиво говорить. В этих небольших социальных кружках мужья и жены не били друг друга.

Причина того, что никто не обсуждал книгу, заключалась в том, что все говорили про ходатайство об исключении Зигги. Некоторые еще не слышали о нем, а те, кто знал, с удовольствием делились шокирующей новостью. Каждый рассказывал то, что ему известно.

Разговор шел под председательством раскрасневшейся, лихорадочно возбужденной Мадлен. Селеста лишь невнятно поддакивала.

— Очевидно, Амабелла четко не говорила, что это Зигги. Рената предполагает это из-за случившегося в ознакомительный день.

— Я слышала, у девочки были следы от укусов, что для этого возраста довольно-таки страшно.

— Когда Лили посещала дневную группу, у них там кто-то кусался. Она приходила домой вся черно-синяя. Должна признаться, мне хотелось убить маленькую паршивку, но ее мама была такой симпатичной. Она очень переживала.

— В том-то и дело. В сущности, хуже тем родителям, чей ребенок запугивает других.

— Послушайте, мы здесь говорим о детях!

— Интересно, а почему этого не замечают учителя?

— Разве Рената не может просто заставить Амабеллу сказать, кто виноват? Ей пять лет!

— Полагаю, когда мы говорим об одаренном ребенке...

— О-о, я не знала. А Зигги одаренный?

— Не Зигги. Анабелла. Она, безусловно, одаренная.

— Не Анабелла, а Амабелла.

— Это одно из этих придуманных имен?

— О нет-нет. Это французское имя. Разве вы не слышали, как Рената говорила об этом?

— Ну так этой девочке всю жизнь придется слушать, как люди неправильно произносят ее имя.

— Харрисон играет с Зигги каждый день. Никаких проблем не было.

— Ходатайство! Это просто нелепо. Между прочим, этот киш великолепен. Мадлен, ты сама его испекла?

— Разогрела.

— Ну а тот случай, когда Рената раздала приглашения всем в классе, кроме Зигги. Думаю, это было нечестно.

— Послушайте, а разве государственная школа может исключить ребенка? Неужели это возможно? Разве такие школы не должны принимать всех?

— Мой муж считает, все мы стали чересчур внушаемыми. Он говорит, что в наше время мы готовы навешивать на детей ярлыки типа «задира», хотя они просто дети.

— Пожалуй, он прав.

— Хотя кусаться и душить...

— Гм. Будь это мой ребенок...

— Вы бы не подписали петицию.

— Ну нет.

— У Ренаты уйма денег. Почему бы ей не устроить Амабеллу в частную школу? Тогда ей не пришлось бы иметь дело со всяким сбродом.

— А мне Зигги нравится. И Джейн тоже. Должно быть, непросто справляться со всем одной.

— Знает кто-нибудь, есть ли там отец?

— Мы собираемся обсуждать книгу?

Это была Мадлен, которая наконец вспомнила, что она принимает гостей книжного клуба.

— Думаю, да.

— Кто фактически подписал петицию?

— Не знаю. Держу пари, Харпер подписала.

— Харпер все это затеяла.

— Разве Рената не работает с мужем Харпер или типа того? Ой, постойте, я все перепутала, это же твой муж, Селеста?

Все глаза вдруг обратились на Селесту, словно людям был дан невидимый сигнал. Она вцепилась в ножку бокала.

— Рената и Перри работают в одной отрасли, — сказала Селеста. — Они знают друг друга заочно.

— Мы ведь еще не встречались с Перри, да? — спросила Саманта. — Таинственный человек.

— Он часто ездит в командировки, — ответила Селеста. — Сейчас он в Генуе.

Нет, не в Генуе. Определенно в Женеве.

В разговоре наступила непонятная заминка. Гости притихли. Может быть, она говорила как-то странно? Ей показалось, от нее ожидают чего-то большего.

— Вы познакомитесь с ним на вечере викторин, — сказала она.

Перри, в отличие от многих мужчин, любил маскарадные костюмы. Он обрадовался, когда узнал, что будет дома в день проведения вечеринки.

— Тебе понадобится жемчужное ожерелье, какое носила Одри в «Завтраке у Тиффани», — сказал он ей. — Я куплю тебе такое в Женеве.

— Нет, — возразила она. — Прошу тебя, не надо.

Когда идешь на костюмированную вечеринку в рамках школьного вечера викторин, предполагается, что ты наденешь дешевую бижутерию, а не ожерелье, по стоимости превышающее средства, которые нужно собрать на интерактивные доски.

Он купит ей в точности такое ожерелье, какое нужно. Он любит драгоценности. Оно будет стоить не меньше автомобиля, и оно будет восхитительным. Увидев его, Мадлен впадет в экстаз, и Селесте захочется снять ожерелье с шеи и отдать ей. «Купи одно и Мадлен тоже», — хотелось ей сказать, и он сделает это с удовольствием, но, разумеется, Мадлен никогда не примет такого подарка. И все же Селесте казалось абсурдным, что она не может подарить вещь, которая доставит Мадлен искреннюю радость.

— Все идут на вечер викторин? — оживленно спросила она. — Наверное, будет весело!

* * *

Саманта. Вы видели фотографии с вечера викторин? Селеста выглядела умопомрачительно. Люди смотрели на нее, открыв рот. Очевидно, то жемчужное ожерелье было настоящим. Но знаете что? На некоторых снимках в ее лице есть что-то печальное. Взгляд человека, увидевшего привидение. Такое ощущение, будто она знала, что в тот вечер произойдет нечто ужасное.

Глава 45

— Было здорово. Может быть, в следующий раз мы не забудем поговорить о книге, — сказала Мадлен.

Гости ушли, осталась только Селеста, которая принялась очищать тарелки и ставить их в посудомоечную машину.

— Перестань! — воскликнула Мадлен. — Ты всегда это делаешь!

Селеста имела пристрастие незаметно, без лишних слов прибираться в чужом доме. Каждый раз, как Мадлен приглашала к себе Селесту, ее кухня была вычищена до блеска.

— Садись и выпей со мной чашку чая, а потом пойдешь, — сказала Мадлен. — Смотри, у меня есть последние кексы Джейн. Мне жалко было делиться ими с книжным клубом.

У Селесты засияли глаза. Она собралась сесть, но потом сконфуженно спросила:

— Где же Эд? Он, наверное, хочет вернуть себе свое жилище.

— Что? Не беспокойся за Эда. Он все еще храпит в кровати Хлои, — ответила Мадлен. — И вообще, какая разница? Это и мой дом тоже.

Селеста слабо улыбнулась и села.

— Как все ужасно вышло с бедной Джейн, — сказала она, когда Мадлен положила перед ней кекс, испеченный Джейн.

— По крайней мере, мы знаем, что никто из приходивших сюда сегодня не станет подписывать эту дурацкую петицию, — заявила Мадлен. — Когда все разговаривали, я думала о том, что пришлось пережить Джейн. Она рассказала тебе об отце Зигги, да?

Это было формальностью: Джейн уже сказала ей, что Селеста тоже в курсе. На миг Мадлен засомневалась, а стоило ли говорить об этом с Селестой, но потом успокоилась. Аппетит подруги к сплетням был умеренным — она не принадлежала к категории тех матерей, которые жадно выискивают их.

— Да, — ответила Селеста, откусив кусочек кекса. — Подонок.

— Я нашла его в «Гугле», — призналась Мадлен.

Вот почему она заговорила об этом. Она чувствовала себя виноватой и хотела найти облегчение в признании. Или хотела обременить Селесту той же информацией, что было, вероятно, хуже.

— Кого? — спросила Селеста.

— Отца. Отца Зигги. Знаю, этого не следовало делать.

— Но как? — Селеста нахмурилась. — Она назвала тебе его имя? Мне она ничего не говорила.

— Она сказала, его зовут Саксон Бэнкс. Знаешь, как мистера Бэнкса из «Мэри Поппинс». Джейн говорила, он пел ей песенки из «Мэри Поппинс». Вот почему его имя застряло у меня в голове. Ты в порядке? Не в то горло попало? — (Селеста постучала кулаком по груди и закашлялась. Щеки ее покраснели.) — Сейчас принесу тебе воды.

— Ты сказала — Саксон Бэнкс? — хрипло произнесла Селеста. Потом откашлялась и повторила медленней. — Саксон Бэнкс?

— Да, — ответила Мадлен. — А что? — И тут до нее дошло. — О господи! Ты что, его знаешь?

— У Перри есть кузен, которого зовут Саксон Бэнкс, — ответила Селеста. — Он... — Она умолкла, и глаза у нее расширились. — Застройщик. Джейн говорила, что этот человек — застройщик.

— Имя необычное, — произнесла Мадлен.

Она старалась не показать, что необычайно взволнована этим ужасным совпадением. Конечно, волновало не то, что Перри — родственник Саксона Бэнкса. Это было не то совпадение, о котором говорят: мир тесен. Все это было ужасно, но таило в себе какое-то неодолимое удовольствие и, подобно той жуткой петиции, отвлекало Мадлен от ожесточенных, почти безумных мыслей об Абигейл.

— У него три дочери, — сказала Селеста. Собираясь с мыслями, она смотрела куда-то вдаль.

— Знаю, — виновато проговорила Мадлен. — Сводные сестры Зигги.

Она пошла на кухню за айпадом и принесла его в гостиную.

— И он предан жене, — продолжала Селеста, пока Мадлен искала страницу. — Он очарователен! Добрый, забавный. Не могу даже представить себе, что он изменяет жене. Не говоря о том, чтобы быть таким... жестоким.

Мадлен пододвинула айпад к Селесте:

— Это он?

Селеста взглянула на снимок:

— Да. — Дотронувшись до дисплея большим и указательным пальцем, она увеличила фото. — Возможно, мне это только кажется, но, по-моему, есть сходство с Зигги.

— Глаза? — спросила Мадлен. — Мне тоже так показалось.

Воцарилось молчание. Селеста, не отрываясь, смотрела на экран айпада. Потом забарабанила пальцами по столу.

— Мне он нравится! — Она подняла глаза на Мадлен. На лице ее появилось виноватое выражение, словно она чувствовала свою ответственность. — Мне он всегда нравился.

— Джейн тоже говорила, что он очарователен, — сказала Мадлен.

— Да, но... — Селеста откинулась на стуле и оттолкнула айпад. — Я не знаю, что делать. То есть несу ли я теперь какую-то ответственность? Надо ли с этим что-то делать? Это так... сложно. Если он фактически изнасиловал ее, то я бы хотела, чтобы на него возложили ответственность, но...

— Он вроде как изнасиловал ее. Это было похоже на изнасилование. Или оскорбление действием. Не знаю. Что-то в этом роде.

— Да, но...

— Понимаю, — сказала Мадлен. — Понимаю. Нельзя отправить человека в тюрьму за низость.

— Мы не знаем наверняка. — Селеста вглядывалась в снимок. — Она могла неправильно расслышать его имя или...

— Может существовать другой Саксон Бэнкс, — подхватила Мадлен. — Который не зарегистрирован в «Гугле». Не все регистрируются в Интернете.

— Именно, — излишне горячо произнесла Селеста.

Обе они понимали, что это, скорее всего, он. Он поставил «галочки» во всех квадратах. Какова вероятность, что в сфере застройки могут быть два человека примерно одного возраста по имени Саксон Бэнкс?

— Перри с ним близок? — спросила Мадлен.

— Теперь, когда у всех есть дети, мы редко видимся, к тому же он живет в другом штате. Но когда Перри и Саксон росли, они очень дружили. Их матери — однояйцевые близнецы.

— Вот откуда взялись ваши близнецы, — сказала Мадлен.

— Ну, мы всегда так думали, — небрежно произнесла Селеста. — Но потом я выяснила, что это справедливо только для двуяйцевых близнецов, а не однояйцевых, так что мои мальчики — просто случайное... — Ее голос прервался. — О господи! Что будет, когда я увижу Саксона в следующий раз? Наши поговаривают о встрече всей семьи в Западной Австралии на будущий год. И стоит ли говорить об этом Перри? Имеет ли вообще смысл говорить Перри? Это ведь расстроит его, верно? И мы ничего не можем с этим поделать. Мы действительно не в силах ничего изменить.

— На твоем месте я бы держала это в тайне от мужа, но потом, наверное, все-таки выболтала бы.

— Он может рассердиться, — проговорила Селеста, исподтишка, почти по-ребячески взглянув на Мадлен.

— На этого мерзавца-кузена? Неудивительно.

— Я имела в виду, на меня.

Селеста потянула себя за манжету блузки.

— На тебя? Хочешь сказать, он может обидеться за кузена? — спросила Мадлен и подумала: «Ну и что?

Пусть обижается». — Думаю, да, — вслух произнесла она.

— И это будет очень... неловко, — сказала Селеста. — Точно так же, как если бы Перри встретил Джейн на школьном мероприятии, зная ее тайну.

— Да, и поэтому, Селеста, тебе лучше ничего не говорить, — торжественно произнесла Мадлен, осознавая, что, будь на месте Перри ее Эд, она встретила бы его у входной двери воплем: «Ты знаешь, что сделал с моей подругой твой жуткий кузен?»

— И держать это в тайне от Джейн? — поморщилась Селеста.

— Безусловно, — ответила Мадлен. — Я так считаю. — Она пожевала щеку. — А ты как думаешь?

Если бы Джейн узнала об этом, то обиделась бы и рассердилась, но какой ей прок знать это? Вряд ли она захотела бы, чтобы Зигги общался с этим человеком.

— Да, я тоже так думаю, — сказала Селеста. — Как бы то ни было, мы не знаем наверняка, что это он.

— Не знаем, — согласилась Мадлен.

Для Селесты, очевидно, очень важно было вновь повторить эту мысль, которая служила им защитой и оправданием.

— Я совсем не умею хранить тайны, — призналась Мадлен.

— Правда? — Селеста скривилась. — А я умею.

Глава 46

Селеста ехала домой из книжного клуба, вспоминая о последней встрече с Саксоном и его женой Элени. Это было на свадьбе в Аделаиде, как раз перед тем, как ей забеременеть близнецами, грандиозной свадьбе одного из многочисленных кузенов Перри.

По чистой случайности они с Перри встали на парковке у здания проведения торжеств рядом с Саксоном. В церкви они не виделись, и Перри и Саксон, выскочив из машин, принялись обниматься и похлопывать друг друга по спине. Оба были растроганы. Они были по-настоящему привязаны друг к другу. Селеста и Элени дрожали в нарядных платьях без рукавов. После долгой свадебной церемонии в холодной влажной церкви все предвкушали выпивку.

— Угощение ожидается великолепное, — потирая руки, сказал Саксон.

Все отправились по дорожке, ведущей к зданию, когда Элени остановилась. Она оставила свой мобильник в церкви на скамье. Обратный путь занял бы целый час.

— Оставайся, а я поеду, — сказала Элени, но Саксон закатил глаза и произнес:

— Нет, не поедешь, любовь моя.

Кончилось тем, что Перри поехал вместе с Саксоном за телефоном, а Селеста с Элени наслаждались шампанским перед горящим камином.

— О господи, я чувствую себя просто ужасно, — радостно проговорила Элени, подзывая официанта и прося его наполнить бокал.

Нет, не поедешь, любовь моя.

Как мог человек, по-рыцарски великодушно отнесшийся к оплошности жены, жестоко и цинично обойтись с девятнадцатилетней девушкой?

Однако Селесте лучше, чем кому-либо другому, было известно, что такое возможно. Перри тоже вернулся бы за ее телефоном.

Неужели оба мужчины страдают каким-то наследственным психическим расстройством? В семьях родни встречались психические расстройства, а Перри и Саксон — сыновья однояйцевых близнецов. С генетической точки зрения они не просто кузены, а единоутробные братья.

Или, может быть, их каким-то образом притесняли собственные матери? Джин и Эйлин были миниатюрными очаровательными женщинами с одинаковыми детскими голосами, мелодичным смехом и красивыми скулами. Такого рода женщины кажутся по-женски покорными, но на самом деле они далеко не такие. Такого рода женщины привлекают успешных мужчин, привыкших командовать окружающими, но когда мужчина приходит домой, то делает в точности то, что велит ему жена.

Может быть, проблема состояла именно в этом. Селесте и Элени недоставало этого особого сочетания очарования и властности. Они были обыкновенными девушками. Они были не в состоянии жить в соответствии с моделью поведения матери, установленной Джин и Эйлин для своих сыновей.

Итак, у Саксона и Перри в конечном итоге развились эти злосчастные... проблемы.

Но то, что Саксон сделал с Джейн, было намного, намного хуже всего того, что совершил Перри.

У Перри плохой характер. Все дело в этом. Он вспыльчивый и непостоянный. Напряжение на работе, утомление от международных перелетов заставляют его срываться. Это его не оправдывает. Разумеется, нет. Но понять можно. Это не зло и не порок. А вот бедная Элени, сама того не подозревая, вышла замуж за дурного человека.

Обязана ли Селеста рассказать Элени о том, что совершил ее муж? Должна ли она отвечать за впечатлительных подвыпивших девиц, которых он по-прежнему может подцеплять в барах?

Но они даже не знают наверняка, был ли это он.

Селеста въехала на подъездную аллею, открывая пультом гараж на три машины и обозревая роскошный панорамный вид — мигающие огоньки домов на берегах залива и могучее темное присутствие океана. Дверь гаража поднялась, как занавес, открывая взору освещенную сцену, и автомобиль плавно въехал внутрь. Ей не пришлось даже снимать ногу с акселератора.

Она повернула ключ зажигания. Тишина.

В той, другой, воображаемой жизни гаража не было. Была крытая парковка для жилой застройки с крошечными парковочными местами, ограниченными массивными бетонными столбами. Ей придется заезжать задом на свое место. Она уже знала, что вмажется задним габаритным фонарем. Парковаться она толком не умела.

Селеста подняла рукав блузки и посмотрела на синяки.

Да, Селеста, оставайся с человеком, который делает это с тобой, из-за великолепной парковки.

Она открыла дверь машины.

Он, во всяком случае, несколько лучше своего кузена.

Глава 47

— Как зовут женщину, написавшую ходатайство? — спросил отец Джейн.

— А что? Что мы с ней сделаем, папа? — спросил Дэйн. — Переломаем кости?

— Я бы с удовольствием, черт побери! — заявил отец Джейн. Он поднес к свету крошечный кусочек пазла и прищурился. — Как бы то ни было, что за имя Амабелла? Какое-то глупое имя. Чем не подходит Анабелла?

— У тебя внук, которого зовут Зигги, — заметил Дэйн.

— Эй, — обратилась Джейн к брату, — это была твоя идея.

Джейн гостила в доме родителей. Она сидела за кухонным столом, пила чай с печеньем и составляла пазл. Зигги спал в прежней спальне Джейн. Она собиралась сделать ему назавтра выходной. Они останутся у родителей на ночь и пробудут там все утро. Рената с подругами будут счастливы.

Может статься, подумала Джейн, глядя на кухню, выкрашенную в абрикосовые и светло-желтые тона еще в 1980-х, она не вернется в Пирриви. Это ее дом. Безумием было так далеко уехать. Ею двигали извращенные и странные побуждения, и вот наступила расплата.

Здесь Джейн все было хорошо знакомо: кружки, старый коричневый заварочный чайник, скатерть, запах дома и, разумеется, пазлы. Всегда пазлы. Сколько Джейн себя помнила, ее родные увлекались пазлами. Кухонный стол предназначался не для еды, а только для новых пазлов. В этот вечер они начали новый пазл, который отец Джейн заказал по Интернету. Это был пазл одной картины импрессионистов, состоящий из двух тысяч фрагментов. Множество размытых цветовых пятен.

— Может быть, мне стоит вернуться, — вспоминая все это, сказала она, но почему-то подумала о «Блю блюз», аромате кофе, сапфировом мерцании моря и о Томе, который, подмигивая, подает ей кофе, словно они втайне от всех разыгрывают шутку.

Она подумала о Мадлен, которая, поднимаясь по лестнице к ней в квартиру, держит в руках наподобие полицейской дубинки рулон картона. Подумала и о том, как подскакивал вверх-вниз конский хвост Селесты во время их утренних прогулок по мысу под высящимися араукариями.

Она вспомнила о летних днях, когда они с Зигги сразу после школы шли на берег, снимали на песке школьную обувь и носки, стягивали шорты и рубашку и он бежал в трусах прямо в океан, а она догоняла его с тюбиком солнцезащитного крема в руках, а когда вокруг него волны разбивались в белую пену, сын хохотал от радости.

В последнее время благодаря Мадлен она нашла двух выгодных клиентов, живущих поблизости от нее: «Идеальное мясо Пирриви» и «Рецепты Тома О'Брайена». Их документация не отдавала сигаретным дымом или фастфудом. По сути дела, квитанции Тома О'Брайена еле заметно пахли ароматической смесью.

Она с удивлением осознала, что иные из счастливейших моментов ее жизни произошли за последние несколько месяцев.

— Но нам на самом деле нравится там жить, — сказала она. — Зигги нравится школа. Ну, обычно нравится.

Она вспомнила его недавние слезы. Она не могла отправлять его в школу с детьми, которые говорили ему, что им не разрешают с ним играть.

— Если хочешь там остаться, оставайся, — сказал отец. — Нельзя позволить той женщине заставить тебя уйти из школы. Почему бы ей самой не уйти?

— Не могу поверить, что Зигги обижает ее дочь, — произнесла мать Джейн, не сводя глаз с кусочков пазла, которые она быстро перемещала по столу.

— Проблема в том, что та женщина этому верит, — сказала Джейн. Она пыталась вставить фрагмент в правый нижний угол пазла. — А теперь этому верят и другие родители. И пожалуй, я не могу сказать наверняка, что он чего-то не натворил.

— Это кусочек туда не подходит, — заявила мать. — Ну а я точно знаю, что Зигги ничего не натворил. В нем просто этого нет. Джейн, этот кусочек туда не подходит, это часть дамской шляпы. О чем я говорила? Ах да, Зигги. Боже правый, взять тебя, к примеру. Ты была, наверное, самым застенчивым существом в школе и мухи не могла обидеть. И разумеется, папочка был добрейшим человеком...

— Мама, твой папочка здесь ни при чем! — Джейн надоело возиться с фрагментом пазла, и она бросила его. Ее досада вылилась во внезапную вспышку гнева и раздражения, направленную на бедную беззащитную мать. — Ради всего святого, Зигги вовсе не повторное воплощение твоего папы! Он даже не верил в реинкарнацию! А суть в том, что мы не знаем, какие черты характера Зигги мог унаследовать от своего отца, потому что отец Зигги был, его отец был... — Она остановилась как раз вовремя. Идиотка!

За столом внезапно воцарилась тишина. Дэйн, потянувшийся через стол к фрагменту пазла, поднял глаза.

— Дорогая, о чем ты говоришь? — Мать Джейн ногтем стряхнула крошку с угла рта. — Ты хочешь сказать, он обидел тебя?

Джейн обвела стол взглядом. Дэйн вопросительно смотрел на нее. Мать нервно постукивала пальцами по губам. Отец стиснул зубы. В его глазах мелькнуло что-то похожее на ужас.

— Конечно нет, — сказала она. Когда спокойствие любимого человека зависит от твоей лжи, все предельно просто. — Простите. Господи, нет! Я не это имела в виду. Просто я хотела сказать, что биологический отец Зигги был, по сути дела, незнакомым человеком. То есть он казался очень симпатичным, но мы ничего о нем не знаем. Понимаю, что это стыдно...

— Пожалуй, мы уже справились с шоком от твоего легкомысленного поведения, Джейн, — с укором произнес Дэйн.

Она догадалась, что он не клюнул на ее ложь. Ему не так важно было поверить в это, как родителям.

— Разумеется, справились, — подтвердила мать Джейн. — И мне безразлично, какими чертами характера обладал биологический отец Зигги, я знаю своего внука, и он ни за что не станет никого обижать.

— Безусловно нет, — согласился отец Джейн.

Плечи его поникли. Он отхлебнул чая и взял очередной фрагмент пазла.

— А то, что ты не веришь в реинкарнацию, мисси, — указала на Джейн мать, — не значит, что ты не сможешь перевоплотиться!

* * *

Джонатан. Когда я впервые увидел игровую площадку школы Пирриви, то был восхищен. Все эти укромные уголки. Но теперь я понимаю, что в этом есть свой минус. Учителя были в неведении относительно разного рода вещей, которые выпадали из их поля зрения.

Глава 48

Мадлен стояла в гостиной, не зная, что делать дальше.

Эд и дети спали, а благодаря Селесте вся уборка после собрания книжного клуба была сделана. Можно было идти спать, но пока ей не хотелось. Завтра пятница, а утра пятницы бывали суматошными, потому что перед школой надо было везти Абигейл к репетитору по математике, Фред занимался в шахматном клубе, а Хлоя...

Она остановила себя.

Ей не надо везти Абигейл к репетитору к половине восьмого. Это больше не входит в ее обязанности. Абигейл отвезет Натан или Бонни. Она по-прежнему забывала, что ее обязанности как матери Абигейл больше не востребованы. Жизнь с двумя детьми, которых нужно каждый день возить из дома, теоретически стала легче, но каждый раз, вспоминая о том, что она лишена обязанностей в отношении Абигейл, Мадлен испытывала острое чувство утраты.

Ее трясло от еле сдерживаемого гнева.

Мадлен подняла игрушечный световой меч Фреда, который тот оставил на полу. Утром об него кто-нибудь обязательно споткнулся бы. Мадлен нажала кнопку, и меч загорелся красным и зеленым. Она принялась размахивать мечом, как Дарт Вейдер, по очереди повергая каждого из своих врагов.

К черту тебя, Натан, за то, что украл у меня дочь!

К черту тебя за то, что помогала ему, Бонни!

К черту тебя, Рената, за эту мерзкую петицию!

К чертям тебя, мисс Барнс, за то, что не уследила за обидчиком крошки Амабеллы!

Мадлен тотчас же пожалела, что проклинает бедную очаровательную мисс Барнс, и поспешно продолжила по списку.

К черту тебя, Саксон Бэнкс, за то, что ты сделал с Джейн, мерзкий, мерзкий тип! Она с такой силой махнула световым мечом над головой, что он ударился о подвесной светильник и тот закачался.

Мадлен бросила световой меч на диван и придержала светильник.

Ладно. Хватит забавляться со световым мечом. Она представила себе реакцию Эда, если бы он застал ее за этим занятием.

Она вернулась на кухню и взяла айпад. Она сыграет в какую-нибудь успокаивающую игру типа «Растения против зомби». Важно было не потерять квалификацию. Ей нравилось, когда, заглядывая ей через плечо и видя, что она перешла на новый уровень и получила новое фантастическое оружие против зомби, Фред говорил: «Мам, это потрясающе!»

Сначала она по-быстрому заглянет в записи Абигейл в «Фейсбуке» и «Инстаграме». Когда Абигейл жила дома, Мадлен, послушная долгу хорошей, ответственной матери, время от времени проверяла присутствие дочери в Интернете. Но теперь она делала это, скорее, по привычке. Получалось, что она шпионит за собственной дочерью, выискивая обрывки сведений о ее жизни.

Абигейл изменила свою картинку в Интернете. Это была ее фотография в полный рост — лицом к камере она сидит в позе йога, руки молитвенно сложены, одна тонкая нога упирается в колено другой, волосы падают на одно плечо. Красивая счастливая девушка. Можно сказать, сияющая.

Только весьма эгоистичная мать стала бы обижаться на Бонни за то, что та приобщила ее дочь к прекрасным моментам жизни.

Мадлен, наверное, самая эгоистичная из матерей.

Может быть, Мадлен следует заняться йогой, чтобы у них с Абигейл появилось что-то общее? Но всякий раз, пробуя заняться йогой, Мадлен ловила себя на том, что про себя повторяет собственную мантру: *Мне так ску-учно, мне так ску-учно*.

Она просмотрела комментарии подружек Абигейл. Все они были дружественными, но потом она наткнулась на комментарий Фреи, подруги Абигейл, которую Мадлен всегда недолюбливала. Одна из тех вредных подружек. Фрея написала:

Это тот снимок, который тебе пригодится в «проекте»?
Или тебе здесь не хватает сексуальности/порочности?

Сексуальность/порочность? У Мадлен затрепетали ноздри. О чем пишет эта маленькая паршивка Фрея? Что за «проект» потребовал от Абигейл сексуальности и порочности? Похоже, этот «проект» необходимо закрыть.

Так обстоит дело с мутным миром Интернета. Плаваешь в киберпространстве, походя узнавая о том о сем, и вдруг натыкаешься на что-то отталкивающее и уродливое. Она вспомнила о своих ощущениях, когда увидела на экране компьютера лицо Саксона Бэнкса. Вот что получается, когда шпионишь.

Абигейл ответила на комментарий Фреи:

Ш-ш-ш! Совершенно секретно!!!

Ответ был послан пять минут назад. Мадлен взглянула на часы. Было около полуночи! Она всегда настаивала, чтобы Абигейл рано ложилась накануне занятий с репетитором по математике, потому что в противном случае ее приходилось силком вытаскивать из постели, потом она не могла нормально заниматься, а значит, деньги тратились впустую.

Она послала ей сообщение:

Привет! Чем ты так поздно занимаешься? У тебя завтра репетитор! Ложись спать! Целую, мама.

Когда Мадлен нажала на клавишу «отослать», у нее сильно забилось сердце. Но она мать Абигейл! За ней сохраняется право велеть дочери ложиться спать.

Абигейл ответила сразу же:

Папа отменил репетитора. Он собирается сам со мной заниматься. Сама ложись спать! Целую.

— Он — что? — обратилась Мадлен к экрану ноутбука. — Что, блин, он сделал?

Натан отменил репетитора по математике. Принял одностороннее решение по поводу образования Абигейл. Это сделал тот самый человек, который уклонился от школьных пьес, и от встреч родителей с учителями, и от спортивных праздников, и от подготовки застенчивой пятилетней малышки к представлению, и от выполнения проектов на больших листах картона, и от заданий, которые требовалось представить для первого входа в Интернет, и от домашних заданий, о которых вспоминали только поздно вечером, и от экзаменационных волнений, и от встречи с той милой учительницей, на которой были какие-то нелепые украшения и которая много лет назад сказала, что у Абигейл всегда будут проблемы с математикой, поэтому оказывайте ей всю необходимую помощь.

Как он ПОСМЕЛ?

Дрожа от справедливого негодования и ни на секунду не задумавшись, Мадлен набрала номер Натана. Ждать до утра она никак не могла. Чтобы голова не лопнула, ей надо накричать на него сейчас, прямо сейчас.

Он невнятно ответил сонным удивленным голосом:

— Алло?

— Ты отменил репетитора Абигейл по математике? Отменил, даже не посоветовавшись со мной?

Повисло молчание.

— Натан? — резко произнесла Мадлен.

Она услышала, как он откашливается.

— Мэдди. — Судя по голосу, он вполне проснулся. — Ты звонишь в полночь только для того, чтобы поговорить о репетиторе Абигейл?

Теперь он говорил совершенно другим тоном, чем это бывало прежде. На протяжении многих лет взаимодействие с Натаном напоминало ей общение с вкрадчивым, услужливым торговцем, работающим лишь за комиссию. Теперь, когда у него жила Абигейл, он решил, что стал ровней Мадлен. Теперь ему можно было не смущаться. Он позволял себе раздражаться. Он становился обыкновенным бывшим мужем.

— Мы все спим, — продолжал он. — Неужели нельзя было подождать до утра? Скай и Бонни обе очень легко...

— Вы спите не все! — возразила Мадлен. — Твоя четырнадцатилетняя дочь бодрствует и сидит в Интернете! Вы хоть как-то контролируете ее? Ты имеешь хоть малейшее представление о том, что она сейчас делает?

Мадлен слышала тихие мелодичные интонации Бонни, которая что-то шептала мужу.

— Сейчас пойду проверю ее, — произнес Натан более примирительным тоном. — Я думал, она спит. И послушай, толку от этого репетитора не было никакого. Он просто мальчишка. Я справлюсь лучше его. Но ты права. Конечно, я должен был посоветоваться с тобой. Я и собирался поговорить с тобой, но просто забыл.

— Этот репетитор добивался хороших результатов, — сказала Мадлен.

Поначалу Абигейл пробовала заниматься с двумя другими репетиторами, и только позже Мадлен нашла Себастьяна. Парень добивался таких хороших результатов, что ученики записывались к нему в лист ожидания. Мадлен упросила его втиснуть Абигейл в свой график.

— Ничего подобного, — возразил Натан. — Но давай поговорим об этом, когда я не буду таким сонным.

— Замечательно. Буду с нетерпением ждать. Но можно попросить тебя, чтобы ты сообщал мне о любых изменениях, которые внесешь в расписание Абигейл? Просто любопытно.

— Я вешаю трубку, — сказал Натан и дал отбой.

Мадлен с силой швырнула мобильник в стену, и он отскочил, упав на пол прямо у ее ног, посверкивая осколками разбившегося дисплея.

* * *

Стью. Послушайте, по-моему, бедный старина Натан не такой уж плохой парень. Я изредка видел его в школе. Там всегда полно женщин, и бóльшую часть времени они болтают друг с другом, так что трудно вставить и словечко. Поэтому я всегда предпочитаю разговаривать с отцами. Помню, однажды утром мы с Натаном что-то мирно обсуждали, и тут входит Мадлен на высоких каблуках, — боже правый, если бы взглядом можно было убить!

Габриэль. Я не в силах была бы жить в одной округе с бывшим мужем. Если бы наши дети ходили в одну школу, я, пожалуй, в конце концов убила бы его. Не понимаю, почему они решили, что у них получится. Это было безумием.

Бонни. Никакое это не безумие. Мы хотели быть как можно ближе к Абигейл, и потом, нам удалось найти подходящий дом в этой округе. Что в этом такого плохого?

Глава 49

За пять дней до вечера викторин

Было утро понедельника, как раз перед звонком, и Джейн шла из школьной библиотеки, куда она вернула две книги, забытые Зигги с прошлой недели. Она оставила его на детской площадке, где он с удовольствием лазал по лесенкам вместе с близнецами и Хлоей. По крайней мере, Мадлен и Селеста не запрещали своим детям играть с Зигги.

Сдав книги, Джейн осталась в школе, чтобы помочь учительнице в проверке умения детей читать. В понедельник утром они с отцом Лили, Стью, были волонтерами от родителей.

Выйдя из библиотеки, она заметила двух Модных Стрижек, стоящих у музыкального класса и погруженных в важный, конфиденциально-громогласный разговор.

Джейн услышала, как одна из них сказала:

— Кто эта мать?

Другая ответила:

— Она привлекает всеобщее внимание. И она очень молодая. Рената приняла ее за няню.

— Постой, постой! Я ее знаю! Она причесывается вот так, верно? — Модная Стрижка отвела свои белокурые волосы назад, изобразив тугой конский хвост, и в этот момент встретилась взглядом со взглядом Джейн, отчего глаза ее округлились. Она быстро опустила руки, как ребенок, пойманный за шалостью.

Другая женщина, стоявшая к Джейн спиной, продолжала говорить:

— Да! Это она! Ну, очевидно, ее ребенок, этот Зигги, втихаря обижал бедную крошку Амабеллу. Я говорю какие-то жуткие вещи — что? — (Первая Модная Стрижка суетливо задергала головой.) — В чем дело? Ой!

Женщина обернулась и увидела Джейн. Ее лицо порозовело.

— С добрым утром! — сказала она.

Обыкновенно родитель, стоящий столь высоко в иерархии школьных родителей, рассеянно улыбнулся и одарил бы царственным кивком проходящего мимо человека из толпы, каковым являлась для них Джейн.

— Привет, — откликнулась Джейн.

Женщина прижимала к груди планшет. Она неожиданно опустила руки и отвела их назад, в точности как ребенок, который прячет за спиной утащенное лакомство.

Это петиция, подумала Джейн. Значит, ее подписывают не только родители детей из подготовительного класса. Вовлекаются также родители детей других классов. Родители, не знающие ее и Зигги и вообще не знающие ничего об этом деле.

Джейн прошла мимо женщин. Протянув руку к стеклянной двери, ведущей на игровую площадку, она остановилась. Все ее тело пронизало ревущее, восходящее ощущение, как будто она превращалась во взмывающий в небо самолет. Она вспомнила презрительную интонацию, с которой та женщина произнесла имя Зигги. И вспомнила Саксона Бэнкса, который, щекоча ей ухо своим дыханием, произнес: «Ни разу в жизни тебе не приходила в голову оригинальная мысль, так ведь?»

Джейн развернулась. Подошла к женщинам и встала прямо перед ними. Комично округлив глаза, женщины мелкими шажками попятились назад. Все три были почти одного роста. Все они были матерями. Но у Модных Стрижек были мужья, свои дома и абсолютная уверенность относительно своего места в мире.

— Мой сын никогда никого не обижал, — проговорила Джейн и вдруг поняла, что это правда.

Он Зигги Чепмен. И не имеет никакого отношения к Саксону Бэнксу. И не имеет отношения к папочке, ее деду. Даже не имеет отношения к ней. Он просто Зигги, и она не все знает про Зигги, но это она знает точно.

— О, дорогая, мы все там были! И мы вам сочувствуем! Ситуация просто ужасная, — начала Модная Стрижка с планшетом. — Как долго вы разрешаете ему смотреть телевизор? Оказалось, что ограничивать это время на самом деле...

— Он никогда никого не обижал, — повторила Джейн.

Потом повернулась и ушла.

* * *

Теа. Так вот, за неделю до вечера викторин Джейн заговорила с Триш и Фионой, когда те были увлечены беседой. Они сказали, что она повела себя очень странно, настолько странно, что они стали думать, а нет ли у нее проблем с психикой.

* * *

Джейн пришла на игровую площадку странно умиротворенная. Может быть, ей стоит поучиться у Мадлен. Она больше не будет избегать конфронтации. Надо смело подходить к недоброжелателям и, не смущаясь, говорить им то, что думаешь.

Мимо нее прошла девочка из первого класса.

— Сегодня я заказываю себе обед.

— Повезло тебе, — сказала Джейн.

Вот еще почему ей так нравилось бродить по школьной игровой площадке — простодушное щебетание детей, которые готовы рассказать обо всем, что приходит в голову.

— Я не должна была заказывать себе обед, потому что сегодня не пятница, но утром моего маленького брата ужалила пчела, и он визжал, а сестра разбила стакан, и мама сказала: «Я схожу с ума!» — Для наглядности девчушка приложила ладони к голове. — А потом мама сказала, что я могу заказать себе обед, но без сока, зато можно взять пряничного человечка, правда не шоколадного. Пчелы умирают после того, как ужалят, вы это знали?

— Знала, — сказала Джейн. — Это последнее, что они делают.

— Джейн! — Подошла мисс Барнс с бельевой корзиной, заполненной маскарадными костюмами. — Спасибо, что пришли сегодня!

— Гм. Не за что, — ответила Джейн.

Она занималась этим каждый понедельник с начала учебного года.

— Хочу сказать, в свете, знаете, последних событий. — Мисс Барнс поморщилась и переместила корзину к себе на бедро. Подойдя ближе к Джейн, она понизила голос. — Я больше ничего не слышала про петицию. Миссис Липман говорила родителям, подписавшим петицию, что она хочет, чтобы это прекратилось. Кроме того, она назначила мне в помощь педагога, который будет только наблюдать за детьми, и в особенности за Амабеллой и Зигги.

— Отлично, — сказала Джейн. — Но я уверена, петиция по-прежнему ходит по рукам.

Она чувствовала, что из всех углов игровой площадки за ней и мисс Барнс наблюдают чьи-то глаза. Казалось, каждый родитель тайком следит за ее разговором с мисс Барнс. Вот, наверное, как чувствует себя знаменитость.

Мисс Барнс вздохнула:

— Я заметила, в пятницу вы оставили Зигги дома. Надеюсь, вас не устрашила эта тактика.

— Некоторые родители не разрешают детям играть с Зигги, — сказала Джейн.

— Боже правый!

— Угу, так что я тоже составила петицию, — начала Джейн. — Хочу, чтобы исключили всех детей, которые не хотят играть с Зигги.

На миг лицо мисс Барнс застыло от ужаса. Но потом она расхохоталась, откинув голову назад.

* * *

Харпер. Да, пусть в школе говорят, что они всерьез воспринимают эту ситуацию, но вот я вижу, как Джейн и мисс Барнс, стоя на игровой площадке, покатываются со смеху! Откровенно говоря, меня это просто возмутило. Это было в то же утро, что и нападение. Да, я не побоюсь слова «нападение».

Саманта. Нападение? Да не может быть!

Глава 50

Чтение с родителями проводилось на игровой площадке. В тот день Джейн расположилась в Черепашьем уголке, названном так из-за гигантской бетонной черепахи, сидящей в центре песчаной площадки. Взрослому и ребенку можно было уютно устроиться на черепашьей шее. Мисс Барнс принесла две подушки и одеяло, чтобы закрыть им колени.

Джейн нравилось слушать, как читают дети: наблюдать, как они хмурятся, произнося слово, с ликованием распутывают слоги, неожиданно хохочут над прочитанным, делают спонтанные, необычные замечания. Сидя на черепахе, когда лицо ее освещалось солнцем, под ногами шуршал песок, а на горизонте сверкало море, Джейн почувствовала себя в отпуске. Пирриви была чудесной маленькой школой, и мысль о том, что придется забрать Зигги и начать в другом месте без Черепашьего уголка или мисс Барнс, наполняла сердце Джейн сожалением и обидой.

— Прекрасно читаешь, Макс! — похвалила она, еще раз удостоверившись в том, что это Макс, а не Джош, который только что окончил чтение «Сюрприза ко дню рождения обезьянки».

Мадлен научила ее хитрости, как различать мальчишек Селесты: надо искать родинку в форме землянички на лбу Макса. «Я называю его про себя „меченый Макс“», — говорила Мадлен.

— Ты читал очень выразительно, Макс, — сказала Джейн, хотя не была в этом уверена.

Родителей просили пытаться найти что-нибудь особенное, за что можно похвалить каждого ребенка.

— Ага, — невозмутимо произнес Макс.

Соскользнув с шеи черепахи, он уселся, скрестив ноги, на песок и принялся копать.

— Макс, — позвала Джейн.

Макс театрально вздохнул, вскочил на ноги и вдруг помчался в сторону классной комнаты, комично молотя руками и ногами, как герой мультика, пытающийся спастись бегством. Оба близнеца, по мнению Джейн, бегали невероятно быстро для пятилеток.

Джейн вычеркнула его имя из списка и посмотрела, кого мисс Барнс посылает к ней следующим. Это была Амабелла. Пока она шла по игровой площадке к Джейн с книгой в руке, опустив кудрявую головку, Макс едва не столкнулся с ней.

— Привет, Амабелла! — радостно встретила ее Джейн.

Твоя мама и ее подруги просят исключить Зигги, потому что считают, что он обижает тебя, милая! Как думаешь, сможешь ты мне рассказать, что происходит на самом деле?

С тех пор как Джейн занялась чтением с детьми, она привязалась к Амабелле. Это была застенчивая девчушка с серьезным ангельским личиком. Не любить ее было невозможно. Иногда у нее с Джейн происходили интересные разговоры о прочитанных вместе книгах.

Разумеется, она ни слова не скажет Амабелле о том, что происходит с Зигги. Это будет неуместно. Это будет неправильно.

Разумеется, она ничего не скажет.

* * *

Саманта. Не поймите меня неправильно, я люблю мисс Барнс. Любой человек, который дни напролет занимается пятилетними детьми, заслуживает медали, но все же я думаю, что не самым разумным было позволить в тот день Амабелле читать для Джейн.

Мисс Барнс. Это было ошибкой. Я человек и совершаю ошибки. Это называется человеческим фактором. Эти родители считают меня автоматом и требуют компенсации всякий раз, как педагог совершает ошибку. И послушайте, я не хочу сказать ничего плохого про Джейн, но в тот день она тоже чувствовала себя не в своей тарелке.

* * *

Амабелла читала Джейн отрывок из книги о Солнечной системе. Это была книга высшего уровня для детей из подготовительного класса, и, как обычно, Амабелла читала бегло и с безупречным выражением. Единственно полезное, что могла сделать Джейн, — это прервать чтение и задать девочке вопросы по содержанию, но сегодня Джейн было трудно проявлять интерес к Солнечной системе. Она была в состоянии думать только о Зигги.

— Какая, по-твоему, будет жизнь на Марсе? — спросила она наконец.

Амабелла подняла голову:

— Жизнь будет невозможна, потому что мы не сможем дышать в такой атмосфере — в ней слишком много углекислого газа, и там слишком холодно.

— Правильно, — сказала Джейн, хотя фактически, чтобы не сомневаться, следовало бы заглянуть в Интернет.

Вполне возможно, что Амабелла уже сейчас умнее ее.

— К тому же там будет одиноко, — немного помолчав, добавила Амабелла.

Почему смышленая девчушка вроде Амабеллы не говорит правды? Если это Зигги, почему бы ей просто не сказать об этом? Почему не нажаловаться на него? Это так странно. Дети обычно любят ябедничать.

— Милая, ты ведь знаешь, что я мама Зигги, да? — спросила Джейн, и Амабелла с готовностью кивнула. — Зигги обижает тебя? Потому что, если да, я хочу об этом знать и обещаю тебе, что он никогда больше не станет этого делать.

Глаза Амабеллы моментально наполнились слезами, нижняя губа задрожала. Она уронила голову.

— Амабелла, это был Зигги? — напрямик спросила Джейн.

Девочка произнесла что-то, чего Джейн не расслышала.

— Что ты сказала?

— Это не был... — начала Амабелла, но потом ее лицо сморщилось. Она заплакала всерьез.

— Это не был Зигги? — в порыве отчаянной надежды спросила Джейн. Ей захотелось встряхнуть Амабеллу, потребовать, чтобы ребенок сказал правду. — Ты сказала, это был не он?

— Амабелла! Амабелла, детка! — У края площадки стояла Харпер с коробкой апельсинов для столовой.

Вокруг ее шеи был туго завязан белый шарф, и создавалось впечатление, что ее душат. Впечатление усиливалось от того, что ее длинное, обвисшее лицо побагровело от злости. — В чем дело? — Она плюхнула коробку себе под ноги и направилась к ним по песку. — Амабелла! — позвала она. — Что происходит?

Харпер как будто не замечала Джейн или принимала ее за ребенка.

— Все в порядке, Харпер, — холодно произнесла Джейн. Обняв одной рукой Амабеллу, она указала на место за спиной Харпер. — Ваши апельсины разбежались.

Черепаший уголок размещался на небольшом пригорке, и коробка Харпер опрокинулась набок. Водопад из апельсинов низвергся по игровой площадке к тому месту, где Стью, сидя у стены с морскими звездами, слушал, как читает другой ребенок.

Харпер не сводила глаз с Амабеллы, продолжая нарочито игнорировать Джейн, и это могло бы вызвать смех, если бы не было таким оскорбительным.

— Пойдем со мной, Амабелла, — протягивая ей руку, сказала Харпер.

Амабелла шмыгнула носом. Сопли текли у нее из носа прямо в рот, как это часто бывает у детей. Вид у девочки был не слишком привлекательный.

— Я пока еще здесь, Харпер! — воскликнула Джейн, вытаскивая из кармана жакета пачку носовых платков. Это возмутительно. Останься она с Амабеллой на минуту подольше, и ей удалось бы вытянуть из нее важную информацию. Джейн поднесла платок к носу девочки. — Высморкайся, Амабелла.

Амабелла послушно высморкалась. Харпер наконец взглянула на Джейн:

— Вы явно ее расстроили! Что вы ей говорили?

— Ничего! — в ярости ответила Джейн, и чувство вины от желания встряхнуть девочку лишь усилило ее злость. — Почему бы вам не пойти и не собрать еще подписей для вашей омерзительной петиции?

Голос Харпер поднялся до крика.

— О да, хорошая идея, и оставить вас здесь, чтобы вы продолжали наезжать на беззащитную малышку! Какая мать, такой и сын!

Джейн встала с черепахи и пнула ногой песок, с трудом удержавшись, чтобы не швырнуть его в лицо Харпер.

— Не смейте говорить о моем сыне!

— А вы не пинайте меня! — проорала Харпер.

— Я вас не пинала! — проорала Джейн в ответ, удивляясь силе своего голоса.

— Какого лешего!..

Это был Стью, одетый в голубой комбинезон водопроводчика. Он прижимал к себе пригоршню апельсинов, подобранных на площадке. Рядом с ним стоял маленький мальчик, с которым они вместе читали. Мальчик держал по апельсину в каждой руке и огромными, как блюдца, глазами, смотрел на двух орущих матерей.

В этот момент раздался пронзительный вопль. Кэрол Куигли, которая с флаконом моющего средства в руке спешила из музыкального класса, споткнулась об апельсин и сильно шмякнулась задом об землю.

* * *

Кэрол. По сути дела, я сильно ушибла копчик.

Глава 51

Габриэль. А еще я слышала, что Харпер обвиняет Джейн в нападении на нее в Черепашьем уголке, но это представляется маловероятным.

Стью. Харпер держалась запальчиво, как настоящая мегера. Не похоже было, что на нее напали. Ну, не знаю. Я как раз получил вызов по поводу прорыва водопровода. У меня не было времени разбираться с двумя мамашами, устроившими потасовку на детской площадке.

Теа. И тогда родители решили обратиться в отдел образования.

Джонатан. Что, очевидно, привело в шок миссис Липман. По-моему, у нее к тому же был день рождения. Бедная женщина.

Миссис Липман. Повторю снова: мы не могли исключить Зигги Чепмена. Единственный раз, когда его обвинили в плохом поведении, был в ознакомительный день, когда он даже не был еще учеником. После этого просто стали появляться домыслы родителей. Понятия не имею, что произошло в мой день рождения. Это не имеет к делу никакого отношения.

Мисс Барнс. Те родители просто ненормальные. Как мы могли исключить Зигги? Он был образцовым учеником. Никаких проблем с поведением. Я ни разу не сажала его на «стул для провинившихся». Фактически не могу вспомнить, чтобы я ставила ему красную точку! И он определенно никогда не получал желтой карточки. Не говоря уже о белой.

За день до вечера викторин

По пятницам Мадлен работала, и это означало, что она чаще всего пропускала утренние школьные собрания. Если один из детей участвовал в представлении или получал награду, то в школе появлялся Эд. Сегодня, однако, Хлоя уговорила Мадлен прийти, потому что подготовительный класс собирался декламировать «Зубной врач и Крокодил» и Хлоя должна была самостоятельно произнести одну строчку.

Кроме того, класс Фреда впервые должен был играть на блок-флейтах. Они собирались сыграть для миссис Липман «С днем рождения!». По школе ходили слухи, что миссис Липман исполняется шестьдесят, но никто не знал наверняка.

Мадлен решила пойти на собрание, а потом остаться на работе подольше в понедельник вечером. Обычно она так не делала, потому что возила Абигейл на баскетбольные занятия, а Эд в это время отвозил малышей на занятия по плаванию.

— Вероятно, Абигейл не надо больше ходить на тренировки по баскетболу, — сказала она Эду, когда они вышли из машины со стаканчиками кофе в руках. Отправив детей в школу, они заскочили в «Блю блюз», где Том получал сумасшедший доход от родителей школы Пирриви, которым необходим был кофеин, для того чтобы выдержать исполнение на блок-флейтах на школьном собрании. — Может быть, теперь ее тренирует Натан.

Эд сдержанно хмыкнул, опасаясь, что она опять начнет разглагольствовать по поводу отмены репетитора по математике. Ее муж был терпеливым человеком, но она заметила, как стекленели его глаза, когда она долго говорила о трудностях Абигейл с алгеброй и о том, что Натан никогда не помогает дочери с заданиями по математике и поэтому понятия не имеет, насколько у нее плохи дела с математикой; да, правда, Натан разбирается в математике, но это не означает, что он может учить, и так далее, и так далее.

— Утром мне пришло письмо по электронке от Джой, — запирая машину, сказал Эд. Джой была редактором местной газеты. — Она хочет, чтобы я написал о школьных событиях.

— Что? Вечер викторин? — без интереса спросила Мадлен.

Эд часто писал для местной газеты короткие статьи о школьных мероприятиях по сбору средств. Ей было видно, как улицу переходят Перри с Селестой, а затем идут к школе. Они держались за руки, как прекрасная влюбленная пара, каковыми и были. Перри шел чуть впереди, словно защищая Селесту от машин.

— Нет, — осторожно произнес Эд. — Запугивание. Петиция. Джой говорит, тема запугивания — одна из самых актуальных.

— Тебе нельзя об этом писать! — Мадлен резко остановилась посредине дороги.

— Уйди с дороги, идиотка несчастная. — Эд схватил ее за локоть, когда мимо них промчалась машина. — Однажды мне придется написать статью о трагедии на этой дороге.

— Не пиши об этом, Эд, — попросила Мадлен. — От этого пострадает репутация школы.

— Знаешь, я все еще журналист, — сказал Эд.

Прошло уже три года, с тех пор как Эд оставил более напряженную, более квалифицированную работу с большей занятостью и лучшей оплатой в «Австралийце», с тем чтобы Мадлен смогла вернуться на работу и они смогли разделить между собой родительские обязанности. Он никогда не жаловался на монотонную работу в местной газете, с энтузиазмом посещал сёрферские карнавалы и торжества, а также празднования столетних юбилеев в местном доме престарелых. Казалось, его обитатели хорошо сохранялись в морском воздухе. Сейчас он впервые намекнул на то, что не совсем удовлетворен своей работой.

— Это подходящая история, — сказал Эд.

— Нет, не подходящая! — возразила Мадлен. — Ты ведь знаешь, что история неподходящая!

— Что за неподходящая история? Добрый день, Эд. Мадлен, рады тебя видеть.

Они поравнялись с Перри и Селестой. Перри был в превосходно сидящем костюме и в галстуке, наверняка итальянском. Стоит больше, подумала Мадлен, всего гардероба Эда, включая и шкаф. Когда Перри наклонился поцеловать ее, она успела провести кончиками пальцев по шелковистой ткани его рукава и вдохнуть аромат лосьона после бритья.

Интересно, а каково это — быть замужем за мужчиной, который так хорошо одевается? Она смогла бы наслаждаться всеми этими прелестными тканями и оттенками, мягкостью галстука, плотностью рубашки. Разумеется, Селеста, которая не слишком интересуется одеждой, наверное, даже не замечает разницы между Перри и взъерошенным, небритым Эдом, одетым в зеленоватую флисовую куртку поверх футболки. Но, глядя на беседующих Эда и Перри, Мадлен ощутила волну любви к Эду, хотя за секунду до этого злилась на него. Это имело какое-то отношение к искренней заинтересованности, с какой он слушал Перри, и к его заросшим щетиной щекам в противовес гладкой челюсти Перри.

Да. Она с несравненно большей радостью поцелует Эда. В этом ей повезло.

— Не опаздываем? Мы по-быстрому высадили мальчишек, потому что не было места для парковки, — сказала Селеста в своей обычной возбужденной манере. — Мальчики очень рады, что Перри услышит, как они декламируют стихи.

— Не опаздываем, — откликнулась Мадлен.

Она подумала, а не сказала ли Селеста Перри о том, что его кузен может оказаться отцом Зигги. Она бы Эду точно сказала.

— Ты виделась с Джейн? — словно прочитав ее мысли, спросила Селеста.

Перри с Эдом шли немного впереди.

— Ты рассказала ему?.. — Понизив голос, Мадлен кивнула в сторону Перри.

— Нет! — прошептала Селеста. На ее лице отразился ужас.

— Во всяком случае, Джейн сейчас здесь нет, — сказала Мадлен. — Помнишь, она пошла кое-куда. — У Селесты был озадаченный вид. Мадлен понизила голос: — Ты ведь знаешь, прием у врача.

Джейн умоляла их не распространяться о предстоящем визите к психотерапевту, к которому Джейн записала Зигги. «Если люди узнают, что я веду его к психотерапевту, то посчитают это доказательством того, что он сделал что-то дурное».

— О да, конечно. — Селеста постучала пальцем себя по лбу. — Забыла.

Перри замедлил шаг, и Мадлен с Селестой поравнялись с мужчинами.

— Ну, Эд только что рассказал мне об этих разногласиях по поводу запугивания, — сказал Перри. — Это дочка Ренаты Клейн? Эту девчушку запугивают? — Он обратился к Мадлен. — Я знаком с Ренатой по работе.

— Правда? — спросила Мадлен, хотя уже знала об этом от Селесты.

Надежней, чтобы мужья были в неведении относительно информации, которой обмениваются их жены.

— Так, если Рената попросит, следует ли мне подписать эту петицию? — поинтересовался Перри.

Мадлен выпрямилась, готовая пойти в атаку за Джейн, но первой заговорила Селеста:

— Перри, если ты подпишешь эту петицию, я уйду от тебя.

Мадлен рассмеялась со смущенным удивлением. Предполагалось, что это шутка, но Селеста произнесла ее совершенно серьезно.

— Сильно сказано, приятель! — заметил Эд.

— Это точно, — сказал Перри, обнимая Селесту и прижимаясь губами к ее лбу. — Начальница приказывает.

Но Селеста так и не улыбнулась.

* * *

ВСЕМ РОДИТЕЛЯМ
От: ВАШЕГО ОБЩЕСТВЕННОГО КОМИТЕТА

Долгожданный ВЕЧЕР ВИКТОРИН «ОДРИ И ЭЛВИС» начнется завтра в 7 часов вечера в школьном актовом зале. Включите свое воображение и будьте готовы веселиться весь вечер! СПАСИБО папе ученика второго класса Бретту Ларсону, который будет нашим ведущим на вечере. Чтобы мы не скучали, Бретт подготовил несколько хитрых головоломок.

Загадайте, чтобы прогноз погоды не оправдался (вероятность дождя 90%, но что они вообще знают?) и мы смогли бы перед вечеринкой насладиться коктейлями и канапе на нашей прекрасной террасе.

БЛАГОДАРИМ также наших щедрых местных спонсоров! Среди выигрышей в лотерее есть ВОСХИТИТЕЛЬНАЯ МЯСНАЯ ЗАКУСКА, любезно предоставленная нашими друзьями из замечательной фирмы «Идеальное мясо Пирриви», изысканный ЗАВТРАК ДЛЯ ДВОИХ в «БЛЮ БЛЮЗ» (мы любим тебя, Том!), а также МЫТЬЕ ГОЛОВЫ И СУШКА ВОЛОС в салоне «РАЙСКАЯ ЖИЗНЬ»! ВАУ!

Помните, что все собранные средства пойдут на покупку интерактивных досок для обучения наших ребятишек!

Обнимаем! Ваш общественный комитет: Фиона, Грейс, Эдвина, Ровена, Харпер, Холли и Элен!

ххххххх

P. S. Миссис Липман призывает быть внимательными к нашим соседям и стараться сильно не шуметь, когда все будут расходиться.

Глава 52

Саманта. Накануне вечера викторин я была на школьном собрании и слушала, как дети из подготовительного класса декламируют стихи. Я заметила, что все сторонники Ренаты сидят с одной стороны, а сторонники Мадлен — с другой, совсем как на свадьбе. Я посмеялась про себя.

* * *

Школьные вечера в Пирриви всегда долго начинались и долго заканчивались. Единственное, что не вызывало досады, — это расположение. Школьный актовый зал находился на втором этаже. Стеклянные раздвижные двери вели на просторную террасу, идущую вдоль одной стороны здания. Оттуда открывался восхитительный вид на море. Сегодня все двери были раздвинуты, и в зал врывался чистый осенний воздух. При закрытых дверях в зале становилось душновато — пукающие дети, надушенные Модные Стрижки и их щедро политые одеколоном мужья.

Мадлен смотрела на вид из окон и старалась настроиться на позитивный лад. Она испытывала легкое раздражение, а это означало, что назавтра у нее будет пик ПМС. Не дай бог на вечере викторин кто-нибудь попадет ей под горячую руку.

— Привет, Мадлен, — сказала Бонни. — Привет, Эд.

Она уселась на пустой стул у прохода рядом с Мадлен, принеся с собой раздражающий аромат пачулей.

Мадлен почувствовала, как ей на колено легла ладонь Эда, который старался успокоить ее.

— Привет, Бонни, — бросив взгляд через плечо, мрачно произнесла Мадлен. Неужели нет других свободных стульев? — Как дела?

— Отлично, — ответила Бонни.

Она перекинула косу через белое плечо с россыпью мелких темных родинок. Даже плечо Бонни казалось Мадлен каким-то чуждым.

— Тебе не холодно? — поежилась Мадлен.

На Бонни был топ без рукавов и штаны для занятий йогой.

— Я только что провела занятие по бикрам-йоге.

— Это ведь трудные занятия, верно? — спросила Мадлен. — У тебя свежий вид.

— Я приняла душ, — ответила Бонни. — Но глубинная температура тела у меня по-прежнему высокая.

— Простудишься, — сказала Мадлен.

— Не простужусь, — откликнулась Бонни.

— Простудишься, — повторила Мадлен.

Она почувствовала, что сидящий слева Эд сдерживает смех, и сменила тему:

— Натан не пришел?

— Он работает. Я сказала ему, что вряд ли он много потеряет. Скай так боится выступления, что, пожалуй, спрячется за другими детьми. — Она улыбнулась Мадлен. — Не так, как твоя Хлоя.

— Не так, как моя Хлоя, — согласилась Мадлен.

По крайней мере, вы никогда не заберете от меня Хлою, как забрали Абигейл.

Ей казалось возмутительным, что эта незнакомка знает, что именно ела утром за завтраком ее дочь, а она сама не знает. И хотя Мадлен знала Бонни уже несколько лет и сотни раз вежливо разговаривала с ней, Бонни не казалась ей реальным человеком. Она представлялась Мадлен какой-то карикатурой. Невозможно было вообразить себе, что она делает какие-то обычные вещи. Сердится ли она когда-нибудь? Кричит ли? Хохочет до упаду? Слишком много ест? Слишком много пьет? Зовет кого-нибудь, чтобы принес ей туалетной бумаги? Теряет ключи от машины? Бывает ли она когда-нибудь просто человеческим существом? Она когда-нибудь перестанет говорить этим вкрадчивым мелодичным голосом гуру?

— Сожалею, что Натан не сказал тебе об отмене занятий по математике, — произнесла Бонни.

Не здесь, идиотка. Давай не будем обсуждать семейные дела, когда вокруг нас мамочки с ушками на макушке.

— Я говорила Натану, что нам надо еще много учиться общению, — продолжала Бонни. — Все это в процессе.

— Верно, — сказала Мадлен.

Эд чуть сильней надавил ладонью на ее колено. Мадлен посмотрела мимо него на Перри с Селестой, сидящих по другую сторону, с мыслью вступить в разговор с кем-нибудь еще, но Перри с Селестой, касаясь головами, как два влюбленных тинейджера, со смехом разглядывали что-то на телефоне Селесты. Та странная размолвка между ними по поводу подписания петиции, очевидно, ничего не значила.

Мадлен стала смотреть на переднюю часть зала, откуда доносился шум лихорадочной деятельности. Детей просили сесть на места, учителя возились со звуковой аппаратурой, а Модные Стрижки бегали повсюду с важным и занятым видом, как это бывало утром каждой пятницы.

— У Абигейл действительно вырабатывается общественное сознание, — сказала Бонни. — Поразительно, когда видишь это. Ты знаешь, что она работает над каким-то секретным благотворительным проектом?

— Меня это не волнует до тех пор, пока ее общественное сознание не встанет на пути школьных оценок, — сдержанным холодным тоном произнесла Мадлен, безоговорочно подтверждая свою репутацию ужасной родительницы-мизантропа. — Она хочет заниматься физиотерапией. Я говорила об этом с Самантой, мамой Лили. Саманта говорит, Абигейл нужна математика.

— На самом деле, похоже, она больше не хочет заниматься физиотерапией, — сказала Бонни. — Похоже, у нее развивается интерес к социальной работе. Думаю, она станет прекрасным социальным работником.

— Она будет ужасным социальным работником! — огрызнулась Мадлен. — Ей не хватает твердости. Пытаясь помочь людям, она погубит себя, будет чересчур глубоко вникать в их проблемы. Господи, это был бы совершенно неправильный выбор карьеры для Абигейл!

— Ты так думаешь? — как во сне, произнесла Бонни. — Ах, пока нет никакой спешки с принятием решения, так ведь? До тех пор она еще десять раз успеет передумать.

Мадлен принялась часто-часто выдыхать через рот, как это делают женщины в родах. Бонни пытается превратить Абигейл во что-то, чем она быть не может. От настоящей Абигейл ничего не останется. Дочь станет для Мадлен чужим человеком.

На сцену грациозно поднялась миссис Липман и молча встала перед микрофоном, сжав руки и милостиво улыбаясь, дожидаясь, когда заметят ее царственное присутствие. Одна из Модных Стрижек бросилась на сцену, что-то сотворила с микрофоном, а потом убежала. Тем временем один учитель шестого класса принялся отбивать ладонями легко запоминающийся ритмический мотивчик, который оказывал на детей магическое, гипнотическое действие. Дети немедленно переставали болтать, смотрели вперед и начинали отбивать тот же самый ритм. Дома это не действовало, Мадлен пробовала.

— Ах! — воскликнула Бонни под нарастающий шум хлопков. Она наклонилась и зашептала Мадлен на ухо, обдавая ее свежим мятным дыханием. — Чуть не забыла. Мы хотим пригласить тебя с Эдом и детей отпраздновать во вторник пятнадцатилетие Абигейл! Знаю, она будет рада увидеть всю семью. Как, по-твоему, не будет это неудобно?

Неудобно? Шутишь, Бонни, это будет чудесно, восхитительно! Мадлен будет гостьей на ужине в честь дня рождения дочери. Не хозяйкой. Гостьей. Натан будет предлагать выпивку. Когда они будут уезжать, Абигейл не поедет с ними в машине. Она останется там. Абигейл останется там, потому что это ее дом.

— Чудесно! Что нам привезти? — зашептала она в ответ, а сама положила руку на плечо Эда и сильно стиснула его.

Получалось, что разговор с Бонни действительно напоминает роды: боль все усиливалась и усиливалась.

Глава 53

— Зигги — очаровательный маленький мальчик, — сказала психотерапевт. — Очень толковый, уверенный в себе и добрый. — Она улыбнулась Джейн. — Он спрашивал, как я себя чувствую. Он первый клиент на этой неделе, заметивший, что я простужена.

Психотерапевт шумно высморкалась, словно для того, чтобы продемонстрировать, что она и в самом деле простужена. Джейн с нетерпением посмотрела на нее. Она не была такой милой, как Зигги. Ее совершенно не волновала простуда психотерапевта.

— Так, э-э, вы считаете, у него есть скрытая склонность к агрессии? — спросила Джейн со смешком, стараясь обратить все в шутку, хотя сама не считала это шуткой.

Вот поэтому они и пришли сюда. Поэтому она заплатила огромный гонорар.

Обе они посмотрели на Зигги, который играл в комнате, отделенной от кабинета стеклянной перегородкой, откуда он не мог их слышать. Они видели, как Зигги берет куклу, игрушку для ребенка младшего возраста. Представим себе, что Зигги вдруг стукнет куклу, подумала Джейн. Это будет вполне убедительно. Ребенок делает вид, что его беспокоит простуда психотерапевта, а потом ломает игрушки. Но Зигги лишь посмотрел на куклу, а потом положил ее на место, не заметив, что она соскользнула с угла стола и упала на пол. Это доказывало лишь, что он патологически небрежен.

— Нет, не считаю, — сказала психотерапевт.

Она замолчала. Нос у нее подергивался.

— Вы расскажете мне о том, что он говорил, да? — спросила Джейн. — Вы ведь не придерживаетесь конфиденциальности в отношении пациента?

— Апчхи! — Психотерапевт громко чихнула.

— Будьте здоровы, — нетерпеливо проговорила Джейн.

— Конфиденциальность пациента начинается только с четырнадцати лет, — шмыгая носом, сказала психотерапевт, — то есть с такого возраста, когда они рассказывают тебе всякую всячину, которой действительно хочется поделиться с их родителями. Вы понимаете, о чем я? Они занимаются сексом, принимают наркотики и так далее и тому подобное!

Да, да, маленькие детки — маленькие бедки.

— Джейн, я не думаю, что у Зигги есть склонность к агрессии, — сказала психотерапевт. Она дотронулась кончиками пальцев до своих покрасневших ноздрей. — Я напомнила ему об инциденте в ознакомительный день, и он четко ответил мне, что это был не он. Я бы очень удивилась, если бы он лгал. Если он лжет, то это самый совершенный лжец из тех, что я встречала. Откровенно говоря, Зигги не проявляет ни одного из классических признаков агрессивной личности. Он не самовлюбленный. И он определенно демонстрирует сочувствие и восприимчивость.

Джейн едва сдержала слезы облегчения.

— Если, конечно, он не психопат, — бодро произнесла психотерапевт.

Какого хрена?

— И в этом случае он может разыгрывать сочувствие. Психопаты часто бывают обаятельными. Но, — продолжила психотерапевт и снова чихнула. — О боже мой, — сказала она, вытирая нос. — Я думала, что иду на поправку.

— Но... — поторопила ее Джейн, понимая, что не выказывает никакого сочувствия.

— Но я так не думаю, — проговорила психотерапевт. — Не думаю, что он психопат. Мне определенно хотелось бы увидеть его еще раз. Скоро. Полагаю, он подвержен многим страхам. Наверняка он не все мне сегодня рассказал. Я совсем не удивлюсь, если окажется, что Зигги самого запугивают в школе.

— Зигги? — переспросила Джейн. — Запугивают?

Она ощутила внезапный прилив жара, словно у нее поднялась температура. Тело наполнилось энергией.

— Я могу ошибаться, — шмыгая носом, сказала психотерапевт. — Но я не удивлюсь этому. Полагаю, это словесное запугивание. Возможно, какой-нибудь дерзкий ребенок нашел его слабое место. — Она вынула из стоящей на столе коробки носовой платок. — А еще мы с Зигги разговаривали о его отце.

— Отце? — Джейн вздрогнула. — Но что...

— Он очень тревожится по поводу отца, — сказала психотерапевт. — Он считает, его отец может оказаться бойцом ударных частей, или, возможно, Джаббой Хаттом, или, в худшем случае, — психотерапевт не смогла сдержать широкой улыбки, — Дартом Вейдером.

— Вы шутите! — Джейн была несколько шокирована. К «Звездным войнам» Зигги приобщил сын Мадлен, Фред. — У него это не всерьез.

— Дети часто пребывают где-то между реальностью и фантазией, — возразила психотерапевт. — Ему всего лишь пять. В мире пятилетнего ребенка возможны любые вещи. Он все еще верит в Санта-Клауса и фею молочных зубов. Почему бы Дарту Вейдеру не быть его отцом? Но, по-моему, он скорее каким-то образом усвоил идею о том, что его отец... страшный и таинственный человек.

— Я полагала, что лучше справляюсь со своей задачей, — заметила Джейн.

— Я спросила, часто ли он говорит с вами об отце, и он сказал — да, но он понимает, что это вас расстраивает. Он был со мной очень суров и не хотел, чтобы я вас расстраивала. — Заглянув в свои записи, она подняла глаза. — Он сказал: «Пожалуйста, осторожно разговаривайте с мамой о папе, потому что у нее на лице появляется странное выражение».

Джейн прижала к груди ладонь.

— С вами все в порядке? — спросила психотерапевт.

— У меня на лице странное выражение? — удивилась Джейн.

— Немного, — ответила психотерапевт. Подавшись вперед, она понимающе взглянула на Джейн и спросила с откровенностью близкой подруги: — Догадываюсь, что отец Зигги был не таким уж хорошим парнем?

— Не таким уж, — ответила Джейн.

Глава 54

Перри вез Селесту домой после школьного собрания.

— У тебя есть время остановиться и выпить кофе? — спросила Селеста.

— Пожалуй, нет, — ответил Перри. — Много дел!

Она взглянула на его профиль. Казалось, он в полном порядке. Его мысли были сосредоточены на предстоящем дне. Она знала, что ему понравилось его первое школьное собрание, понравилось быть одним из школьных папаш, щеголять в корпоративной форменной одежде в некорпоративном мире. Ему нравилась роль папы, он даже наслаждался ею, разговаривая с Эдом в слегка ироничной манере и подсмеиваясь над этой ролью.

Все они хохотали, глядя на близнецов, которые носились по сцене в костюме огромного зеленого крокодила. Макс носил голову, а Джош — хвост. Когда мальчишки разбегались в разные стороны, зрителям то и дело казалось, что крокодила сейчас разорвет на две части. Перед тем как им уехать из школы, Перри сфотографировал мальчишек в костюме крокодила на террасе зала, на фоне океана. Потом он попросил Эда сфотографировать их вчетвером — мальчики выглядывают из-под костюма, Перри и Селеста сидят на корточках рядом с ними. Эти снимки попадут в «Фейсбук». Когда они шли к машине, Селеста видела, как он возится с телефоном. Какие там будут подписи? «Родились две звезды! Рок-н-ролл ужасного крока!» Что-то в этом роде.

— Увидимся на вечере викторин! — говорили все друг другу, уходя в тот день из школы.

Да, он в отличном настроении. Все должно быть хорошо. С тех пор как он вернулся из последней командировки, никаких размолвок между ними не было.

Но Селеста успела заметить в его глазах вспышку гнева, когда сказала, что уйдет от него, если он подпишет петицию по поводу исключения Зигги. Она хотела, чтобы он воспринял ее слова как шутку, но поняла, что этого не получилось и, должно быть, «шутка» поставила его в неловкое положение перед Мадлен и Эдом, которых он любил и которыми восхищался.

Что на нее нашло? Наверное, дело в квартире. Квартира была уже почти полностью обставлена, и в результате возможность ухода становилась реальной. Она постоянно спрашивала себя: «Уйду или нет? Конечно уйду, я должна. Конечно не уйду». Вчера утром она даже застелила кровати чистым бельем, находя в этом занятии странное умиротворяющее удовольствие и стараясь, чтобы постели выглядели привлекательными. Но вот посреди прошлой ночи Селеста проснулась в собственной постели, чувствуя на талии тяжесть руки Перри. Лениво крутился потолочный вентилятор, как это любил Перри, и она вдруг подумала о тех застеленных кроватях и ужаснулась, словно совершила преступление.

Как она могла предать мужа! Она сняла и обставила другую квартиру. Какой безумный, злонамеренный и эгоистичный поступок!

Может быть, угрожая Перри тем, что оставит его, она хотела признаться в содеянном, не в силах больше нести бремя своей тайны.

Разумеется, дело было еще и в том, что, думая о Перри или о ком-то еще, подписывающем петицию, Селеста приходила в ярость. Но в особенности о Перри. Он в долгу перед Джейн. Долг семейный — из-за того, что совершил его кузен. Мог совершить, напоминала она себе. Наверняка они не знают. Что, если Джейн не расслышала имени? Это мог быть Стивен Бэнкс, а вовсе не Саксон Бэнкс.

Зигги мог оказаться ребенком кузена Перри, который обязан ему по крайней мере своей лояльностью.

Джейн — подруга Селесты, и даже не будь она ею, ни один пятилетний ребенок не заслуживает того, чтобы община травила его.

Перри не поставил машину в гараж, а остановился на подъездной аллее у дома.

Селеста решила, что он не собирается в дом.

— Увидимся вечером, — сказала она и наклонилась, чтобы поцеловать его.

— На самом деле мне надо взять кое-что из письменного стола, — сказал Перри, открывая дверь машины.

Тогда она это почувствовала. Какой-то запах или изменение электрического заряда в воздухе. Это имело какое-то отношение к развороту его плеч, его отсутствующему взгляду и сухости в собственной гортани.

Он открыл перед ней дверь, вежливым жестом пропуская вперед.

— Перри, — обернувшись, быстро произнесла она, и он закрыл за ней дверь.

Но потом он схватил ее за волосы сзади и сильно, невероятно сильно потянул. Резкая боль пронизала голову, и глаза Селесты моментально наполнились невольными слезами.

— Если ты еще хоть раз так же унизишь меня, я убью тебя, на хрен, убью тебя! — Перри сжал ее волосы еще сильнее. — Как ты смеешь! Как смеешь! — Потом он отпустил ее.

— Прости меня, — сказала она. — Прости меня, пожалуйста.

Но, должно быть, она произнесла эти слова както не так, потому что он медленно шагнул вперед и взял ее лицо в ладони, словно собираясь нежно поцеловать.

— Не чувствую раскаяния, — сказал он и шмякнул ее головой об стену.

Расчетливая нарочитость содеянного показалась ей столь же шокирующей и нереальной, как и в первый раз, когда он ударил ее. Эта боль затрагивала не только тело, но и душу, и душа болела, как от измены любимого человека.

Все поплыло у нее перед глазами, словно она напилась.

Она соскользнула на пол.

Подступила тошнота, но ее не вырвало. У нее бывали позывы к рвоте, но ее никогда не тошнило.

Селеста услышала его удаляющиеся по коридору шаги. Она свернулась калачиком на полу, поджав колени к груди и обхватив руками невыносимо пульсирующую голову. Она вспомнила, как плачут и жалуются сыновья, когда ушибутся: «Больно, мама, ой как больно!»

— Сядь, — произнес Перри. — Милая, сядь.

Он опустился на корточки рядом с ней, усадил ее и осторожно приложил к ее затылку пакет со льдом, завернутый в кухонное полотенце.

Голову начало обволакивать приятной прохладой, и Селеста повернулась, вглядываясь затуманенными глазами в его лицо. Оно было смертельно бледным, с лиловатыми кругами под глазами. Черты его лица осунулись, словно его терзала какая-то ужасная болезнь. Он всхлипнул. Нелепый, безысходный звук, как будто животное попало в капкан.

Она повалилась вперед и уткнулась в его плечо. Сидя на сверкающем полу из черного ореха, они раскачивались взад-вперед под высоченным, как в соборе, потолком.

Глава 55

Мадлен часто повторяла, что жизнь в Пирриви напоминает жизнь в деревне. Она в целом обожала этот дух общины, за исключением, разумеется, тех дней, когда оказывалась в цепких лапах ПМС. В те дни ее раздражали улыбки и дружеские приветствия людей, которые попадались ей в торговом центре. В Пирриви люди были тесно связаны друг с другом, будь то школа, клуб сёрферов, детские спортивные команды, спортзал, парикмахерская и так далее.

Когда она, сидя за письменным столом в своем тесном кабинетике в театре Пирриви, звонила в местную газету, чтобы узнать, нельзя ли разместить в следующем выпуске объявление на четверть страницы, это означало, что она звонит не просто Лоррейн, рекламному представителю. Она звонит Лоррейн, у которой есть дочь Петра, одного возраста с Абигейл, сын — учится в четвертом классе в школе Пирриви — и муж Алекс, владелец местного винного магазина и член футбольного клуба «для тех, кому за сорок», как и Эд.

Разговор не получится кратким, потому что они с Лоррейн уже давно не общались. Мадлен осознала это, когда телефон уже зазвонил, и чуть не дала отбой, чтобы вместо звонка послать имейл. У нее сегодня много дел, и она задержалась после школьного собрания, но все же хорошо было бы поболтать с Лоррейн. И хотелось узнать, что слышала Лоррейн про петицию, но, правда, иногда ее бывает не остановить и...

— Лоррейн Эджели!

Слишком поздно.

— Привет, Лоррейн, — сказала Мадлен. — Это Мадлен.

— Дорогая!

Лоррейн следовало бы работать в театре, а не в местной газете. Она подчас разговаривала с напыщенной театральностью.

— Как дела?

— О господи, нам надо встретиться за чашечкой кофе! Есть о чем поболтать. — Лоррейн заговорила совсем тихим, приглушенным голосом. Лоррейн работала в большом общем офисе без перегородок. — Какую пикантную сплетню я услышала!

— Немедленно рассказывай, — радостно произнесла Мадлен, откинувшись назад и удобно вытянув ноги. — Прямо сейчас.

— Ладно, вот тебе намек, — сказала Лоррейн. — Parlez-vous anglais?[1]

— Да, я говорю по-английски, — ответила Мадлен.

— Это все, что я могу сказать по-французски. Так что это французское дело.

— Французское дело, — смущенно повторила Мадлен.

— Да, и, гм, оно имеет отношение к нашей общей подруге Ренате.

---

1 Вы говорите по-английски? *(фр.)*

— Это как-то связано с петицией? — спросила Мадлен. — Надеюсь, Лоррейн, ты не подписала ее. Амабелла даже не говорила, что ее обижает именно Зигги, а теперь школа каждый день отслеживает ситуацию в классе.

— Угу, пожалуй, петиция — это уж чересчур, правда, я слышала, что мать этого ребенка довела Амабеллу до слез, а потом в песочнице пнула Харпер ногой. Полагаю, в каждой истории есть две стороны, но нет, Мадлен, это никак не связано с петицией. Я говорю о французском деле.

— Няня, — с приливом воодушевления произнесла Мадлен. — Ты ее имеешь в виду? Джульетту? И что же она? Очевидно, запугивание продолжается уже долго, а эта Джульетта даже не...

— Да-да, я имею в виду именно ее, но петиция здесь ни при чем! Это... Ах, не знаю, как сказать. Это имеет отношение к мужу нашей общей подруги.

— И няне, — добавила Мадлен.

— Точно, — подтвердила Лоррейн.

— Я не пони... Нет! — Мадлен выпрямилась. — Ты это серьезно? Джеф и няня? — Эта шокирующая новость в духе бульварных историй поневоле вызвала у Мадлен дрожь удовольствия. Такой правильный, добродетельный Джеф с его брюшком и любовью к птицам — и молодая няня-француженка. Такое до ужаса восхитительное клише! — У них роман?

— Угу. Совсем как у Ромео и Джульетты, только здесь это Джеф и Джульетта, — сказала Лоррейн, которая, очевидно, больше не надеялась скрыть от коллег подробности разговора.

Мадлен испытала легкую тошноту, как будто съела что-то приторно-сладкое.

— Это ужасно и так неприятно. — Она не желала Ренате добра, но и такого она ей не желала. Только женщина, изменяющая мужу, заслуживает мужа-волокиты. — А Рената знает?

— Вероятно, нет, — ответила Лоррейн. — Но это точно. Джеф рассказал Эндрю Фарадею во время игры в сквош, Эндрю сказал Шейну, а тот Алексу. Мужики такие сплетники!

— Кто-то должен сообщить ей, — проговорила Мадлен.

— Только не я. Вестника убивают и все такое.

— И конечно, не я, — сказала Мадлен. — Я меньше всего подхожу для этой роли.

— Не говори никому. Я обещала Алексу, что буду молчать как рыба.

— Правильно, — отозвалась Мадлен.

Без сомнения, эта пикантная сплетня перекатывалась по полуострову, как мячик, прыгая от подруги к подруге, от мужа к жене, и скоро настигнет бедную Ренату как раз в тот момент, когда бедняжка будет думать, что больше всего в жизни ее огорчает то, что дочь запугивают в школе.

— Очевидно, маленькая Джульетта хочет пригласить его во Францию, чтобы встретиться с ее родителями, — произнесла Лоррейн, имитируя французский акцент. — О-ля-ля!

— Хватит, Лоррейн! — резко оборвала ее Мадлен. — Это не смешно. Больше ничего не хочу слышать.

Непорядочно было делать вид, что получаешь удовольствие от сплетни.

— Извини, дорогая, — спокойно сказала Лоррейн. — Чем могу быть полезна?

Мадлен оставила заявку, и Лоррейн оформила все со своей обычной расторопностью. Мадлен пожалела, что не послала ей письмо по электронке.

— Значит, увидимся в субботу вечером, — сказала Лоррейн.

— В субботу вечером? О, конечно, на благотворительной ярмарке, — с теплотой произнесла Мадлен, чтобы скрасить впечатление от своей резкости. — Буду с нетерпением ждать. У меня новое платье.

— Нисколько не сомневаюсь, — откликнулась Лоррейн. — Я приду в костюме Элвиса. Никто не говорил, что женщины должны представлять Одри, а мужчины — Элвиса.

Мадлен рассмеялась, снова испытывая симпатию к Лоррейн, чей громкий хриплый смех будет задавать тон веселой вечеринке.

— Значит, увидимся там. Ой, послушай, какими благотворительными делами занимается Абигейл?

— Точно не знаю, — ответила Мадлен. — Собирает средства для «Эмнести интернэшнл». Может быть, это лотерея. По сути дела, надо сказать ей, что для проведения лотереи ей понадобится получить разрешение.

— Ммм, — промычала Лоррейн.

— Что? — спросила Мадлен.

— Ммм.

— Что? — Мадлен крутанулась на вращающемся кресле и столкнула с угла письменного стола папку из плотной бумаги, но успела подхватить ее. — Что происходит?

— Не знаю, — сказала Лоррейн. — Петра недавно упомянула об этом проекте Абигейл, и у меня возникло ощущение, что тут что-то не так. Петра глупо хихикала, выводя меня из себя и делая какие-то туманные намеки на то, что другие девочки не одобряют затею Абигейл, но Петра одобряет, что не так уж важно. Извини. Я говорю неопределенно. Просто мой материнский инстинкт немного меня подвел.

Теперь Мадлен вспомнила тот странный комментарий, появившийся на странице Абигейл в «Фейсбуке». Она совсем об этом забыла в приступе гнева по поводу отмены репетитора по математике.

— Я выясню, — сказала она. — Спасибо за подсказку.

— Возможно, это пустяки. Au revoir, дорогая. — Лоррейн повесила трубку.

Мадлен взяла мобильник и послала Абигейл эсэмэску.

Перезвони мне сразу же, как получишь это. Мама, целую.

Сейчас дочь должна быть на занятиях, и детям не разрешают пользоваться телефонами до конца учебного дня.

Терпение, сказала она себе, снова кладя руки на клавиатуру. Все правильно. Что дальше? Афиши «Короля Лира», который будет ставиться в следующем месяце. Никто в Пирриви не хочет видеть, как мечется по сцене безумный король Лир. Им подавай современную комедию. Им хватает шекспировских драм в собственной жизни, происходящих на школьной площадке для игр и футбольном поле. Но босс Мадлен настаивал. Продажа билетов пойдет вяло, и он станет винить Мадлен в слабом маркетинге. Это происходило каждый год.

Она вновь взглянула на телефон. Вероятно, Абигейл заставит ее ждать сегодня звонка допоздна.

— «Больней, чем быть укушенным змеей, иметь неблагодарного ребенка»[1], Абигейл, — обратилась она к молчащему телефону. Часто присутствуя на репетициях, Мадлен могла цитировать большие куски из «Короля Лира».

Неожиданно зазвонил телефон, и она подскочила. Это был Натан.

— Не расстраивайся, — сказал он.

---

[1] *Шекспир У.* Король Лир. Акт I, сцена 4. Перевод Б. Пастернака.

Глава 56

Н*асильственные отношения имеют тенденцию со временем усугубляться.*

Прочитала она об этом в какой-то статье или это были слова, произнесенные Сьюзи холодным и бесстрастным голосом?

Селеста лежала на своей половине кровати, прижимая к себе подушку и глядя в окно. Перри отдернул шторы, чтобы она могла видеть море.

«Мы сможем, лежа в постели, видеть океан!» — захлебываясь от восторга, говорил он, когда они впервые осматривали дом и агент по недвижимости мудро заявил: «Оставлю вас, чтобы вы огляделись сами», потому что, разумеется, дом говорил сам за себя. В тот день Перри вел себя по-ребячески: бегал по новому дому, как взволнованный пацан, а не мужчина, намеревающийся потратить миллионы на престижную недвижимость с видом на океан. Его возбуждение немного испугало ее своим безудержным оптимизмом. Предчувствие не обмануло ее. Они определенно приближались к катастрофе. В то время она была на четырнадцатой неделе беременности. Ее тошнило, она распухла и постоянно чувствовала во рту металлический привкус.

Она отказывалась верить в свою беременность, но Перри питал большие надежды, словно новый дом мог гарантировать успешный ход и завершение беременности, ибо: «Вот это жизнь! Вот это жизнь для детей рядом с морем!» В то время он даже никогда не повышал на нее голоса. Сама мысль о том, что он может ударить ее, показалась бы невозможной, непостижимой, абсурдной.

Она до сих пор испытывала потрясение.

Это было как-то очень, очень... странно.

Она пыталась донести до Сьюзи всю глубину своего потрясения, но что-то подсказывало ей, что все клиенты Сьюзи чувствуют то же самое. «Но нет, понимаете, для нас это действительно неожиданно!» — хотелось ей сказать.

— Еще чая?

В дверях спальни появился Перри. Он был по-прежнему в деловой одежде, но успел снять пиджак и галстук и закатал рукава рубашки. «Днем мне придется поехать в офис, но утром поработаю дома, чтобы присмотреть за тобой», — говорил он, помогая ей подняться с пола в коридоре, как будто она поскользнулась и ушиблась или ее застиг приступ головокружения. Не спрашивая Селесту, он позвонил Мадлен и попросил ее забрать мальчиков из школы. «Селесте нездоровится», — услышала она его слова, произнесенные с искренним сочувствием и заботой, словно он и вправду верил, что ее внезапно сразила неведомая болезнь. Может быть, он действительно в это верил.

— Нет, спасибо, — сказала она.

Она посмотрела на его красивое заботливое лицо, вздрогнула и увидела то же самое лицо, которое приблизилось к ней, а губы с издевкой произнесли: «Не чувствую раскаяния». И потом удар головой об стену.

Это так удивительно.

Доктор Джекилл и мистер Хайд.

Который из них злодей? Она не знала. Селеста закрыла глаза. Пакет со льдом помог, но боль переместилась в одно место и осталась там — чувствительная пульсирующая точка.

— Ну ладно. Если тебе что-нибудь понадобится, кричи.

Она чуть не рассмеялась.

— Обязательно, — сказала она.

Он ушел, и Селеста закрыла глаза. Она его смутила. Смутился бы он, уйди она от него? Почувствовал бы он себя униженным, если бы мир узнал, что его записи в «Фейсбуке» не отражают историю в целом?

— Вам необходимо принять меры предосторожности. Для женщины, которую избивает муж, самое опасное время — когда она разрывает отношения, — неоднократно повторила Сьюзи на последней консультации, словно доискиваясь ответа, который Селеста не могла ей дать.

Селеста не приняла этого всерьез. Для нее всегда главным было решить — остаться или уйти, как будто разрыв означал бы конец истории.

Она заблуждалась. Она глупо себя вела.

Разозлись он сегодня чуть больше, он еще раз ударил бы ее головой о стену. Ударил бы сильнее. Он мог бы ее убить, а потом упал бы на колени и обхватил бы ее тело руками, причитая и крича, искренне огорчаясь и испытывая жалость к себе. Но что из того? Она была бы уже мертва. Мальчики остались бы без матери. Перри — прекрасный отец, но почти не дает им фруктов и часто забывает почистить им зубы. К тому же она хочет увидеть, как они вырастут.

Если она уйдет от него, он, возможно, убьет ее.

Если же останется и их отношения будут развиваться в том же направлении, он, вероятно, в конечном итоге так сильно разозлится на нее, что может и убить.

Выхода нет. Квартира с аккуратно заправленными кроватями не поможет ей скрыться. Это всего лишь шутка.

Просто поразительно, что этот привлекательный встревоженный мужчина, который только что предложил ей чашку чая, работает сейчас за компьютером в кабинете и прибежит по первому ее зову, который любит ее всем сердцем, может с большой вероятностью однажды убить ее.

Глава 57

— Абигейл открыла в Интернете свой сайт, — сообщил Натан.

— О'кей, — сказала Мадлен.

Она встала из-за стола, словно собираясь прямо сейчас куда-то пойти. В школу? Больницу? Тюрьму? Что такого важного могло быть в интернетовском сайте?

— Чтобы собирать средства для «Эмнести интернэшнл», — пояснил Натан. — Все сделано вполне профессионально. Я помогал ей с проектированием сайтов по школьной программе, но, очевидно, такого поворота... гм... не предвидел.

— Не понимаю. В чем проблема? — резко спросила Мадлен.

Не в духе Натана было находить проблему там, где ее нет. Он скорее мог проигнорировать проблему, которая сама лезла в глаза.

Натан откашлялся и заговорил сдавленным голосом:

— Это не конец света, но ничего хорошего в этом нет.

— Натан! — Мадлен с досады топнула ногой.

— Ну хорошо, — торопливо заговорил Натан. — В целях привлечения внимания к проблеме детских браков и сексуального рабства Абигейл собирается выставить свою девственность на аукционе лицу, которое предложит наивысшую цену. Она говорит, гм... «Если мир не рушится, когда семилетний ребенок продается в сексуальное рабство, он и глазом не моргнет, когда четырнадцатилетняя белая девушка продается для секса». Все собранные средства пойдут в «Эмнести интернэшнл».

Мадлен обмякла на стуле. О горе мне!

— Дай мне адрес сайта, — потребовала Мадлен. — Этот сайт существует? Ты хочешь сказать, сайт фактически существует?

— Да, — ответил Натан. — По-моему, его открыли вчера утром. Не заглядывай в него. Пожалуйста, не надо. Дело в том, что там еще не установлена функция редактирования комментариев, и, естественно, интернетовские тролли входят в раж.

— Сейчас же дай мне адрес!

— Нет.

— Натан, ты сейчас же дашь мне адрес! — Она еще раз топнула ногой, едва не разрыдавшись от досады.

Натан продиктовал ей адрес.

— Потрясающе, — набирая адрес трясущимися руками, произнесла Мадлен. — Это привлечет массу замечательных благотворителей. Наша дочь — идиотка. Мы воспитали идиотку. Ах, постой, ты ее не воспитывал. Воспитала ее я. Я вырастила идиотку. — Мадлен помолчала. — О господи!

— Ты уже открыла его? — спросил Натан.

— Да, — ответила Мадлен.

Веб-сайт выглядел вполне профессионально, что даже усугубляло ситуацию, делая ее более реальной и как будто официально подтверждая право некоего незнакомца на приобретение девственности Абигейл. На домашней странице было фото Абигейл в йоговской позе — то, что Мадлен видела на ее страничке в «Фейсбуке». В контексте «купите мою девственность» фотография казалась порочно-сексуальной — перекинутые через одно плечо волосы, длинные, стройные ноги, маленькая красивая грудь. Мужчины смотрели на фотографию ее дочери на экранах компьютеров и представляли себе, как будут заниматься с ней сексом.

— Кажется, меня сейчас стошнит, — заявила Мадлен.

— Понимаю, — откликнулся Натан.

Мадлен собралась с духом и прошлась по сайту глазом профессионального маркетолога и пиарщика. Кроме фото Абигейл, там были также материалы с сайта «Эмнести интернэшнл» на тему детских браков и сексуального рабства. Вероятно, Абигейл, не спрашивая разрешения, отбирала их сама. Тексты были хорошими. Откровенными и убедительными. Эмоциональными, но эмоции не перехлестывали через край. Не считая того, что ситуация в целом казалась ужасающе порочной, для четырнадцатилетней девочки все было сделано очень умело.

— Это хотя бы законно? — спросила Мадлен через секунду. — Должно быть, для несовершеннолетней девушки незаконно торговать своей девственностью.

— Незаконно для кого-то будет купить ее, — откликнулся Натан.

Ей показалось, он говорит, стиснув зубы.

Осознав, что разговаривает с Натаном, Мадлен на миг была сбита с толку. Наверное, она подсознательно чувствовала, что говорит с Эдом, поскольку никогда прежде ей не приходилось обсуждать с Натаном щекотливые родительские проблемы. Она устанавливала правила, а Натан им следовал. Они не были командой.

Но одновременно с этим ее осенило, что, будь это Эд, все происходило бы по-другому. Разумеется, Эд ужаснулся бы при мысли о том, что какой-то мужчина может купить девственность Абигейл, но не испытал бы душевных мук Натана. Если бы это была Хлоя, то да. Но в отношениях Эда с Абигейл присутствовала эта едва уловимая отчужденность, которую Мадлен всегда отрицала, а Абигейл ощущала.

Мадлен кликнула на раздел «предложения цены и пожертвования». Абигейл предусмотрела, чтобы люди могли оставлять свои комментарии и регистрировать «предложения цены».

Перед ее глазами поплыли слова:

Сколько стоит групповуха?

Можешь отсосать у меня за двадцать долларов! В любое время, в любом месте.

Привет, крошка, я бесплатно пощекочу твою тугую маленькую киску.

Мадлен в сердцах оттолкнулась от стола, чувствуя, как в ней накапливается ярость.

— Каким образом можно немедленно закрыть этот сайт? Не знаешь, как его закрыть?

Она с удовлетворением отметила, что не вышла из себя, что разговаривала об этом, как об обычной рабочей ситуации — брошюра, которую надо перепечатать, ошибка на сайте театра. Натан — хороший технический специалист. Он знает, что делать. Но когда она закрыла страницу комментариев и вновь увидела фото Абигейл, своей невинной, нелепой и запутавшейся дочери (порочные мужчины думали и говорили про ее маленькую дочь порочные вещи), из глубин ее существа поднялся бурный гнев, который вылился в возмущенную тираду:

— Какого черта это могло случиться?! Почему вы с Бонни не следили за тем, что она делает? Уладьте это дело! Сейчас же уладьте его!

* * *

Харпер. Кто-нибудь рассказывал вам о маленькой драме дочери Мадлен? Неприятно об этом говорить, но я полагаю, этого не случилось бы в частной школе. Не хочу сказать, что государственные школы плохи сами по себе, я просто думаю, вашим детям полезнее общаться с детьми привилегированного круга.

Саманта. Эта Харпер сама такая заносчивая. Разумеется, это могло случиться и в частной школе. А побуждения Абигейл были такими благородными! Просто четырнадцатилетние девчонки еще глупенькие. Бедная Мадлен. Она винит Натана и Бонни, но я не уверена, что это справедливо.

Бонни. Да, Мадлен действительно винила нас. Принимаю это. В то время Абигейл была на моем попечении. Но это не имеет никакого отношения к... к трагедии. Никакого.

Глава 58

После визита к психологу Джейн отвезла Зигги на взморье, чтобы перед школьными занятиями выпить чая в «Блю блюз».

— Сегодня у нас блюдо дня — яблочные блинчики с маслом, сдобренным лимоном, — сказал Том. — Думаю, тебе надо попробовать. За счет заведения.

— За счет заведения? — нахмурился Зигги.

— То есть бесплатно, — объяснила Джейн, подняв глаза на Тома. — Но все же, думаю, следует заплатить.

Том всегда угощал ее бесплатной едой. Это начинало ее смущать. Неужели она производит впечатление такой уж бедной?

— Разберемся с этим позже, — произнес Том с легким взмахом руки, давая понять, что, как бы она ни старалась, он не примет от нее денег, и исчез в кухне.

Они с Зигги посмотрели в окно, за которым был виден океан. Дул свежий ветер, и на море до самого горизонта играли небольшие волны. Джейн вдыхала чудесные ароматы «Блю блюз», испытывая сильную ностальгию, словно решение было уже принято и они с Зигги определенно собираются переезжать.

Аренду квартиры надлежало обновить через две недели. Они могли бы переехать в какое-нибудь совершенно новое место, устроить Зигги в новую школу и начать жизнь заново с незапятнанной репутацией. Если психолог права и Зигги сам подвергался запугиванию, Джейн вряд ли сумеет убедить администрацию школы рассмотреть такую возможность. Это может быть расценено как стратегическая уловка, словно она подает встречный иск. Так или иначе, как можно оставаться в школе, в которой родители подписывают петицию на исключение Зигги? Теперь все чересчур усложнилось. Родители, возможно, думают, что она напала на Харпер в песочнице и обидела Амабеллу. Действительно, она довела Амабеллу до слез и от этого очень мучилась. Единственным правильным решением было уехать. Правильным для них обоих.

Вероятно, для нее был неизбежным такой неудачный исход пребывания в Пирриви. Истинные, не признаваемые ею побуждения переезда сюда были настолько специфическими, запутанными и странными, что она даже не сумела бы толком их сформулировать.

Но, возможно, приезд сюда, по сути дела, стал необходимым этапом в каком-то процессе, потому что за последние несколько месяцев она исцелилась от определенных вещей. Испытывая смущение и тревогу за Зигги, она несколько изменила свое отношение к Саксону Бэнксу. Она ощутила, что теперь сможет взглянуть на него трезвыми глазами. Саксон Бэнкс не монстр, он просто мужчина. Просто обыкновенный мерзавец, каких тысячи. Конечно, лучше было бы с ним не спать. Но она переспала. И вот результат — Зигги. Возможно, только у Саксона Бэнкса оказалась достаточно агрессивная сперма для преодоления ее проблем с плодовитостью. Возможно, он был единственным на свете мужчиной, способным сделать ей ребенка, и не исключено, что теперь она сможет спокойно и непредвзято поговорить о нем, чтобы Зигги перестал считать своего отца каким-то зловещим суперзлодеем.

— Зигги, — сказала она, — хочешь перейти в другую школу, где у тебя появятся совершенно новые друзья?

— Нет, — ответил Зигги.

У него было какое-то странное беспечное настроение. Он нисколько не тревожился. Неужели психолог знает, о чем говорит?

Что всегда говорит Мадлен? «Дети такие странные и непредсказуемые».

— О-о, — сказала Джейн. — А почему нет? Ты очень огорчился в тот день, когда те дети сказали — ты знаешь, — что им не разрешают с тобой играть.

— Ага, — бодро произнес Зигги. — Но у меня много других друзей, которым разрешают со мной играть, как Хлоя и Фред. Хотя Фред во втором классе, он все равно мой друг, потому что мы оба любим «Звездные войны». И у меня есть еще друзья. Харрисон, Амабелла и Генри.

— Ты сказал — Амабелла? — спросила Джейн.

Раньше он не говорил, что играет с Амабеллой, и от этого представлялось маловероятным, что он обижает ее. Джейн считала, что они, так сказать, вращаются на разных орбитах.

— Амабелла тоже любит «Звездные войны», — сказал Зигги. — Она знает все о них, потому что суперхорошо читает. Так что мы не то чтобы играем, а иногда, если я устану от беготни, садимся под деревом Морского Дракона и разговариваем о «Звездных войнах».

— Амабелла Клейн? Амабелла из подготовительного класса? — уточнила Джейн.

— Ага, Амабелла! Правда, учителя не разрешают нам больше разговаривать, — вздохнул Зигги.

— Ну, это потому, что родители Амабеллы считают, что ты ее обижал, — с некоторым раздражением произнесла Джейн.

— Это не я ее обижал, — возразил Зигги, соскальзывая со стула, как это делают маленькие мальчики, раздражая тем самым своих мам.

Она с облегчением обнаружила, что Фред делает то же самое.

— Сядь прямо, — строго сказала Джейн.

Он со вздохом выпрямился:

— Хочу есть. Скоро принесут мои блинчики? — Вывернув шею, он посмотрел в сторону кухни.

Джейн внимательно взглянула на него. Сказанные сыном слова запечатлелись в ее мозгу. *Это не я ее обижал.*

— Зигги, — начала она.

Задавала ли она ему этот вопрос прежде? Кто-нибудь спрашивал его об этом? Или все снова и снова повторяли: «Это сделал ты, Зигги? Ты?»

— Что? — спросил он.

— Ты знаешь, кто обижал Амабеллу?

Он моментально замкнулся в себе:

— Не хочу об этом говорить. — У него задрожала нижняя губа.

— Просто скажи мне, малыш, ты знаешь?

— Я обещал, — тихо произнес Зигги.

Джейн подалась вперед:

— Что обещал?

— Обещал Амабелле, что никому ничего не скажу. Она говорила, если я скажу, ее, может быть, убьют до смерти.

— Убьют до смерти, — повторила Джейн.

— Да! — с жаром воскликнул Зигги. Его глаза наполнились слезами.

Джейн забарабанила пальцами по столу. Она знала, он хочет сказать ей.

— Что, если, — медленно произнесла она, — что, если ты напишешь это имя? — (Зигги нахмурился. Заморгав, он смахнул слезы.) — Потому что тогда ты не нарушишь обещания, данного Амабелле. Это не то что сказать мне. А я обещаю тебе, что Амабеллу не убьют до смерти.

— Ммм, — задумчиво промычал Зигги.

Джейн достала из сумки блокнот с ручкой и подтолкнула к нему:

— Можешь составить это слово по буквам? Или хотя бы попытайся.

Этому их учили в школс — стараться написать слова.

Зигги взял ручку, но повернулся на шум открываемой двери кафе. Вошли двое — блондинка с модной стрижкой и ничем не примечательный бизнесмен. Для Джейн седеющие мужчины средних лет в деловых костюмах выглядели примерно одинаково.

— Это мама Эмили, — сказал Зигги.

Харпер. Джейн почувствовала, как ее лицо заливает краска. Ей вспомнился унизительный инцидент на детской площадке, когда Харпер обвинила ее в нападении. В тот вечер позвонила миссис Липман, сообщила, что родительница составила на нее официальную жалобу, и посоветовала «так сказать, залечь на дно, пока эта сложная ситуация не разрешится».

Харпер посмотрела в ее сторону, и Джейн почувствовала сильное биение сердца, как от страха. Ради бога, она не собирается убивать тебя, подумала она. Так странно было конфликтовать с человеком, которого едва знаешь. В своей взрослой жизни Джейн старалась избегать конфликтов. Ее озадачивало то, что Мадлен получает удовольствие от такого рода вещей и фактически напрашивается на них. Это было ужасно: стыдно, неловко и огорчительно.

Муж Харпер настойчиво нажал пальцем на звонок на стойке, вызывая из кухни Тома. В кафе народу было немного. В углу справа сидела женщина с маленьким ребенком, а пара мужчин в заляпанных краской голубых комбинезонах ели яйца с беконом.

Джейн увидела, как Харпер ткнула мужа в бок и заговорила ему в ухо. Он бросил взгляд на Джейн и Зигги.

О господи! Он направляется к ней.

У него был один из тех больших упругих пивных животиков, который он нес гордо, как почетный знак.

— Привет, — сказал он Джейн, протягивая руку. — Вы Джейн? А я Грэм, отец Эмили.

Джейн пожала ему руку. Он сжал ее руку довольно сильно, словно давал понять, что сильней сжимать не будет.

— Привет, — откликнулась она. — Это Зигги.

— Привет, дружок.

Грэм метнул взгляд на Зигги и сразу отвел глаза.

— Прошу тебя, Грэм, оставь это, — сказала Харпер, которая подошла и встала рядом с ним.

Она намеренно игнорировала Джейн и Зигги, как это было на детской площадке, когда она играла в эту дурацкую игру: «стараться не смотреть в глаза».

— Послушайте, Джейн, — начал Грэм. — Понятно, что я не хочу говорить многие вещи перед вашим сыном. Насколько мне известно, вы втянуты в конфликт со школой, и подробности этого мне неизвестны, да мне это и неинтересно, но позвольте вот что сказать вам, Джейн.

Он оперся о стол обеими руками и навис над Джейн. Движение было таким просчитанным и устрашающим, что казалось почти комическим. Джейн вздернула подбородок. У нее комок встал в горле, но она не хотела, чтобы он видел, как она нервно сглатывает. Она заметила глубокие морщинки вокруг его глаз и крошечную родинку у носа. Он омерзительно осклабился, как какой-нибудь мужик с татуировкой, орущий на репортеров на таблоидном телевидении.

— На этот раз мы решили не обращаться в полицию, но если я узнаю, что вы снова подбираетесь к моей жене, то этого не потерплю и приму меры. Я партнер в юридической фирме и применю к вам всю строгость закона...

— Вам следует немедленно уйти.

Это был Том с тарелкой блинчиков в руках. Поставив тарелку на стол, он ласково прикоснулся ладонью к затылку Зигги.

— Ах, Том, извините, мы просто... — залепетала Харпер.

Матери Пирриви, ярые приверженцы кофе от Тома, относились к нему как к любимому поставщику наркотиков.

Грэм выпрямился и потянул себя за галстук:

— Все в порядке, приятель.

— Нет, — возразил Том. — Не в порядке. Не потерплю, чтобы вы докучали моим клиентам. Попрошу вас немедленно уйти. — Том стиснул челюсти.

Грэм постучал сжатым кулаком по столу Джейн:

— Послушайте, приятель, вы не имеете никакого законного права...

— Я не нуждаюсь в юридических советах, — отозвался Том. — А прошу вас уйти.

— Том, мне так жаль, — сказала Харпер. — Мы определенно не хотели...

— Надеюсь увидеть вас обоих в другой раз. — Подойдя к двери, Том распахнул ее. — Только не сегодня.

— Отлично! — Грэм повернулся и указал пальцем на Джейн. — Помните, что я сказал, молодая леди, потому что...

— Убирайтесь, пока я не вышвырнул вас, — угрожающе-спокойно произнес Том.

Грэм выпрямился и взглянул на Тома.

— Вы сейчас потеряли клиентов, — сказал он, вслед за женой выходя за дверь.

— Очень на это надеюсь, — откликнулся Том.

Закрыв дверь, он обернулся и посмотрел на сидящих в кафе:

— Извините за это.

Один из мужчин в комбинезоне захлопал:

— Здорово ты их, приятель!

Женщина с ребенком с любопытством уставилась на Джейн. Зигги вывернулся на стуле, чтобы посмотреть через застекленную стену на Харпер с Грэмом, которые торопливо шли по дощатому настилу. Потом он пожал плечами, взял вилку и принялся с аппетитом есть блинчики.

Том подошел к Джейн и опустился на корточки рядом с ней, положив руку на спинку ее стула.

— Ты в порядке?

Джейн судорожно вздохнула. От Тома пахло приятно. От него исходил этот отчетливый запах чистоты и свежести, потому что дважды в день он занимался сёрфингом, а потом долго стоял под горячим душем. Она знала об этом, поскольку однажды он рассказал ей, как стоял под горячим душем, все лучшие волны, которые перед этим поймал. Джейн пришло в голову, что она любит Тома, как любит Мадлен и Селесту, и что ей будет мучительно расставаться с Пирриви, но что остаться невозможно. Здесь она нашла не только настоящих друзей, но и настоящих врагов. Будущего для нее здесь не было.

— В порядке, — ответила она. — Спасибо. Спасибо за это.

— Извини! О боже мой, извини меня!

Ребенок только что пролил на пол свой молочный коктейль и расплакался.

Том положил руку на плечо Джейн:

— Не разрешай Зигги съесть все эти блинчики. — Поднявшись, он пошел помочь женщине, говоря: — Все хорошо, малыш, сейчас приготовлю тебе новый.

Джейн взяла вилку и отправила в рот аппетитный кусок блинчика с яблочной начинкой. Потом закрыла глаза:

— Ммм.

В один прекрасный день Том осчастливит какого-нибудь везучего парня.

— Я написал, — сказал Зигги.

— Что написал?

Джейн поддела вилкой очередной кусок блинчика. Она старалась не думать о муже Харпер. О том, как он навис над ней. Его тактика устрашения была абсурдной, но она все же подействовала. Ей стало страшно. А теперь еще и стыдно. Неужели она это заслужила? Потому что пнула ногой песок, нацелившись в Харпер? Но она же не пнула саму Харпер! Она точно помнила, что не задела Харпер. И все же. Она не смогла сдержать вспышку гнева. Она дурно себя вела, и Харпер пришла домой расстроенная, а у нее любящий, заботливый муж, который переживает за жену.

— Имя, — сказал Зигги. — Он пододвинул к ней блокнот. — Имя ребенка, который мучает Амабеллу.

* * *

Саманта. Ясно, что муж Харпер больше не позволит ей ходить в «Блю блюз». Я сказала: «Харпер, сейчас ведь не пятидесятые прошлого века! Муж не может запрещать тебе ходить в кафе», но она ответила, что посчитала бы это предательством. Блин! Я бы предала Стью ради кофе у Тома. Боже правый! Я бы даже убила ради него! Но не подумайте, что я убийца! Думаю, дело здесь не в кофе.

* * *

Джейн положила вилку и пододвинула к себе блокнот.

Зигги нацарапал на страничке три буквы: две большие и одну крошечную.

М. а. К.

— Мак, — повторила Джейн. — У нас нет никого по имени... — Она замолчала. О горе мне! — Ты имеешь в виду Макса?

— Злой близнец, — кивнул Зигги.

Глава 59

— Уже два часа. Я уезжаю на встречу, — сказал Перри. — Детей заберет Мадлен. Вернусь к четырем, так что до моего прихода усади их перед телевизором. Как ты себя чувствуешь?

Селеста подняла на него глаза.

Это какое то умопомешательство. То, что он может вот так себя вести. Словно она лежит в постели с приступом тяжелой мигрени. Словно он не имеет к этому никакого отношения. Шло время, и он быстро приходил в себя. Чувство вины постепенно исчезало. Его тело усваивало вину, как алкоголь. И Селеста участвовала в этом умопомешательстве. Она соглашалась с ним. Она вела себя как больная, позволяя ему заботиться о себе.

Они оба помешанные.

— Хорошо, — ответила она.

Он только что дал ей сильное обезболивающее. Обычно она неохотно принимала анальгетики, будучи восприимчивой к ним, но головная боль в конце концов стала невыносимой. Буквально через несколько минут боль начала растворяться, но все вокруг нее тоже растворялось. Она чувствовала, как тяжелеют и наливаются теплом конечности. Стены спальни как будто становились мягкими, ход мыслей замедлялся, словно она загорала в жаркий летний день.

— Когда ты был маленьким, — сказала она.

— Да? — Перри сел рядом с ней и взял ее за руку.

— В тот год, — начала она. — В тот год, когда тебя запугивали.

Он улыбнулся:

— Когда я был толстым маленьким парнишкой в очках.

— Тебе было плохо, правда? — спросила она. — Ты над этим смеешься, но год выдался действительно плохим.

Он сжал ее руку:

— Да, очень плохим.

Чего она добивалась? Она никак не могла облечь свои мысли в слова. Все это имело какое-то отношение к бессильному гневу восьмилетнего мальчика. Ей всегда представлялось, что дело именно в этом. Всякий раз, когда Перри казалось, что его унижают или им пренебрегают, на Селесту обрушивался неистовый гнев маленького толстого мальчика. Не считая того, что теперь он превратился в мужчину ростом шесть футов.

— И в конце концов тебе помог Саксон, да? — спросила она.

Ее слова тоже растворялись. Она словно слышала их со стороны.

— Саксон выбил зачинщику передний зуб, — произнес Перри со смешком. — Ко мне никогда больше не приставали.

— Верно, — сказала Селеста.

Саксон Бэнкс. Герой Перри. Мучитель Джейн. Отец Зигги.

С того вечера в книжном клубе она подсознательно думала о Саксоне. У них с Джейн было что-то общее. Им обеим эти мужчины причинили боль. Эти красивые, успешные, жестокие кузены. Селеста ощущала свою ответственность за то, что Саксон сделал с Джейн. Она была такой молодой и уязвимой. Если бы только Селеста была там, чтобы защитить ее. У нее был опыт. Она умела драться и царапаться, когда это необходимо.

Она пыталась восстановить какую-то связь. Поймать ускользающую мысль, как бы увиденную боковым зрением. Это мучило ее уже давно.

Существует ли хоть какое-нибудь оправдание поведению Саксона? Насколько Селесте было известно, в детстве его никто не запугивал. Так означает ли это, что поведение Перри имеет какое-то отношение к тому году, когда его запугивали? Наверное, это их общая семейная черта.

— Но ты не такой дурной, как он, — пробормотала она.

Неужели дело только в этом? Да. В этом разгадка. Разгадка всего.

— Что? — У Перри был смущенный вид.

— Ты бы этого не сделал.

— Чего не сделал? — спросил Перри.

— Как хочется спать, — произнесла Селеста.

— Знаю, — сказал Перри. — Поспи, милая. — Он подтянул простыню к ее подбородку и отвел волосы с лица. — Я скоро вернусь.

Погружаясь в сон, она подумала, что слышит, как он шепчет ей на ухо: «Прости меня», но, наверное, она уже заснула.

Глава 60

— Блин, я не могу закрыть его! — воскликнул Натан. — Если бы мог, думаешь, не закрыл бы? Прежде чем позвонить тебе? Это социальный сайт, управляемый сервером, который находится вне системы. Я не могу просто щелкнуть выключателем. Нужны параметры ее регистрации. Нужен пароль.

— «У мисс Вупс был пупс!» — прокричала Мадлен. — Это пароль. У нее одинаковый пароль для всего. Давай закрывай скорей!

Мадлен всегда знала пароли Абигейл в ее социальных учетных записях. Таково было их соглашение, и Мадлен могла в любое время зарегистрироваться. Кроме того, Мадлен разрешалось без предупреждения молча появляться в спальне Абигейл и смотреть ей через плечо на экран компьютера. И поскольку у Мадлен был особый талант тихо подкрадываться к человеку, Абигейл не сразу замечала ее. А когда она наконец замечала присутствие матери, то ужасно бесилась, но Мадлен не обращала на это внимания. Именно так выражалась ее забота о дочери-подростке, пусть и приходилось за ней шпионить. Вот почему такого никогда не случилось бы, живи Абигейл в своем родном доме.

— Я попробовал «У мисс Вупс был пупс», — сокрушенно произнес Натан. — Не подходит.

— Ты, наверное, неправильно набрал. Все в нижнем регистре, и никаких пробелов. Это всегда...

— Как раз на днях я сказал ей, что нельзя всюду применять одинаковый пароль. Наверное, она меня послушалась.

— Правильно, — сказала Мадлен. Ее гнев остыл, превратившись в гигантскую ледяную глыбу. — Хороший совет. Замечательная отцовская забота.

— Это все из-за хищения личных данных...

— Неважно! Помолчи, дай подумать. — Она забарабанила двумя пальцами по губам. — У тебя есть ручка?

— Разумеется, у меня есть ручка.

— Попробуй «Гекльберри».

— Почему Гекльберри?

— Так звали ее первого питомца. Щенка. Он прожил у нас две недели и попал под машину. Абигейл сильно горевала. Ты был — где ты был? На Бали? В Вануату? Кто знает? Ничего не спрашивай. Просто слушай.

Мадлен стала быстро называть потенциальные пароли: музыкальные группы, персонажи телефильмов, авторы и случайные слова вроде «шоколада» и «я ненавижу маму».

— Это все не подойдет, — сказал Натан.

Мадлен проигнорировала его. Ее охватило отчаяние. Это могло быть что угодно — любая комбинация букв и цифр.

— Ты уверен, что нет другого способа сделать это? — спросила она.

— Я подумал, можно попытаться переадресовать доменное имя, — сказал Натан, — но и тогда мне придется зарегистрироваться в ее учетной записи. Мир вращается вокруг регистрации. Полагаю, какой-нибудь компьютерный гений мог бы взломать этот сайт, но потребуется время. В конце концов мы закроем его, но, очевидно, самый быстрый способ, если она это сделает сама.

— Да, — согласилась Мадлен. Она уже достала из сумки ключи от машины. — Хочу сегодня пораньше забрать ее из школы.

— Ты, то есть мы — мы должны настоять на том, чтобы она закрыла сайт. — Мадлен было слышно, как он стучит по клавишам, пробуя различные пароли. — Мы ее родители. Следует сказать ей, что, если она нас не послушается, могут быть, э-э-э, последствия.

Было немного смешно слышать из уст Натана современную терминологию по воспитанию типа «последствия».

— Верно, и это будет так легко, — сказала Мадлен. — Ей четырнадцать, она считает, что спасает мир, и она упряма как осел.

— Мы скажем, что не разрешим ей выходить из дома! — взволнованно произнес Натан, припомнив, очевидно, что так родители наказывают тинейджеров в американских ситкомах.

— Ей это понравится. Она почувствует себя мученицей за идею.

— Но скажи, ради бога, она ведь это не всерьез? — спросил Натан. — Она ведь не собирается на самом деле пройти через это. Заниматься сексом с незнакомым мужчиной? Просто не могу... У нее не было даже бойфренда, правда?

— Насколько мне известно, она даже не целовалась с мальчиком. — Мадлен почувствовала, что сейчас заплачет, потому что в точности знала, что именно скажет Абигейл в ответ на это: «Те маленькие девочки тоже не целовались с мальчиками». Она сжала ключи в руке. — Мне пора. Надо успеть заехать за ребятишками.

Она вспомнила, что звонил Перри и попросил забрать близнецов, потому что Селесте нездоровилось. У Мадлен задергалось левое веко.

— Мадлен, — обратился к ней Натан, — не кричи на нее, ладно? Потому что...

— Шутишь? Конечно, я буду на нее кричать! — завопила Мадлен. — Она собирается продавать в Интернете свою девственность!

Глава 61

После утреннего чая в «Блю блюз» Джейн отвезла Зигги в школу.

— Ты скажешь Максу, чтобы он перестал обижать Амабеллу? — спросил Зигги, когда Джейн припарковала машину.

— С ним поговорит кто-нибудь из учителей. — Джейн повернула ключ зажигания. — Вероятно, не я. Может быть, мисс Барнс.

Она обдумывала, как лучше это сделать. Надо ли ей немедленно пойти в кабинет директора? Она бы предпочла поговорить с мисс Барнс, которая скорее поверит в то, что Зигги не просто снимает с себя вину, указывая пальцем на кого-то другого. Кроме того, мисс Барнс знала, что Джейн и Селеста подруги и что такой поворот дела поставил бы Джейн в неловкое положение.

Но у мисс Барнс в тот момент шел урок. Джейн не могла вызвать ее из класса. Ей придется послать письмо по электронке и попросить позвонить. Но Джейн хотелось немедленно рассказать об этом кому-то. Может быть, все-таки пойти прямо к миссис Липман?

Дело не в том, что Амабелла подвергается смертельной опасности. Очевидно, с нее не спускает глаз помощник учительницы. Нетерпение Джейн отражало ее желание сказать: «Это был не мой сын! Это был ее сын!»

А как же бедная Селеста? Следует ли сначала позвонить подруге и предупредить ее? Не так ли поступил бы хороший друг? Вероятно. Некрасиво и неискренне действовать у нее за спиной. Джейн не могла допустить, чтобы эта ситуация повлияла на их дружбу.

— Пойдем, мама, — нетерпеливо произнес Зигги. — Почему ты сидишь и смотришь в одну точку?

Джейн отстегнула ремень безопасности и повернулась лицом к Зигги:

— Ты правильно сделал, что сказал мне про Макса.

— Я ничего тебе не говорил!

Зигги, который уже отстегнул ремень и приготовился выскочить из машины, резко повернулся к ней с выражением возмущения и ужаса на лице.

— Извини, извини! — проговорила Джейн. — Конечно, ты ничего мне не говорил! Конечно нет.

— Ведь я обещал Амабелле никогда никому не говорить.

Зигги втиснулся между водительским и пассажирским сиденьями, приблизив к ней взволнованную мордашку. Она заметила над его губой пятно липкой подливки к блинам.

— Все правильно. Ты сдержал обещание.

Джейн помусолила палец и попыталась удалить пятно.

— Я сдержал обещание. — Зигги уклонился от ее пальца. — Я умею выполнять обещания.

— Помнишь ознакомительный день? — Джейн оставила попытки смыть липкое пятно с его лица. — Когда Амабелла сказала, что это ты обижал ее? Зачем она сказала, что это ты?

— Макс сказал, что, если она укажет на него, он сделает это снова, когда никто из взрослых не увидит, — ответил Зигги. — Поэтому Амабелла указала на меня. — Он нетерпеливо дернул плечами, как будто ему наскучила эта тема. — Она попросила у меня прощения. Я сказал, все нормально.

— Ты очень славный мальчик, Зигги, — произнесла Джейн. — И ты совсем не психопат!

А вот Макс — психопат.

— Угу.

— И я тебя люблю.

— Можно, мы пойдем в школу?

— Конечно.

Пока они шли по тропинке к школе, Зигги вприпрыжку бежал впереди, и его рюкзак подпрыгивал у него на спине, словно ему все было нипочем.

Джейн порадовалась, глядя на него, и поспешила за ним. Он не тревожился из-за того, что его запугивали. Он храбро и наивно старался не выдать секрета. Даже когда его расспрашивала миссис Липман, ее храбрый маленький солдат не дрогнул. Он твердо стоял ради Амабеллы. Зигги не задира. Он герой.

Какой же он глупенький, думала Джейн, что сразу не сказал про Макса и всерьез считал, что написать имя — не значит сказать про человека. Но ему было всего лишь пять, и этому парнишке отчаянно нужна была лазейка.

Зигги поднял с тротуара палку и помахал ею над головой.

— Брось палку, Зигги! — воскликнула Джейн.

Он бросил палку и резко свернул направо в заросший травой переулок, ведущий мимо дома миссис Пондер прямо к школе.

Джейн отбросила палку ногой с дорожки и пошла вслед за сыном. Что такого мог сказать Макс, чтобы заставить умную девчушку вроде Амабеллы держать в тайне его поведение? Неужели он действительно сказал ей, что убьет до смерти? И неужели Амабелла всерьез поверила в такую возможность?

Джейн задумалась о том, что же она знает про Макса. У него была характерная родинка, и только это позволяло ей различать их. Она думала, что и характеры у них одинаковые.

Для нее Макс и Джош были милыми озорными щенятами. В отличие от Зигги, который часто бывал задумчивым и необщительным, они со своей неуемной энергией и широкими улыбками казались ей такими незамысловатыми. Мальчики Селесты представлялись ей детьми, которых нужно только кормить, купать, с которыми нужно гулять, что требует больших физических, но не умственных затрат, как это бывало со скрытным по временам Зигги.

Как отреагирует Селеста, когда узнает о поведении Макса? Джейн не могла себе это представить. Она точно знала, как отнеслась бы к этому Мадлен (несдержанно и громогласно), но ни разу не видела, чтобы Селеста сильно сердилась на мальчишек. Конечно, она раздражалась, но никогда не кричала. Селеста часто казалась ей нервной и чем-то озабоченной, вздрагивала при появлении детей, когда они неожиданно налетали на нее.

— С добрым утром! Вы сегодня проспали? — окликнула их с лужайки миссис Пондер, которая поливала сад.

— Мы ходили к врачу, — объяснила Джейн.

— Скажите, милочка, на завтрашнюю вечеринку вы оденетесь Одри или Элвисом? — Миссис Пондер озорно улыбнулась.

В первое мгновение Джейн не могла сообразить, о чем говорит пожилая женщина.

— Одри или Элвис? А-а! Вечер викторин. — Она совсем позабыла об этом. Мадлен уже давно позаботилась об угощении, еще до всех последних событий — петиции, нападения на детской площадке. — Не знаю, пойду...

— О, я пошутила, милочка! Конечно, на вас будет костюм Одри. У вас как раз подходящая фигура. По сути дела, вы бы прелестно смотрелись с одной из этих коротких мальчишеских стрижек. Как они называются? Стрижки эльфов!

— О-о, — произнесла Джейн, подергав за свой конский хвост. — Спасибо.

— Кстати о волосах, дорогая. — Миссис Пондер доверительно наклонилась вперед. — Зигги сильно расчесывает себе голову. — Миссис Пондер произнесла «Зигги» как какое-нибудь смешное прозвище.

Джейн взглянула на Зигги. Одной рукой он яростно расчесывал себе голову, присев на корточки и рассматривая в траве что-то интересное.

— Да, — вежливо согласилась она. И что из того?

— Вы проверяли его? — спросила миссис Пондер.

— На что проверяла? — удивилась Джейн собственной несообразительности.

— Гниды, — промолвила миссис Пондер. — Знаете, головные вши.

— Ой! — Джейн прижала ладонь ко рту. — Нет! Вы думаете — ох! Не знаю... Не могу... О-о!

Миссис Пондер хихикнула:

— В детстве у вас никогда их не было? Они уже тысячи лет как существуют.

— Нет! Помню, один раз у нас в школе была вспышка, но я, наверное, тогда пропускала занятия. Не люблю всех этих ползучих тварей. — Она поежилась. — О господи!

— Ну а у меня большой опыт по это части. Во время войны они были у всех медсестер. Это не имеет никакого отношения к чистоте или гигиене, как вы, наверное, думаете. Они просто здорово досаждают, вот и все. Иди сюда, Зигги!

Зигги легко вскочил на ноги. Миссис Пондер отломила от розового куста тоненький прутик и поковырялась им в волосах Зигги.

— Гниды! — громким ясным голосом удовлетворенно произнесла она в тот самый момент, когда мимо них с ланчбоксом в руке торопливо шла Теа. — У него голова ими кишит.

* * *

Теа. Гарриет забыла взять ланчбокс, и я спешила к ней в школу. В тот день мне надо было сделать кучу вещей, и что же я слышу? У Зигги голова кишит гнидами! Да, она отвезла ребенка домой, но миссис Пондер — та привела бы его в школу! И почему, самое главное, она просит старуху проверить волосы своего ребенка?

Глава 62

— Неважно... — сказала Абигейл.

— Нет! Не говори так. Ситуация слишком серьезная, совсем не детская.

Мадлен изо всех сил вцепилась в руль, чувствуя, что у нее вспотели ладони.

Невероятно, но она пока не кричала. Приехав в школу Абигейл, Мадлен сказала учительнице английского, что «по семейным обстоятельствам» ей необходимо забрать Абигейл домой. Очевидно, в школе еще не обнаружили сайта Абигейл.

— У Абигейл большие успехи, — любезно улыбнулась учительница. — Она творческая личность.

— Безусловно, — согласилась Мадлен, удержавшись от того, чтобы не откинуть голову назад и не загоготать истерическим смехом.

Сделав над собой громадное усилие, она не проронила ни слова, когда они сели в машину. Она не стала кричать: «О чем ты думала?», а подождала, пока Абигейл не заговорит сама. Это представлялось важным в смысле стратегии. Когда наконец Абигейл, опустив глаза на приборную доску, настороженно спросила:

— Ну и что это за семейные обстоятельства? — Мадлен очень спокойно, почти как Эд, произнесла:

— Понимаешь, Абигейл, в Интернете мужчины пишут о том, что не прочь заняться сексом с моей четырнадцатилетней дочерью.

Абигейл вздрогнула и пробормотала:

— Я знаю.

Мадлен подумала, что эта непроизвольная дрожь — хороший знак. Возможно, Абигейл уже жалеет о своем шаге. Она слишком глубоко погрузилась в пучину и хочет выбраться. Она хочет, чтобы родители заставили ее закрыть этот сайт.

— Милая, я хорошо понимаю, чего ты добиваешься, — сказала Мадлен. — Ты организуешь пропагандистскую кампанию с приманкой. Это здорово, это умно. Но в данном случае приманка чересчур сенсационная. Ты не добьешься того, что хочешь получить. Люди не задумываются о нарушении человеческих прав, они думают лишь о четырнадцатилетней девочке, которая выставляет на аукцион свою девственность.

— Мне наплевать, — заявила Абигейл. — Я хочу собрать денег. Хочу привлечь внимание к проблеме. Хочу хоть что-нибудь сделать. Не хочу говорить: «О, это ужасно» — и ничего не предпринимать.

— Да, но так ты не соберешь денег и не привлечешь внимания к проблеме! А привлечешь внимание к себе! «Абигейл Маккензи, четырнадцатилетняя девушка, которая пыталась выставить на аукцион свою девственность». Никто и не вспомнит, что ты делала это ради благотворительности.

Именно в тот момент Абигейл произнесла свое нелепое: «Неважно».

Словно это был спорный вопрос.

— Так скажи, Абигейл. Ты готова пройти через это? Ты ведь знаешь, что не достигла брачного возраста? Тебе четырнадцать. Ты слишком юная, чтобы заниматься сексом. — Голос Мадлен задрожал.

— Как и те маленькие девочки, мама, — сказала Абигейл тоже дрожащим голосом.

У ее дочери чересчур развито воображение. И она всегда сопереживает людям. Именно это Мадлен пыталась объяснить Бонни в то утро на школьном собрании. Для Абигейл те маленькие девочки были абсолютно реальными, и они, разумеется, действительно реальные, в мире существует много страданий. В этот самый момент какие-то люди подвергаются немыслимым злодеяниям, и нельзя полностью отгораживаться от них, но не стоит также принимать их слишком близко к сердцу, а иначе как жить своей жизнью, в которой тебе случайно повезло и ты живешь, как в раю? Необходимо замечать существование зла, делать то немногое, что в твоих силах, а потом отключаться и думать о новых туфлях.

— Ну так мы что-нибудь придумаем, — сказала Мадлен. — Вместе разработаем кампанию по привлечению внимания к этой проблеме. Попросим помощи у Эда! Он знаком с журналистами...

— Нет, — без выражения откликнулась Абигейл. — Сейчас ты это говоришь, а потом ничего не сделаешь. Ты будешь занята, а потом обо всем позабудешь.

— Обещаю, — начала Мадлен.

Она понимала, что дочь в чем-то права.

— Нет, — повторила Абигейл.

— На самом деле это не обсуждается, — сказала Мадлен. — Ты еще ребенок. Если понадобится, я привлеку полицию. Сайт будет закрыт, Абигейл.

— Нет, не стану его закрывать, — упорствовала Абигейл. — И не скажу папе пароль, хоть пытайте меня.

— О-о, ради бога, не смеши меня. Сейчас ты говоришь как пятилетний ребенок.

Уже произнеся эти слова, Мадлен пожалела о них.

Они подъезжали к тому месту, где в начальной школе провожали и встречали детей. Мадлен увидела прямо перед собой сверкающий черный «БМВ» Ренаты. За тонированными стеклами не было видно, кто за рулем — вероятно, неряшливая французская няня Ренаты. Мадлен представила себе лицо Ренаты, если бы та узнала, что Абигейл торгует своей девственностью. Она бы посочувствовала Мадлен. Рената не такая уж плохая. Но она наверняка испытала бы нечто вроде удовлетворения — точно так же, как Мадлен, узнав об интрижке мужа Ренаты.

Мадлен гордилась тем, что ей наплевать на мнение о себе других людей, но ей было не все равно, если Рената плохо подумает о ее дочери.

— Значит, ты готова пройти через это? Собираешься переспать с незнакомым мужчиной? — спросила Мадлен.

Она осторожно проехала вперед и попыталась помахать Хлое, которая не видела ее, потому что оживленно болтала с явно скучающей Лили. Из-за ранца у Хлои задралась юбка, и все сидевшие в машинах могли видеть ее трусики с Минни-Маус. В обычной ситуации Мадлен показалось бы это милым и забавным, но в тот момент она увидела в этом нечто зловещее и дурное. Неужели никто из учителей не заметит этого и не поправит юбочку?

— Это лучше, чем переспать с каким-нибудь парнем из двенадцатого класса, когда мы оба пьяные, — отвернувшись к окну, сказала Абигейл.

Мадлен увидела близнецов Селесты, между которыми стояла учительница и держала их за руки. У обоих были красные сердитые мордашки. Она вдруг вспомнила, что ей надо забрать их из школы. В ее нынешнем состоянии она вполне могла забыть об этом.

Вереница машин не двигалась, потому что кто-то впереди затеял долгий разговор с учителем, что было категорически запрещено в зоне встречи школы Пирриви. Вероятно, это был кто-то из Модных Стрижек, к которым правила, очевидно, не относятся.

— Боже мой, Абигейл, подумай, как это будет на самом деле? Как это все произойдет? Где это произойдет? Ты встретишься с этим человеком в гостинице? Попросишь меня подвезти тебя? «Ой, мама, я еду на свидание, остановись у аптеки, мне надо купить презервативов». — Она взглянула на профиль Абигейл. Дочь уронила голову и прикрыла глаза рукой. Мадлен заметила, что у нее дрожат губы. Конечно, она не задумывалась об этом. Ей всего четырнадцать. — А ты представляешь себе, каково это — заниматься сексом с незнакомым мужчиной? Позволить какому-то ужасному мужику прикасаться к тебе...

Абигейл опустила руку и повернулась к Мадлен.

— Перестань, мама! — прокричала она.

— Ты витаешь в мире грез, Абигейл. Думаешь, какой-нибудь красавчик вроде Джорджа Клуни привезет тебя на свою виллу, нежно лишит невинности, а потом выпишет щедрый чек для «Эмнести интернэшнл»?

На самом деле все будет совсем не так. Будет мерзко и больно...

— Для тех маленьких девочек это тоже мерзко и больно! — прокричала Абигейл, и по ее лицу заструились слезы.

— Но я не их мать! — крикнула Мадлен и врезалась прямо в зад «БМВ» Ренаты.

* * *

Харпер. Послушайте, я не собираюсь клеветать, но Мадлен умышленно врезалась в машину Ренаты накануне вечера викторин.

Глава 63

— Только не рассказывайте всем, что я этим занимаюсь. — Дочь миссис Пондер наклонилась к уху Джейн, пытаясь перекричать рев фенов для сушки волос. — А иначе все заносчивые мамаши придут сюда, чтобы я помогла им избавиться от вшей у их драгоценных детишек.

Поначалу миссис Пондер посоветовала Джейн купить в аптеке средство от вшей.

— Это просто, — сказала она. — Расчесываете волосы и собираете этих кровопийц... — Увидев выражение лица Джейн, она умолкла. — Знаете что, — продолжала она, — позвоню-ка я Люси и спрошу, не сможет ли она принять вас сегодня.

Дочь миссис Пондер, Люси, была хозяйкой «Пути к блаженству», весьма популярной парикмахерской в Пирриви, расположенной между газетным киоском и лавкой мясника. Джейн раньше не была в этом салоне. Очевидно, Люси и ее команда являлись авторами всех модных стрижек на полуострове Пирриви.

Пока Люси завязывала тесемки накидки вокруг шеи Зигги, Джейн украдкой осматривалась по сторонам — нет ли знакомых родителей, — но никого не узнала.

— Постричь его, раз уж вы здесь? — спросила Люси.

— Конечно, спасибо, — ответила Джейн.

Люси бросила взгляд на Джейн:

— Мама хочет, чтобы я вас тоже постригла. Чтобы сделала вам стрижку «эльф».

Джейн потуже затянула резинку на конском хвосте.

— Меня не так уж волнует моя прическа.

— Но по меньшей мере не мешало бы проверить ваши волосы, — сказала Люси. — Вам тоже может понадобиться обработка. Вши не летают, но перескакивают с головы на голову, как маленькие акробаты.

— О господи! — вздохнула Джейн.

У нее моментально зачесалась голова.

Люси, прищурив глаза, пристально рассматривала Джейн:

— Вы видели фильм «Осторожно! Двери закрываются»? Там Гвинет Пэлтроу делают очень короткую стрижку, и это выглядит потрясающе.

— Конечно, — ответила Джейн. — Любой девушке нравится этот эпизод.

— Как и любому парикмахеру, — сказала Люси. — Идеальная стрижка. — Она еще несколько мгновений смотрела на Джейн, потом повернулась к Зигги и положила ему ладони на плечи. И улыбнулась его отражению. — Ты не узнаешь маму, когда я сделаю ей стрижку.

* * *

Саманта. В первый момент я не узнала Джейн на вечеринке. У нее была потрясающая новая стрижка. На ней были черные капри, белая блузка с воротником-стойкой и лодочки без каблуков. О господи! Бедная маленькая Джейн. В начале вечера она выглядела такой счастливой!

Глава 64

У Селесты по-настоящему больной вид, подумала Мадлен, входя с близнецами в комнату и увидев смертельно бледное лицо Селесты. На ней была голубая мужская футболка и пижамные штаны в клетку.

— Господи, наверное, это какой-то вирус? Как быстро он подействовал! — воскликнула Мадлен. — На утреннем собрании ты выглядела превосходно!

Селеста как-то странно хохотнула и положила руку на затылок:

— Да, он прилетел неизвестно откуда.

— Я могла бы на время взять мальчиков к себе, а Перри заберет их по дороге домой, — предложила Мадлен.

Она оглянулась на свою машину, стоящую на подъездной аллее. На нее укоризненно уставилась дорогая разбитая фара. На переднем сиденье машины осталась плачущая Абигейл, а Фред с Хлоей пререкались на заднем сиденье. Мадлен также успела заметить, что Фред яростно расчесывает голову, а она по опыту знала, что это может означать. Не хватало только, чтобы сейчас ей пришлось разбираться еще и со вшами.

— Нет-нет, очень любезно с твоей стороны, но я в порядке. По пятницам после школы я разрешаю им смотреть телевизор без ограничения. Во всяком случае, они не станут обращать на меня внимание. Большое спасибо, что привезла их.

— Как думаешь, поправишься ты к завтрашнему вечеру викторин? — спросила Мадлен.

— О-о, я уверена, все будет хорошо, — ответила Селеста. — Перри ждет не дождется этого вечера.

— Ладно, тогда я пойду, — сказала Мадлен. — Мы с Абигейл ругались в машине, и я въехала в зад «БМВ» Ренаты.

— Нет! — Селеста поднесла руку к лицу.

— Да, я вопила, потому что Абигейл собирается выставить на торгах онлайн-аукциона свою девственность, чтобы воспрепятствовать детским бракам, — продолжала Мадлен.

Селеста была первым человеком, которому она осмелилась сказать об этом. Ей отчаянно хотелось с кем-то поделиться.

— Она — что?

— Это все ради правого дела, — с насмешливым безразличием произнесла Мадлен. — Так что я, разумеется, согласна.

— Ох, Мадлен! — Селеста положила ладонь ей на плечо, и Мадлен почувствовала, что сейчас расплачется.

— Взгляни, — сказала Мадлен. — Вот адрес ее сайта. Абигейл отказывается закрыть его, несмотря на то что люди пишут о ней всякие мерзости.

Селеста поморщилась:

— Пожалуй, это лучше, чем продавать себя для финансирования наркомании.

— Да уж, пожалуй, — согласилась Мадлен.

— Она совершает один из этих благородных символических поступков, так ведь? — размышляла Селеста, вновь прикладывая ладонь к затылку. — Наподобие того, когда в период холодной войны та американка проплыла Берингов пролив между США и СССР.

— О чем ты говоришь?

— Это было в восьмидесятых. В то время я училась в школе, — сказала Селеста. — Помню, что считала глупым и бесполезным плыть в ледяной воде, но, знаешь, это возымело действие.

— Так ты считаешь, не следует смущаться и пусть торгует своей девственностью? Похоже, у тебя от вируса помутился рассудок.

Селеста заморгала и, немного покачнувшись, оперлась рукой о стену.

— Нет. Конечно нет. — Она на миг прикрыла глаза. — Просто я считаю, ты можешь ею гордиться.

— Ммм, — промычала Мадлен. — Пожалуй, тебе лучше снова лечь. — На прощание она чмокнула Селесту в прохладную щеку. — Надеюсь, скоро тебе будет лучше, и тогда ты, вероятно, захочешь проверить детей на вшивость.

Глава 65

За восемь часов до вечера викторин

Все утро не переставая лил дождь, и, пока Джейн ехала обратно в Пирриви, он так усилился, что ей пришлось прибавить громкость приемника и поставить стеклоочистители на быстрый режим.

Она возвращалась из дома родителей, куда отвезла Зигги. Она договорилась с родителями еще пару месяцев назад, когда все получили приглашение на вечер викторин и Мадлен, разволновавшись, заговорила о костюмах и размещении материалов для викторины.

Очевидно, бывший муж Мадлен преуспел в публичных викторинах («Понимаете, Натан проводил много времени в пабах»), и для Мадлен было очень важно, чтобы их стол побил его стол.

— И хорошо было бы победить команду Ренаты, — сказала тогда Мадлен. — Или любую команду с одаренным и талантливым ребенком, потому что все они втайне надеются, что гениальные мозги их дети унаследовали от них.

Мадлен говорила, что она сама безнадежна в викторинах, а Эд не знает ничего, что произошло после 1989-го.

— Моя обязанность будет состоять в том, чтобы приносить вам выпивку и растирать плечи, — сказала она тогда.

Учитывая все драмы прошедшей недели, Джейн поначалу сказала родителям, что не пойдет. Зачем подвергать себя подобному испытанию? Кроме того, если она не пойдет, то сделает доброе дело. Организаторы петиции увидят в этом хорошую возможность собрать больше подписей. Если она пойдет, то поставит бедняг в затруднительное положение, когда им придется просить ее подписать петицию об исключении собственного ребенка.

Но в то утро, прекрасно выспавшись, Джейн проснулась от шума дождя в необычно приподнятом настроении.

Ее проблемы еще не решены, но скоро все образуется.

Мисс Барнс ответила на ее электронное письмо, и они договорились встретиться перед занятиями в понедельник утром. После вчерашнего посещения парикмахерской Джейн послала Селесте эсэмэску, предлагая вместе выпить кофе, но Селеста ответила, что болеет и лежит в постели. Джейн колебалась, стоит ли до понедельника говорить подруге про Макса. Бедная девочка больна. Ей не нужны плохие новости. Наверное, в этом нет необходимости. Селеста такая славная и не позволит, чтобы это повлияло на их дружбу. Все будет хорошо. О петиции постепенно забудут. Может быть, узнав правду, некоторые родители даже извинятся перед Джейн. А она проявит великодушие. В этом нет ничего невозможного. Ей не хотелось передавать бедной Селесте свое звание плохой матери, но люди, узнав, что задирой был ребенок Селесты, отреагируют на это по-другому. Никто не станет составлять петицию об исключении Макса. Богатых и красивых людей обычно не изгоняют. Селеста и Перри, конечно, огорчатся, но Макс получит необходимую помощь. Все пройдет. Буря в стакане воды.

Она сможет остаться в Пирриви, продолжать работать в «Блю блюз» и пить кофе, сваренный Томом.

Она знала за собой эту предрасположенность к приступам безумного оптимизма. Если по телефону к ней обращался незнакомый голос: «Миз Чепмен?», ей на ум в первый момент приходила какая-нибудь нелепая мысль вроде: «Может, я выиграла машину!» Хотя она никогда не участвовала в конкурсах. Ей нравилась эта ее особенность, даже если оптимизм снова оказывался безосновательным.

— Пожалуй, я все-таки пойду на вечер викторин, — сказала она матери по телефону.

— Вот и хорошо, — обрадовалась мать. — Выше голову1

Мать Джейн возликовала, когда услышала об откровении Зигги по поводу Макса.

— Я всегда знала, что это не Зигги! — воскликнула она с жаром, позволяющим предположить, что у нее были тайные сомнения.

Мама и папа Джейн намеревались заняться вечером вместе с Зигги пазлами на тему «Звездных войн» в надежде передать ему свою страсть к пазлам. На следующее утро Дэйн собирался отвезти Зигги в центр скалолазания, работающий в помещении, и вернуться днем.

— Немного займись собой, — сказала мать Джейн. — Отдохни. Ты это заслужила.

Джейн планировала заняться стиркой, оплатить счета через Интернет и прибраться в комнате Зигги, но, подъезжая к пляжу, решила заглянуть в «Блю блюз». Там будет тепло и уютно. Том растопит пузатую дровяную печь. Она поняла, что в «Блю блюз» чувствует себя как дома.

Она въехала на парковку вблизи дощатого настила. Машин вокруг не было. Все сидели по домам. Спортивные субботние занятия отменены. Джейн посмотрела на пассажирское сиденье, где обычно держала складной зонтик, и поняла, что он остался в квартире. Дождь сильно колотил по ветровому стеклу, и казалось, кто-то выплескивает на него ведра воды. Очень мокрый и холодный дождь и не думал прекращаться. Выйдя под него, она задохнется.

Джейн в задумчивости поднесла руку к голове. По крайней мере, у нее осталось не так много волос, которые могут намокнуть. Еще одна вещь, от которой у нее поднялось настроение. Ее новая стрижка.

Опустив зеркало заднего вида, она принялась рассматривать свое лицо.

— Мне нравится, — сказала она вчера вечером дочери миссис Пондер. — Очень нравится.

— Говорите всем, кого встретите, что это я постригла вас, — попросила Люси.

Джейн не переставала удивляться тому, как эта короткая стрижка преобразила ее лицо, выявив скулы и увеличив глаза. А новый более темный цвет волос выгодно оттенил кожу.

Впервые после той ночи в гостинице, когда ей в душу вползли те злые слова, она смотрела на себя в зеркало, испытывая искреннее удовольствие. По сути дела, она никак не могла отвести взгляд от зеркала, застенчиво улыбаясь и вертя головой из стороны в сторону.

Ее смущало, что она чувствует себя по-настоящему счастливой от подобного пустяка. Но, может быть, это естественно? Даже нормально? Может быть, хорошо, когда женщине нравится ее внешность. Может быть, не стоит докапываться до сути или размышлять о Саксоне Бэнксе или об одержимости общества красотой, и молодостью, и стройной фигурой, и моделями, снятыми в фотошопе и вселяющими в девушек несбыточные надежды. Как не стоит размышлять о том, что самооценка женщины не должна основываться на ее внешности и что важна внутренняя суть, и все такое прочее, и тому подобное... Хватит! Сегодня у нее новая стрижка, которая ей подходит, и она счастлива.

«О-о!» — воскликнула мать, увидев ее в дверях, и зажала рот ладонью, словно собираясь расплакаться. «Тебе не нравится?» — спросила Джейн, невольно поднося руку к голове и вдруг засомневавшись, а мать ответила: «Джейн, глупышка, ты выглядишь великолепно!»

Джейн дотронулась до ключа зажигания. Надо возвращаться домой. Смешно выходить под сильным дождем.

Но вопреки доводам разума ей страшно хотелось зайти в «Блю блюз» с его запахами, теплом и кофе. И она хотела, чтобы Том увидел ее новую стрижку. Геи обращают внимание на прически.

Собравшись с духом, она открыла дверь машины и побежала.

Глава 66

Селеста проснулась поздно от шума дождя и звуков классической музыки. В доме пахло беконом и яичницей. Это означало, что Перри хозяйничает внизу на кухне, а мальчишки, вне себя от счастья, сидят на высокой скамье в пижамах, болтая ногами. Они обожали готовить вместе с отцом.

Однажды она прочитала статью о том, что каждые любовные отношения имеют свой «счет любви». Делая добро для партнера, человек вроде как вносит вклад. Негативный поступок равнозначен снятию денег со счета. Штука в том, чтобы счет приносил доход. Грохнуть жену головой об стену — то же самое, что снять со счета много денег. А встать рано утром с детьми и приготовить завтрак — небольшой депозит.

Селеста немного приподнялась и почувствовала боль в затылке. Он еще побаливал, но в целом все было нормально. Поразительно, насколько быстро шел процесс выздоровления и забывания. Этот цикл повторялся бесконечно.

Сегодня состоится вечер викторин. Они с Перри оденутся как Одри Хепберн и Элвис Пресли. Перри заказал костюм Элвиса по Интернету у первоклассного поставщика одежды из Лондона. Пожелай принц Гарри одеться Элвисом, он, возможно, заказал бы костюм там же. Все прочие наденут одежду из полиэстера и бутафорию из двухдолларового магазина.

Завтра Перри летит на Гавайи. Он признался, что поездка предстоит приятная. За несколько месяцев до этого он предложил ей лететь с ним, и на миг она задумалась. Каникулы в тропиках! Коктейли и посещение спа-салона. Прочь от стресса повседневной жизни! Что могло ей помешать? Что-то могло пойти не так. Однажды он ударил ее в пятизвездочном отеле, поскольку она передразнивала то, как он произносит слово «метрдотель». Она никогда не забудет испуганно-униженное выражение, появившееся на его лице, когда он осознал, что всю жизнь неправильно произносил это слово.

Пока он будет на Гавайях, они с мальчиками переедут в квартиру на Макмахон-Пойнт. Она встретится с семейным адвокатом. Это будет несложно. Ее не пугала правовая сфера. Она была знакома с множеством людей. Все будет хорошо. Ужасно, конечно, но все будет хорошо. Он не собирается ее убивать. После ссоры она склонна была все драматизировать. Особенно глупо было употреблять слово «убивать», когда предполагаемый убийца на кухне жарит с детьми яичницу.

Поначалу будет ужасно, но потом все образуется. Мальчики могут по-прежнему готовить завтрак с папой, когда будут проводить у него выходные.

Вчера он избил ее в последний раз.

С этим покончено.

— Мамочка, мы приготовили для тебя завтрак!

Мальчишки вбежали в комнату и, как шустрые маленькие крабы, вскарабкались к ней на кровать.

В дверях появился Перри, высоко держа на растопыренных пальцах тарелку, совсем как официант в приличном ресторане.

— Ням-ням! — сказала Селеста.

Глава 67

— Я знаю, что делать, — сказал Эд.

— Нет, не знаешь, — возразила Мадлен.

Они сидели в гостиной за столом, слушая шум дождя и уныло поедая кексы Джейн. Удивительно, что она постоянно снабжала Мадлен кексами, словно задавшись целью раскормить подругу.

Абигейл была в своей спальне. Надев наушники и подтянув колени к груди, она лежала на боку на диване, которым родители заменили ее прекрасную кровать с четырьмя столбиками.

Ее веб-сайт по-прежнему был открыт, и девственность Абигейл была по-прежнему выставлена на продажу в Мировой сети.

Мадлен испытывала тревожное чувство незащищенности. Ей мерещились за окнами чьи-то бесцеремонные взгляды, мерещились незнакомые мужчины, молча крадущиеся по коридору в поисках ее дочери.

Накануне вечером к ним приехал Натан, и они с Мадлен провели с дочерью больше двух часов, умоляя, увещевая, умасливая, крича и плача. В конечном итоге расплакался от досады именно Натан, и упрямая девчонка была заметно шокирована, но не захотела уступать. Она и не подумала сообщить им пароль и закрыть сайт. Торги могли и не состояться, но, как она сказала, это не главное, надо, чтобы взрослые «перестали постоянно говорить о роли секса». Она оставляет сайт открытым для того, чтобы привлечь внимание к этой проблеме, и потому, что «она единственный голос этих маленьких девочек».

Вот он, эгоцентризм ребенка, как будто международные гуманитарные организации сидят сложа руки, в то время как юная Абигейл Маккензи с полуострова Пирриви — единственный человек, способный к решительным действиям. Абигейл сказала, что ей наплевать на ужасные комментарии по поводу секса. Эти люди ничего для нее не значат. Все это совершенно не относится к делу. Люди всегда пишут в Интернете всякие гадости.

— Не стоит привлекать полицию, — сказала Мадлен Эду. — Я действительно не хочу...

— Мы можем связаться с австралийским офисом «Эмнести интернэшнл», — предложил Эд. — Они не захотят, чтобы их организация имела отношение к подобным вещам. Если организация, в действительности представляющая права этих детей, попросит ее закрыть сайт, она послушается.

Мадлен ткнула в него пальцем:

— Вот это правильно. Может, и получится.

Из коридора доносился грохот и треск. Фред и Хлоя плохо переносили пребывание дома в дождливый день.

— Отдай! — визжала Хлоя.

— Ни за что! — вопил Фред.

Дети вбежали в комнату, держась за лист мятой бумаги.

— Только не говорите, что вы ссоритесь из-за этого обрывка бумаги, — сказал Эд.

— Он не хочет со мной поделиться! — пронзительно закричала Хлоя. — Делиться — значит любить!

— Будь довольна тем, что у тебя есть, и не хнычь! — прокричал Фред.

В обычных обстоятельствах это вызвало бы у Мадлен смех.

— Это мой бумажный самолетик, — сказал Фред.

— Я нарисовала пассажиров!

— Неправда!

— Сейчас же перестаньте кричать!

Обернувшись, Мадлен увидела Абигейл, стоящую в дверном проеме.

— Что такое? — спросила Мадлен.

Абигейл что-то ответила, но Мадлен не расслышала из-за криков Фреда и Хлои.

— Да что ж это такое!

Мадлен выхватила у Фреда бумажку и разорвала ее пополам, вручив обрывок каждому из детей.

— И чтобы я вас не видела! — рявкнула она.

Дети убежали.

— Я закрыла сайт, — тяжело вздохнув, произнесла Абигейл.

— Правда? Почему?

У Мадлен было искушение поднять руки над головой и закружиться по комнате, как делал обычно Фред, забив гол.

Абигейл протянула ей распечатку электронного письма:

— Я получила это.

Эд вместе с Мадлен прочитали письмо.

Абигейл Маккензи
От Ларри Фицджеральда
Тема: предложение цены на торгах

Дорогая мисс Маккензи,
меня зовут Ларри Фицджеральд, приятно с вами познакомиться. Вероятно, вам не часто пишут восьмидесятитрехлетние джентльмены, живущие на другом краю света, в Су-Фолс, штат Южная Дакота. Мы с моей дорогой женой посетили Австралию много лет назад, в 1987-м, еще до вашего рождения. Мы с удовольствием осмотрели здание Оперы в Сиднее. (Я архитектор, теперь уже на пенсии, и давно мечтал увидеть Оперу.) Жители Австралии были к нам добры и дружелюбны. К несчастью, моя любимая жена в прошлом году умерла. Мне очень ее недостает. Мисс Маккензи, прочитав ваш сайт, я был тронут вашим энтузиазмом и желанием привлечь внимание к проблемам этих детей. Тем не менее я не собираюсь покупать вашу девственность, но хочу предложить цену. Вот мои условия. Если вы немедленно закроете эти торги, я тотчас же внесу на счет «Эмнести интернэшнл» 100 000 долларов. (Разумеется, я пришлю вам чек.) Я посвятил много лет жизни борьбе за права человека, а потому восхищен вашими попытками, но вы сами еще ребенок, мисс Маккензи, и, будучи в здравом уме, я не могу ждать завершения вашего проекта. Надеюсь, мое предложение вас устраивает. Жду вестей.
Искренне ваш,
Ларри Фицджеральд.

Мадлен и Эд обменялись взглядами, а потом посмотрели на Абигейл.

— Я подумала, сто тысяч долларов очень большое пожертвование, — сказала Абигейл. Она стояла перед открытой дверцей холодильника, вынимала контейнеры, снимала с них крышки и рассматривала содержимое. — И наверное, эта организация «Эмнести» сможет сделать что-то хорошее, получив эти деньги.

— Не сомневаюсь, — нейтрально произнес Эд.

— Я ответила этому человеку и написала, что закрыла сайт, — сказала Абигейл. — Если он не пришлет чека, я сразу же снова открою сайт.

— Ну конечно, — пробормотал Эд. — Он должен довести дело до конца.

Мадлен улыбнулась Эду, а потом снова Абигейл. Чувствовалось, девочка испытывает большое облегчение. Стоя у холодильника, она приплясывала босыми ногами. Абигейл умудрилась загнать себя в угол, а замечательный Ларри из Южной Дакоты вызволил ее.

— Это спагетти болоньезе? — спросила Абигейл, подняв контейнер. — Умираю от голода.

— Я думала, ты теперь веган, — заметила Мадлен.

— Только не тогда, когда я здесь, — заявила Абигейл, относя контейнер к микроволновке. — Здесь очень трудно быть веганом.

— Ну скажи, — попросила Мадлен. — Какой у тебя был пароль?

— Я могу снова его поменять, — заметила Абигейл.

— Знаю.

— Ни за что не угадаешь.

— Знаю. Мы с твоим отцом перепробовали все.

— Да нет же, — сказала Абигейл. — Это он и есть. Мой пароль. «Низачтонеугадаешь».

— Умно, — похвалила Мадлен.

— Спасибо. — У Абигейл на щеках заиграли ямочки.

Зазвенела микроволновка, Абигейл открыла дверцу и вынула контейнер.

— Понимаешь, из всего случившегося стоит сделать выводы, — начала Мадлен. — Когда мы с отцом о чем-то тебя просим, нельзя просто нас игнорировать.

— Угу, — весело произнесла Абигейл. — Делай то, что считаешь нужным, мама.

Эд откашлялся, но Мадлен предупреждающе покачала головой.

— Можно съесть это в гостиной перед телевизором? — Абигейл подняла дымящуюся тарелку.

— Конечно, — ответила Мадлен.

Абигейл без лишних слов удрала в гостиную.

Эд откинулся на стуле, заложив руки за голову:

— Кризис миновал.

— И все благодаря мистеру Ларри Фицджеральду. — Мадлен взяла листок с распечаткой письма. — Как удачно все... — Умолкнув, она прижала палец к губам. Насколько удачно все получилось?

Глава 68

На двери «Блю блюз» висела табличка «Закрыто». Джейн в отчаянии прижалась ладонями к стеклянной двери. Она не могла припомнить, чтобы когда-нибудь видела такую табличку на двери кафе.

Из-за собственной глупости она совершенно напрасно вымокла до нитки.

Опустив руки, она ругнулась. Так тебе и надо. Она поедет домой и примет душ. Если только вода в ее квартире будет идти больше двух минут и двадцати семи секунд. Двух минут двадцати секунд недостаточно, чтобы согреться, но достаточно, чтобы разозлиться.

Повернувшись, она пошла к машине.

— Джейн!

Дверь распахнулась.

На Томе была белая футболка с длинным рукавом и джинсы. Он казался совершенно сухим, теплым и восхитительным. В ее сознании Том всегда ассоциировался с хорошим кофе и хорошей едой, так что при одном взгляде на него у Джейн, как у собаки Павлова, выделялась слюна.

— У тебя закрыто, — уныло проговорила Джейн. — Ты никогда прежде не закрывался.

Том положил сухую ладонь на мокрое плечо Джейн и втащил ее внутрь.

— Для тебя открыто.

Джейн оглядела себя. Туфли у нее совершено вымокли. При ходьбе они издавали хлюпающие звуки. Вода скатывалась с ее лица ручьями, как потоки слез.

— Извини, — сказала она. — У меня не оказалось зонтика, и я подумала, если побегу быстро...

— Не беспокойся на этот счет. Такое случается постоянно. Ради моего кофе люди проходят сквозь огонь и воду. Пойдем, я дам тебе сухую одежду. Я решил закрыть кафе и посмотреть телик. Уже несколько часов нет посетителей. Где мой парень Зигги?

— Он у мамы с папой, а я поеду на школьный вечер викторин, — сказала Джейн. — Вечер бурного веселья.

— Возможно, так и будет, — заметил Том. — Родители школы Пирриви не прочь пропустить по стаканчику. Знаешь, я тоже иду. Мадлен посадит меня за ваш стол.

Оставляя мокрые следы, Джейн прошла за ним через кафе к двери с табличкой «Частное помещение». Она знала, что Том живет в задней части кафе, но никогда не входила в эту дверь.

— О-о, — выдохнула она, когда Том открыл перед ней дверь. — Классно!

— Да! — сказал Том. — Тебе очень повезло.

Оглядевшись по сторонам, она увидела, что его квартира-студия — продолжение кафе: те же полированные полы и белые шероховатые стены, полки с книгами. К стене были прислонены доска для сёрфинга и гитара, рядом этажерка с компакт-дисками и стереосистема.

— Не могу поверить, — сказала Джейн.

— Что такое? — спросил Том.

— Ты увлекаешься пазлами, — указала она на неоконченный пазл.

Джейн взглянула на коробку. На ней была мозаичная черно-белая фотография Парижа военного времени, состоящая из двух тысяч фрагментов.

— Мы составляем пазлы, — сообщила Джейн. — Моя семья. Мы на этом помешались.

— Я люблю, чтобы у меня всегда один был в работе, — объяснил Том. — Это настраивает на своего рода медитацию.

— Точно, — согласилась Джейн.

— Знаешь что, я дам тебе одежду и накормлю супом из тыквы, а ты поможешь мне с пазлом, — предложил Том.

Он достал из ящика какие-то спортивные штаны и толстовку с капюшоном. Джейн пошла в ванную, сняла с себя мокрую одежду, и белье тоже, и положила все в раковину. Одежда, которую ей дал Том, пахла им и «Блю блюз».

— Я чувствую себя Чарли Чаплиным, — сказала она.

Рукава были чересчур длинными, а штаны пришлось подтягивать, чтобы не свалились.

— Вот так. — Том аккуратно закатал ей рукава.

Джейн подчинилась, как ребенок. Она была непостижимо счастлива. О ней заботились.

Она села за стол, и Том принес им чашки с тыквенным супом со сметаной и хлеб с маслом.

— У меня такое чувство, будто ты все время меня кормишь, — сказала Джейн.

— Тебе надо подкрепиться, — заявил Том. — Угощайся.

Она зачерпнула полную ложку вкусного душистого супа.

— А я знаю, что в тебе изменилось! — воскликнул вдруг Том. — Ты постриглась! И выглядишь классно!

Джейн рассмеялась:

— По дороге сюда я думала: гей сразу заметит, что я постриглась. — Она взяла фрагмент пазла и отыскала для него место. У нее было ощущение, что она дома — ест и собирает пазл. — Извини. Знаю, это ужасный штамп.

— Гм, — хмыкнул Том.

— Что? — переспросила Джейн, подняв на него глаза. — Это должно встать сюда. Смотри. Это угол танка. Суп просто бесподобный. Почему ты не включишь его в меню?

— Я не гей, — произнес Том.

— Да, гей, — весело сказала Джейн.

Она подумала, он неудачно шутит.

— Нет, — повторил Том. — Нет, не гей.

— Что?

— Знаю, я составляю пазлы и готовлю бесподобный тыквенный суп, но я нормальный человек.

— О-о! — воскликнула Джейн, почувствовав, что краснеет. — Я думала, нет, не думала, я знала! Откуда я узнала? Кто-то мне сказал. Мадлен сказала, еще давно. Но я это помню! Она рассказала мне целую историю о том, как ты порвал со своим бойфрендом и очень переживал, все время плакал и катался на доске...

Том ухмыльнулся:

— Том О'Брайен. Мадлен говорила о нем.

— Том О'Брайен, механик по кузовным работам?

Крупный и дородный Том О'Брайен носил черную густую бороду. Два Тома настолько отличались друг от друга, что никогда не ассоциировались у Джейн с одним именем.

— Это вполне объяснимо, — заметил Том. — Вероятней предположить, что гей — это Том-бариста, а не Том — дородный механик по кузовным работам. Сейчас он, кстати, вполне счастлив, влюбился в кого-то еще.

— Ха, — в раздумье произнесла Джейн. — Его квитанции пахли довольно приятно. — (Том фыркнул.) — Надеюсь, я тебя, гм, не обидела.

Когда Джейн переодевалась в ванной, она не плотно закрыла дверь, а оставила ее приоткрытой, как если бы Том был ее подружкой, и они могли разговаривать. А сейчас на ней не было белья. Она разговаривала с ним так свободно. Она всегда чувствовала себя с ним свободно. Знай она, что он гетеросексуал, то вела бы себя более сдержанно. Она не стыдилась влечения к нему, потому что считала его геем.

— Конечно нет, — отозвался Том.

Их глаза встретились. Его лицо, такое родное и хорошо знакомое после нескольких месяцев общения, вдруг показалось ей чужим. Он покраснел. Они оба сидели красные. У нее похолодело в животе, как бывает перед спуском с американских горок. О горе мне!

— По-моему, этот фрагмент встанет в тот угол, — сказал Том.

Джейн взглянула на фрагмент пазла и вставила его на место. Может быть, дрожь в пальцах сойдет за неловкость.

— Ты прав, — согласилась она.

* * *

Кэрол. Я видела, как Джейн на вечеринке, скажем так, интимно разговаривает с одним из папаш. Они сидели рядом, и я уверена, он положил руку ей на колено. Честно говоря, меня это немного шокировало.

Габриэль. Это был не папаша, а Том! Бариста! И он гей!

Глава 69

За полчаса до вечера викторин

— Ты такая красивая, мамочка! — воскликнул Джош.

Он стоял в дверях спальни, глядя на Селесту. На ней было черное платье без рукава, длинные белые перчатки и жемчужное ожерелье, которое Перри купил ей в Швейцарии. Она даже сделала себе высокую прическу «улей» в стиле Одри Хепберн, вставив в нее винтажный гребень с бриллиантами. Селеста выглядела великолепно. Мадлен одобрила бы ее наряд.

— Спасибо, Джоши, — сказала Селеста, как никогда тронутая комплиментом сына. — Обними меня.

Он подбежал к матери, сел на краю кровати и обнял ее. Он не был таким ласковым, как Макс, поэтому, когда хотел обнять ее, она его не торопила. Она поцеловала его в макушку. Она успела принять обезболивающее, хотя не была уверена, что это стоило делать, и сейчас чувствовала себя какой-то отрешенной.

— Мамочка, — начал Джош.

— Гммм?

— Я должен рассказать тебе секрет.

— Гм. Какой секрет? — Закрыв глаза, она сильнее прижала его к себе.

— Но я не хочу его рассказывать, — заявил Джош.

— Тебе необязательно рассказывать, — сонно проговорила Селеста.

— Но от этого мне грустно, — сказал Джош.

— Отчего тебе грустно? — Селеста подняла голову и попыталась сосредоточиться.

— Ладно, значит, Макс больше не обижает Амабеллу, — сообщил Джош. — Но вчера он опять столкнул Скай с лестницы у библиотеки. Я сказал, что так делать нельзя, и мы здорово подрались, потому что я пригрозил рассказать учительнице.

Макс толкнул Скай.

Скай. Маленькая трогательная девочка Бонни и Натана. Макс *опять* столкнул Скай с лестницы. Сама мысль о том, что ее сын обижает этого хрупкого ребенка, мгновенно вызвала у Селесты тошноту.

— Но почему? — спросила она. — Зачем ему это делать?

У нее заболел затылок.

— Не знаю, — пожал плечами Джош. — Просто делает.

— Погоди минутку, — сказала Селеста. Где-то внизу звонил ее мобильник. Она прижала палец ко лбу. Голова у нее была как в тумане. — Ты сказал: «Макс больше не обижает Амабеллу»? О чем ты говоришь? Что это значит?

— Я отвечу на звонок! — прокричал снизу Перри.

Джош начал проявлять нетерпение.

— Нет-нет, мама! Послушай! Он больше не подходит к Амабелле. Это Скай. Он обижает Скай. Когда никто не видит, кроме меня.

— Мамочка! — В комнату ворвался взволнованный Макс. — Кажется, у меня шатается зуб! — Он засунул в рот палец.

Какой славный мальчик. Такой милый и невинный. В лице сохранилась младенческая округлость. Он мечтал потерять зуб, потому что свято верил в фею молочных зубов.

Когда мальчикам исполнилось по три, Джош попросил лопатку, а Макс — пупсика. Они с Перри умилялись, глядя, как он качает пупсика, поет ему тихие колыбельные песенки. Селесте нравилось то, что Перри не имеет ничего против подобного не мужского поведения сына. Разумеется, очень скоро Макс променял кукол на световые мечи, но остался ее отрадой, самым ласковым из двух мальчиков.

А теперь он выслеживает в классе тихонь и обижает их. Ее сын — задира. «Как жестокое обращение влияет на ваших детей?» — однажды спросила Сьюзи. «Никак», — ответила она.

— Ох, Макс, — вздохнула Селеста.

— Потрогай! — сказал Макс. — Я не выдумываю! Он действительно шатается! — Макс поднял глаза на отца, который вошел в комнату. — У тебя смешной вид, папа! Эй, папа, посмотри на мой зуб! Посмотри, посмотри!

Перри едва можно было узнать в идеально пригнанном блестящем черном парике, золотых авиаторских очках и, конечно, белом культовом комбинезоне Элвиса со сверкающими камушками. В руке он держал мобильник Селесты.

— Ух ты! Неужели на этот раз и вправду шатается? — спросил он. — Дай посмотреть!

Положив телефон на кровать рядом с Селестой и Джошем, Перри присел на корточки перед Максом и опустил очки на нос, чтобы разглядеть зуб Макса.

— У меня для тебя сообщение, — сказал Перри, искоса посмотрев на Селесту. Потом положил палец на нижнюю губу Макса. — Дай посмотреть, дружок. От Минди.

— Минди? — рассеянно переспросила Селеста. — Не знаю никого по имени Минди. — Она задумалась о Джейн и Зигги. О петиции, в которой должно быть имя Макса. Необходимо сообщить в школу. Надо ли прямо сейчас звонить мисс Барнс? Надо ли позвонить Джейн?

— Твой агент по недвижимости, — пояснил Перри.

У Селесты похолодело в животе. Джош проворно слез с ее коленей.

— Спорим, твой зуб не шатается! — заявил он брату.

— Может быть, чуть-чуть, — сказал Перри. Он взъерошил волосы Макса и поправил свои очки. — В твоей квартире собираются установить дымовую пожарную сигнализацию. Они просили впустить их в понедельник утром. Минди спрашивала, устроит ли тебя девять часов. — Перри обхватил довольных мальчишек за пояс и посадил к себе на бедра, как обезьянок, а потом наклонил голову к Селесте. — Тебя это устраивает, милая?

Прозвенел звонок входной двери.

Глава 70

Вечер викторин

Стью. Едва войдя в дверь, вы получали один из этих девчачьего вида розовых шипучих коктейлей.

Саманта. Они были божественными. Единственная проблема состояла в том, что учителя шестого класса ошиблись в дозировке, так что каждая порция соответствовала трем. И между прочим, эти люди учат наших детей математике.

Габриэль. Я нарочно ничего не ела, чтобы приберечь все калории на этот вечер. Я выпила половину коктейля и — о-ля-ля!

Джеки. Я часто хожу на корпоративы с пьющими чиновниками, но позвольте сказать: я ни разу не видела, чтобы группа людей напилась так быстро, как это было на школьном вечере викторин.

Теа. Закуски подали с опозданием, и голодная публика пила эти очень крепкие алкогольные напитки. Про себя я подумала: это путь к катастрофе.

Мисс Барнс. Не очень прилично учителям напиваться на школьных мероприятиях, поэтому я всегда тяну с одним напитком, но тот коктейль! Я даже точно не помню, что именно говорила людям.

Миссис Липман. В настоящее время мы пересматриваем порядок подачи алкоголя на школьных мероприятиях.

* * *

— Коктейль? — Белокурая Одри Хепберн протянула ей поднос.

Джейн взяла предложенный розоватый напиток и оглядела школьный актовый зал. Вероятно, Модные Стрижки проводили собрание, на которое все они должны были явиться в одинаковых жемчужных ожерельях, маленьких черных платьях и с высокими прическами. Наверное, дочь миссис Пондер предложила им групповую скидку.

— Вы новенькая в школе? — спросила Модная Стрижка. — Ваше лицо мне как будто незнакомо.

— Я мама из подготовительного класса, — ответила Джейн. — Я здесь с начала учебного года. Господи, до чего хорош коктейль!

— Да, его придумали учителя шестого класса. Назвали «Не для школьного вечера» или что-то в этом роде. — Модная Стрижка сделала второй заход. — Ой, так я вас знаю! Вы постриглись. Вы Джейн, да?

Угу, это я. Мама забияки. Правда, он вовсе не забияка.

Модная Стрижка быстренько отошла от нее.

— Хорошо повеселиться! — сказала она. — Вон там есть схема расстановки столов. — И она махнула рукой в неопределенном направлении.

Джейн смешалась с толпой, минуя группки оживленных Элвисов и хихикающих Одри, которые то и дело прикладывались к розовым коктейлям. Она стала оглядываться в поисках Тома, чтобы вместе с ним проанализировать этот алкогольный напиток, имеющий восхитительный вкус.

Том — гетеросексуал. Эта мысль то пропадала, то снова возникала в голове, словно черт из табакерки. *Том не гей! Том не гей!*

Это так весело, чудесно и страшно!

Джейн нос к носу столкнулась с Мадлен, видением в розовом: розовое платье, розовая сумочка и розовый коктейль в руке.

— Джейн!

Ярко-розовое шелковое коктейльное платье Мадлен было усыпано камушками зеленого горного хрусталя, а на талии красовался громадный бант из розового атласа. Почти все женщины в зале были в черном. Мадлен, разумеется, знала, как выделиться из толпы.

— Выглядишь потрясающе, — сказала Джейн. — У тебя на голове диадема Хлои?

Мадлен потрогала диадему с розовыми пластиковыми камнями.

— Да, и мне пришлось заплатить за нее непомерную арендную плату. Но вот кто у нас потрясающе выглядит! — Она взяла Джейн за руку и заставила ее медленно покружиться. — Твои волосы! Ты не говорила мне, что собираешься постричься! Великолепно! Тебя стригла Люси Пондер? А твой наряд! Как мило! — Мадлен повернула Джейн к себе лицом и от удивления прикрыла рот ладонью. — Джейн! У тебя губы накрашены красной помадой! Я так, так... — Голос ее задрожал от избытка чувств. — Я так рада, что ты накрасила губы!

— Сколько ты выпила этих славных розовых коктейлей? — поинтересовалась Джейн, прихлебывая из стакана свой коктейль.

— Это всего лишь второй, — ответила Мадлен. — У меня жуткий, немыслимый ПМС. До окончания вечера я вполне могу кого-нибудь пришить. Но! Все хорошо! Все замечательно! Абигейл закрыла свой сайт. Ой, постой, ты ведь даже не знаешь про сайт, да? Так много всего произошло! Так много катастрофических событий! Но послушай! Как вчера все прошло? Визит сама знаешь к кому?

— Какой сайт закрыла Абигейл? — спросила Джейн, потягивая коктейль через соломинку и наблюдая, как исчезает розовая жидкость. Спиртное ударяло ей в голову. Она чувствовала себя несказанно счастливой. — Визит к психологу прошел хорошо. — Она понизила голос. — Это не Зигги обижал Амабеллу.

— Конечно не он, — согласилась Мадлен.

— По-моему, с этим я покончила! — заявила Джейн.

— Думаешь, в нем есть какой-то алкоголь? — спросила Мадлен. — По вкусу он напоминает что-то шипучее и приятное из детства. У него вкус летнего дня, первого поцелуя...

— У Зигги есть вши, — сказала Джейн.

— У Хлои с Фредом тоже, — хмуро призналась Мадлен.

— Ах, мне о многом хочется тебе рассказать. Вчера муж Харпер нагнал на меня страху. Сказал, что, если я опять подойду к Харпер, он обрушит на меня всю мощь закона. Очевидно, он служит в юридической фирме.

— Грэм? — удивилась Мадлен. — Умоляю тебя, в фирме по перевозке!

— Том вышвырнул их из кафе.

— Серьезно? — Мадлен была поражена.

— Голыми руками.

Джейн обернулась и увидела Тома со стаканом популярного розового напитка. На нем были джинсы и клетчатая рубашка на пуговицах.

— Том! — восторженно произнесла Джейн, словно встречала вернувщегося из армии призывника.

Она сделала к нему непроизвольный шаг, а потом, нечаянно коснувшись его руки, быстро отступила назад.

— Вы обе такие красивые, — сказал Том, глядя на Джейн.

— Ты совсем не похож на Элвиса, — неодобрительно заметила Мадлен.

— Не люблю маскарадных костюмов, — начал оправдываться Том, непроизвольно одергивая тщательно отглаженную рубашку. — Извините.

Рубашка не очень-то ему подходила. Он гораздо лучше выглядел в черных футболках, которые носил в кафе. Представив себе, как Том с обнаженным торсом добросовестно отглаживает в своей студии рубашку, которая ему совсем не шла, Джейн преисполнилась нежности и вожделения.

— Эй, чувствуешь здесь мяту? — спросил Том у Джейн.

— Именно! — согласилась Джейн. — Значит, это земляничное пюре, шампанское...

— ...и, полагаю, водка, — сказал Том. Он отхлебнул еще. — Может быть, много водки.

— Ты так думаешь? — поинтересовалась Джейн, глядя на его губы.

Она всегда считала Тома привлекательным, но не задавалась вопросом почему. Возможно, дело было в губах. У него были красивые, почти женские губы. Этот день должен был стать весьма печальным днем для сообщества геев.

— Ага! — воскликнула Мадлен. — Ага!

— Что такое? — спросил Том.

— Привет, Том, приятель.

К Мадлен подошел Эд и обнял ее за талию. Он был в черном с золотом костюме Элвиса с пелериной и громадным воротником. Невозможно было смотреть на него без смеха.

— Как это вышло, что Том не оделся придурком? — спросил Эд, а потом улыбнулся Джейн. — Хватит смеяться, Джейн. Кстати, ты выглядишь потрясающе. Ты что-то сделала с волосами?

Мадлен с глупой улыбкой пялилась на Джейн и Тома, крутя головой из стороны в сторону, как на теннисном турнире.

— Посмотри, дорогой, — сказала она Эду. — Том и Джейн.

— Да, — откликнулся Эд. — Вижу. Я только что с ними разговаривал.

— Но это же очевидно! — с сияющими глазами проговорила Мадлен, прижав руку к сердцу. — Не могу поверить, что я никогда... — К огромному облегчению Джейн, она умолкла, устремив взор поверх их плеч. — Посмотрите, кто там. Король и королева бала.

Глава 71

По дороге в школу Перри не разговаривал. Они все-таки поехали на вечер. Селеста не могла поверить, что они все-таки едут, но, конечно же, они поехали. Они никогда ничего не отменяли. Иногда ей приходилось переодеться, иногда у нее было наготове оправдание, но «шоу должно продолжаться».

Перри успел разместить в «Фейсбуке» их фотографию в маскарадных костюмах. Они должны были предстать на ней как жизнерадостные, веселые люди, которые не принимают себя чересчур серьезно и пекутся о школе и местной общине. Этот снимок идеально дополнял другие, более гламурные сообщения об их заграничных путешествиях и дорогостоящих культурных событиях. Школьный вечер викторин был как раз подходящей темой для их бренда.

Она смотрела прямо перед собой на быстро движущиеся стеклоочистители. Ветровое стекло ассоциировалось для нее с непрекращающимися циклами состояния ее ума. Замешательство. Ясность. Замешательство. Ясность. Замешательство. Ясность.

Она посмотрела на его руки, лежащие на руле. Умелые руки. Ласковые руки. Злые руки. Он был просто мужчиной в костюме Элвиса, который вез ее на школьное мероприятие.

Он был мужчиной, который только что узнал, что жена собирается уйти от него. Уязвленный мужчина. Обманутый мужчина. Рассерженный мужчина. Но всего лишь мужчина.

Замешательство. Ясность. Замешательство. Ясность.

Когда приехала Гвен, чтобы посидеть с мальчиками, Перри включил обаяние, словно от этого зависело что-то жизненно важное. Поначалу она обращалась с ним холодно, но оказалось, что Элвис — слабое место Гвен. Она пустилась рассказывать историю о том, как была одной из «золотых девушек» во время тура Элвиса по Австралии на золотом «кадиллаке». В какой-то момент Перри деликатно перебил ее, как джентльмен, уводящий даму во время танца.

Когда они въехали на школьную улицу, дождь ослаб. Улица была заставлена автомобилями, но у самого входа Перри ожидало место, как будто он зарезервировал его. Он всегда находил место для парковки. Светофоры для него зажигали зеленый свет. Доллар для него послушно поднимался или падал. Может быть, из-за этого он сильно сердился, когда что-то шло не так.

Он выключил зажигание.

Ни один не пошевельнулся и не заговорил. Селеста увидела, как мимо машины в длинном платье спешит мелкими шажками мама из подготовительного класса. Она несла над собой детский зонтик в горошек. Габриэль, подумала Селеста. Та самая, которая без конца говорит о своем весе.

Селеста повернулась к Перри:

— Макс запугивал Амабеллу, малышку Ренаты.

Перри продолжал смотреть прямо вперед.

— Откуда ты знаешь?

— Джош сказал, — ответила Селеста. — Как раз перед тем, как мы уехали. И его вина упала на Зигги.

Зигги. Ребенок твоего кузена.

— Родители ходатайствуют об исключении именно этого мальчика. — Представив, как Перри грохнул ее головой об стенку, она на миг прикрыла глаза. — Это должно было быть ходатайство об исключении Макса, а не Зигги.

Перри повернулся и взглянул на нее. В черном парике он казался незнакомцем. От этой черноты его глаза сделались ярко-голубыми.

— Мы поговорим с учителями, — сказал он.

— Это я поговорю с учительницей, — возразила Селеста. — Тебя здесь не будет, забыл?

— Верно, — согласился Перри. — Ладно, завтра, перед тем как ехать в аэропорт, я поговорю с Максом.

— Что ты ему скажешь? — спросила Селеста.

— Не знаю.

Ее грудь вдруг сдавило от ноющей боли. Что это? Сердечный приступ? Приступ ярости? Разбитое сердце? Груз ответственности?

— Ты скажешь ему, что нельзя так обращаться с женщиной? — спросила она, как будто спрыгивая с утеса.

Они никогда не говорили об этом. Не так, как сейчас. Она нарушила незыблемое правило. Потому ли это, что он сейчас в образе Элвиса Пресли и все нереально, или потому, что теперь он знает про квартиру и все стало более реальным, чем прежде?

На лице Перри отразилось смятение.

— Мальчики никогда...

— Они видели! — прокричала Селеста. Она так долго и так старательно притворялась. — Вечером накануне их последнего дня рождения Макс выбрался из кровати, он стоял прямо в дверях, когда...

— Да, понимаю, — сказал Перри.

— И был еще тот раз на кухне, когда ты, когда я...

Он вытянул руку вперед:

— Ладно, ладно.

Она умолкла.

Через секунду он спросил:

— Так ты сняла квартиру?

— Да, — ответила Селеста.

— Когда переезжаешь?

— На следующей неделе. Думаю, на следующей неделе.

— С мальчиками?

Вот когда нужно испугаться, подумала она. Все идет не так, как говорила Сьюзи. Сценарии. Планы. Пути отхода. Сейчас она действует неосторожно, но в течение нескольких лет она пыталась вести себя осторожно, понимая, что это нисколько не помогает.

— Конечно, с мальчиками.

Он резко вдохнул воздух, словно почувствовав внезапную боль. Потом закрыл лицо ладонями и наклонился вперед, прижавшись лбом к рулевому колесу. Все его тело сотрясалось от конвульсий.

Селеста уставилась на него, в первый момент не понимая, что с ним происходит. Ему плохо? Или он смеется? Почувствовав спазм в животе, она положила руку на дверь машины, но затем он поднял голову и повернулся к ней.

По его лицу струились слезы. Парик Элвиса съехал набок. Он как будто был не в себе.

— Я обращусь за помощью, — сказал он. — Обещаю, что обращусь за помощью.

— Не верю, — тихо произнесла она.

Дождь утихал. Она видела других Одри и Элвисов, спешащих по улице под зонтами. Слышны были их крики и смех.

— Нет, правда. — У него засияли глаза. — В прошлом году доктор Хантер дал мне направление к психиатру. — В голосе Перри послышались нотки торжества.

— Ты рассказал про нас... доктору Хантеру?

Их семейный терапевт был добрым, обходительным старичком.

— Я сказал, что у меня тревожный синдром, — сказал Перри.

Он увидел, как изменилось выражение ее лица.

— Что ж, доктор Хантер знает нас! — словно оправдываясь, сказал он. — Но я действительно собирался сходить к психиатру. Собирался рассказать ему. Просто так и не сделал этого, думал, что справлюсь сам.

Она не осуждала его за это. Она знала, как одна и та же мысль может бессмысленными кругами бесконечно вертеться в голове.

— Наверное, это направление уже недействительно. Но я возьму другое. Когда я сержусь, то становлюсь таким... Не знаю, что со мной происходит. Это похоже на умопомешательство. Что-то непреодолимое... И я никогда не принимаю решения... Просто это происходит, и каждый раз я сам не могу в это поверить и думаю, что больше никогда такого не допущу, но вот вчера это опять случилось. Селеста, мне очень стыдно за вчерашнее.

Окна машины запотели. Селеста протерла свое боковое окно. Перри говорил так, словно искренне верил, что впервые произносит подобные слова, словно это совершенно новая информация.

— Нельзя растить мальчиков в такой обстановке.

Она смотрела в окно на дождливую темную улицу, которая каждое школьное утро заполнялась шумными смеющимися ребятишками в синих шапочках.

С некоторым удивлением она поняла, что, если бы не сегодняшнее откровение Джоша по поводу поведения Макса, она, вероятно, так и не ушла бы от мужа. Она убедила бы себя, что все драматизирует, что вчерашний инцидент был не таким и ужасным и что любой мужчина рассвирепел бы от того унижения, которому она подвергла Перри в присутствии Мадлен и Эда.

Сыновья всегда побуждали ее остаться, и вот впервые побуждают ее уйти. Благодаря ее попустительству насилие стало привычной частью их жизни. За последние пять лет Селеста выработала в себе нечто вроде невосприимчивости к насилию, что позволяло ей отвечать ударом на удар, а иногда даже бить первой. Она царапалась, она лягалась, она отвешивала оплеухи. Как будто это было нормально. Она это ненавидела, но все же делала. Останься она, и ее мальчикам достанется такое наследие.

Она отвернулась от окна и взглянула на Перри:

— Все кончено. Пойми, все кончено.

Его рот искривился. Она видела, что он приготовился сражаться, выстраивать стратегию, выигрывать. Он никогда не проигрывал.

— Я отменю эту поездку, — заявил он. — Уйду в отставку. В следующие полгода я буду заниматься только нашей — нет, моей — проблемой. В следующие... Твою мать!

Он отскочил назад, устремив взгляд на что-то за плечом Селесты. Она повернулась и вскрикнула. К стеклу прижималось чье-то пугающее лицо.

Перри нажал кнопку, и стекло опустилось. К окну наклонилась радостно улыбающаяся Рената в полупрозрачной шали, наброшенной на плечи. Рядом стоял ее муж с огромным черным зонтом.

— Извините! Мы не хотели вас напугать! Не хотите воспользоваться нашим зонтом? Вы оба выглядите сногсшибательно!

Глава 72

Это все равно что смотреть на прибытие кинозвезд, подумала Мадлен. Перри и Селеста держались так, словно шли по сцене, — идеальная осанка, лица, которые хочется снять на камеру. Их маскарадные костюмы были такими же, как у большинства гостей, но казалось, Перри и Селеста не просто переоделись в костюмы персонажей, а это были настоящие Элвис и Одри, приехавшие на вечер. Каждая из женщин, одетая в черное платье из «Завтрака у Тиффани» потрогала свои дешевые жемчужные бусы. Каждый мужчина в белом костюме Элвиса втянул живот. Заглатывались все новые порции шипучих розовых коктейлей.

— Ух ты! Какая Селеста красивая!

Мадлен обернулась и увидела рядом с собой Бонни.

Как и Том, Бонни, вероятно, не носила маскарадных костюмов. Волосы ее, как обычно, были заплетены в косу, перекинутую через плечо. Никакой косметики. Она напоминала бродяжку, пришедшую на специальное мероприятие, — полинялая кофта из тонкой ткани с длинными рукавами, съехавшая с одного плеча (все ее наряды спадали с одного плеча, что сильно раздражало

Мадлен, которой хотелось схватить ее и поправить одежду), длинная бесформенная юбка, старый кожаный ремень на талии, обилие этих странных цыганских побрякушек вроде черепа и скрещенных костей и тому подобное.

Будь здесь Абигейл, она оглядела бы мать и мачеху и отдала бы предпочтение наряду Бонни и подражать стала бы именно ей. И это замечательно, потому что ни один подросток не захочет одеваться так, как ее мать (Мадлен это знала), но почему бы Абигейл не восхититься какой-нибудь знаменитостью, пристрастившейся к наркотикам? Почему это должна быть чертова Бонни?

— Как поживаешь, Бонни? — спросила Мадлен.

Она смотрела, как Том и Джейн смешались с толпой. Кто-то пытался завести с Томом разговор про латте (бедный Том), но Том не откликнулся. Он все время смотрел на Джейн, а Джейн смотрела на него. Их взаимное притяжение было очевидно. Глядя на них, Мадлен чувствовала, что становится свидетелем чего-то прекрасного, необычного и в то же время каждодневного, — например, когда из яйца вылупляется цыпленок. Но в данный момент она разговаривала с женой своего бывшего мужа и, хотя алкоголь приятно притуплял ее чувства, ощущала подземные толчки ПМС.

— Кто присматривает за Скай? — спросила она у Бонни. — Извини! — Она стукнула себя по лбу. — Надо было предложить забрать Скай к нам! Абигейл осталась с Хлоей и Фредом. Она могла бы посидеть со всеми братьями и сестрами.

Бонни сдержанно улыбнулась:

— Скай с моей матерью.

— Абигейл могла бы научить их всех создавать веб-сайты, — съязвила Мадлен.

Улыбка исчезла с лица Бонни.

— Мадлен, послушай...

— Ах, Скай сейчас с твоей матерью! — продолжала Мадлен. — Чудесно! У Абигейл «особая связь» с твоей матерью, верно?

Она стерва. Она ужасный, несносный человек. Ей нужно найти кого-нибудь, кто выслушал бы все ее ужасные, злые слова и не стал бы осуждать ее за это или передавать их кому-то еще. Где Селеста? Селеста очень для этого подходит. Мадлен смотрела, как Бонни осушает свой бокал. Подошла одна из Модных Стрижек с подносом розовых напитков. Мадлен взяла еще два бокала для себя и Бонни.

— Когда начнется викторина? — спросила она Модную Стрижку. — Скоро мы все так напьемся, что не сможем сосредоточиться.

Неудивительно, что Модная Стрижка не скрывала раздражения.

— Я знаю! Мы выбиваемся из графика. К этому времени мы должны были покончить с канапе, но поставщик застрял в огромной пробке на Пирриви-роуд. — Она сдула с глаз прядь белокурых волос. — И в той же пробке застрял наш ведущий Бретт Ларсон.

— Ведущим может быть Эд! — радостно предложила Мадлен. — Он прекрасный ведущий.

Она осмотрелась по сторонам в поисках Эда и увидела, что он подошел к мужу Ренаты. Рукопожатия. Похлопывания по спине. *Отличный выбор, дорогой. А ты в курсе, что вчера вечером твоя жена въехала в машину его жены и в результате разыгрался публичный скандал с криками?* Вероятно, Эд решил, что разговаривает с игроком в гольф Гаретом, а не с любителем птиц Джефом, и в данный момент спрашивал Джефа, давно ли тот был на площадке для гольфа.

— Спасибо, конечно, но у Бретта с собой все вопросы викторины. Он трудился над ними несколько месяцев. Он разработал мультимедийную презентацию в целом, — сказала Модная Стрижка, смешиваясь с толпой. — Потерпите немного!

— Эти коктейли ударяют мне прямо в голову, — произнесла Бонни.

Мадлен слушала вполуха. Она наблюдала за Ренатой, которая холодно кивнула Эду и поспешно повернулась к кому-то еще. Она вдруг вспомнила о вчерашней пикантной сплетне по поводу мужа Ренаты, который якобы влюбился во французскую няню. Когда она узнала про сайт Абигейл, эта новость напрочь вылетела у нее из головы. Теперь ей стало стыдно за то, что она накричала на Ренату в ответ на ее вопли из-за инцидента с автомобилями.

Бонни слегка покачнулась:

— Обычно я много не пью, так что плохо переношу...

— Извини, Бонни, — сказала Мадлен. — Мне нужно привести мужа. По-моему, он весьма оживленно беседует с каким-то ловеласом. Не хочу, чтобы он набрался неверных идей. — (Бонни повернула голову, чтобы посмотреть, кто разговаривает с Эдом.) — Не волнуйся. *Твой* муж не ловелас! Натан всегда моногамный до того момента, пока не бросит тебя с новорожденным ребенком. Ой, погоди, он не бросал с новорожденным ребенком тебя! Это была я!

Плевать на хорошие манеры! Она перестаралась. Назавтра Мадлен пожалеет о каждом слове, сказанном этим вечером, но сейчас ее воодушевляет возможность проигнорировать все досадные запреты. До чего же здорово, когда можно позволить словам сорваться с языка.

— Как бы то ни было, где мой восхитительный бывший муж? — спросила Мадлен. — Сегодня я его еще не видела. Не могу выразить словами, но до чего же классно, что, отправляясь на школьный вечер викторин, я наверняка наткнусь на Натана.

Бонни потеребила кончик своей косы и взглянула на Мадлен слегка затуманенными глазами.

— Натан ушел от тебя пятнадцать лет назад, — сказала она. В ее голосе прозвучало нечто такое, чего Мадлен не слышала прежде. Какая-то шероховатость, как будто верхний слой стерся. До чего интересно! Да, прошу тебя, покажи мне свою другую сторону, Бонни! — Он совершил ужасную, ужасную вещь и никогда не простит себе этого, но, может быть, пришло время подумать тебе о том, чтобы простить его, Мадлен. Когда мы прощаем, это чрезвычайно благотворно сказывается на нашем здоровье.

Мадлен мысленно закатила глаза. Или, может быть, она сделала это на самом деле. На миг ей показалось, что сейчас она увидит истинную Бонни, но та опять несла свою обычную возвышенную и бессмысленную чепуху.

Бонни с важным видом продолжала:

— У меня есть личный опыт...

От группы людей, стоящих позади Бонни, раздались восторженные вопли. Кто-то прокричал:

— Я так рада за тебя!

Одна из женщин попятилась, и Бонни подалась вперед, при этом ее коктейль пролился прямо на розовое платье Мадлен.

* * *

Габриэль. Это простая случайность. Давина обнимала Ровену, которая только что сделала объявление. По-моему, она достигла желаемого веса.

Джеки. Ровена только что объявила, что купила «Термомикс». Или «Витамикс». Точно не знаю, это все глупости. И конечно, Давина обняла ее. Потому что та купила новую кухонную технику. Я не выдумываю.

Мелисса. Нет-нет, мы разговаривали о последней вспышке педикулеза, и Ровена спросила Давину, проверяла ли та свои волосы. А потом чей-то муж намекнул, что видит, как что-то ползает в волосах Давины. Бедная женщина психанула и столкнулась с Бонни.

Харпер. Что? Нет! Бонни плеснула своим напитком в Мадлен. Я это видела!

Глава 73

Вечер викторин шел уже больше часа без закусок и викторин. Джейн ощущала легкое покачивание, словно находилась на борту корабля. В зале становилось теплей. Поначалу было прохладно, а потом на всю мощность включили отопление. Лица гостей порозовели. Дождь припустил с новой силой, барабаня по крыше, и, чтобы услышать друг друга, людям приходилось повышать голос. В зале слышались взрывы смеха. Появился слушок, что кто-то заказал пиццу. Женщины полезли в сумочки за припасенными на случай снеками.

Джейн видела, как какой-то дородный Элвис предлагал пожертвовать школе пятьсот долларов в обмен на чипсы Саманты.

— Конечно, — сказала Саманта, но еще до заключения сделки ее муж выхватил у нее пакет чипсов.

— Извини, приятель, но мне это нужно больше, чем детям — интерактивные доски.

Эд обратился к Мадлен:

— Почему у тебя в сумке нет никаких снеков? Что ты за женщина?

— Это клатч! — Мадлен подняла вверх свою крошечную сумку в блестках. — Перестань, Бонни, все в порядке! — Она замахала руками на Бонни, которая бегала за ней, промокая ее платье бумажными полотенцами.

Две Одри и один Элвис громко и горячо спорили о нормированном тестировании.

— Нет оснований предполагать...

— Они подготавливают к тесту! Я точно знаю, они подготавливают к тесту!

Модные Стрижки носились взад-вперед с прижатыми к уху мобильниками.

— Еда прибудет через пять минут! — проворчала одна из них, увидев, как Стью поедает соленые чипсы.

— Простите, — сказал Стью, протягивая ей пакет. — Угощайтесь.

— О, спасибо. — Взяв чипс, она заспешила дальше.

— Не могли уж организовать секс в борделе. — Стью сокрушенно покачал головой.

— Ш-ш-ш, — зашикала на него Саманта.

— Неужели школьные вечера с викторинами всегда такие... — Том никак не мог найти подходящее слово.

— Не знаю, — откликнулась Джейн.

Том улыбнулся ей. Она улыбнулась ему. В тот вечер они все время улыбались друг другу, словно оба участвовали в каком-то только им известном розыгрыше.

Боже правый, сделай так, чтобы это было правдой.

— Том! Где моя шапка-невидимка? Ха-ха-ха!

Том, которого вовлекли в другой разговор, выразительно посмотрел на Джейн.

— Джейн! Я вас искала! Как ваши дела?

Появилась мисс Барнс, покачиваясь на очень высоких каблуках, которые прибавляли ей роста. На ней была огромная шляпа, розовое боа, в руках зонтик от солнца. Как заметила Джейн, мисс Барнс совсем не была похожа на Одри Хепберн. Она проговаривала слова очень медленно и осторожно, чтобы никто не заметил, что она под мухой.

— Как вы это перенесли? — спросила она, как будто Джейн недавно понесла утрату, и Джейн силилась вспомнить, что это за утрата.

Ах, это, конечно же, ходатайство. Вся школа считает ее ребенка задирой. Ладно, неважно. Том не гей!

— Мы встречаемся в понедельник утром перед занятиями, верно? — спросила мисс Барнс. — Полагаю, это по поводу... нашей проблемы. — И она жестом заключила слово «проблема» в кавычки.

— Да, — кивнула Джейн. — Мне надо кое-что вам сказать. Не будем сейчас об этом.

В отдалении маячила Селеста с мужем, но Джейн еще не успела с ними поздороваться.

— Между прочим, у меня наряд Одри Хепберн из «Моей прекрасной леди», — обиженно произнесла мисс Барнс. — Знаете, кроме «Завтрака у Тиффани», она снималась в других фильмах.

— Я догадалась, — сказала Джейн.

— Как бы то ни было, это запугивание детей вышло из-под контроля, — заявила мисс Барнс. Она перестала медленно проговаривать слова, которые теперь срывались с ее уст невнятным торопливым потоком. — Каждый день я получаю электронные письма от родителей по поводу буллинга. По-моему, они установили дежурство. Это не прекращается. «Мы должны быть уверены в том, что наши дети в безопасности», а потом некоторые предпринимают эти пассивно-агрессивные выпады: «Я знаю, мисс Барнс, у вас не хватает средств и вам, наверное, нужны помощники из родителей? Я могла бы приходить по средам в час дня». Если я не отвечаю сразу, то они заявляют: «Мисс Барнс, вы не ответили мне по поводу моего предложения» — и, разумеется, посылают миссис Липман долбаные копии переписки. — Мисс Барнс сделала попытку втянуть через соломинку коктейль, но в ее стакане было пусто. — Извините за бранное слово. Учителя не должны ругаться. Я никогда не ругаюсь в присутствии детей. Это на случай, если вы захотите подать официальную жалобу.

— Вы сейчас не на работе, — сказала Джейн. — И вправе говорить что угодно.

Она немного отступила назад, потому что шляпа мисс Барнс при разговоре задевала голову Джейн. Где же Том? Вот он, в окружении кучки поклонниц в образе Одри.

— Не на работе? Я всегда на работе. В прошлом году мы с моим бывшим бойфрендом ездили на Гавайи. Входим в фойе отеля, и я слышу этот прелестный тоненький голосок: «Мисс Барнс! Мисс Барнс!» У меня прямо сердце упало. Это был мальчик, который весь последний семестр доставлял мне одни неприятности, и он, оказывается, остановился в той же гостинице! И мне надо было притворяться, что я рада его видеть! И играть с ним в долбаном бассейне! Родители лежали в шезлонгах, благосклонно улыбаясь, словно оказывали мне чудесную услугу! Мы с моим парнем поссорились в той поездке, и я виню того ребенка. Никому не говорите то, что я вам рассказала. Его родители сегодня здесь. О господи, обещайте, что никому не скажете!

— Обещаю, — сказала Джейн. — Клянусь жизнью!

— Ладно, так о чем я говорила? Ах да, электронные письма. Но это еще не все. Они являются без предупреждения! — Мисс Барнс ударила зонтиком по полу. — Родители! В любое время! Рената берет на работе отгулы, чтобы время от времени проверять Амабеллу, хотя у нас есть помощница учителя, в обязанности которой входит лишь присматривать за Амабеллой. То есть, честно говоря, я не замечала ничего предосудительного, и мне от этого не по себе. Но дело не только в Ренате! Вот я занимаюсь чем-нибудь с детьми и вдруг поднимаю глаза и вижу, что в дверях стоит какая-нибудь родительница и наблюдает за мной. Это ужасно. Как будто за мной следят.

— Это похоже на преследование, — сказала Джейн. — Ой, осторожно. Вот так. — Она деликатно отодвинула от своего лица шляпу мисс Барнс. — Хотите еще выпить? По-моему, вам можно добавить.

— В выходные я пошла в аптеку, — продолжала мисс Барнс, — потому что у меня оказалась ужасная инфекция мочевых путей, — я встречаюсь с новым парнем, извините за подробности. Так вот, я стою у прилавка, и вдруг рядом со мной оказывается Теа Каннингем. По правде сказать, я даже не услышала ее приветствия, а она уже принялась рассказывать мне, как расстроилась на днях Вайолет после школы, потому что Хлоя сказала, что ей не подходят заколки для волос. Да, они действительно не подходят. Но, боже правый, это же не запугивание! Просто дети есть дети! Но нет, Вайолет так обиделась на это, и не могли бы вы поговорить со всем классом о том, что надо по-доброму разговаривать друг с другом и... Прошу прощения, я заметила, что на меня осуждающе смотрит миссис Липман. Извините. Я пойду, брызну в лицо холодной водой. — Мисс Барнс резко повернулась, и ее розовое боа хлестнуло Джейн по щеке.

Джейн отпрянула и столкнулась лицом к лицу с Томом.

— Давай руку, — сказал он. — Быстро.

Она протянула руку, и он насыпал ей пригоршню сухих крендельков.

— Вон тот громадный, устрашающего вида Элвис нашел на кухне пакет крендельков, — объяснил Том, вынимая из ее волос что-то розовое. — Перо, — сказал он.

— Спасибо, — откликнулась Джейн, жуя кренделек.

— Джейн.

Она почувствовала прикосновение прохладной руки к плечу. Это была Селеста.

— Привет! — радостно произнесла Джейн.

Селеста была сегодня такой красивой, приятно было просто смотреть на нее. Почему Джейн испытывает такие странные чувства в отношении красивых людей? Они не виноваты в том, что Бог наградил их красотой. Какое наслаждение смотреть на них! И Том только что принес ей крендельков и немного покраснел, когда вынимал перышко из ее волос. И он не гей, а эти шипучие розовые коктейли просто великолепны, и ей нравится школьная вечеринка с викторинами, и все такие забавные и веселые.

— Можно тебя на минутку? — спросила Селеста.

Глава 74

— Давай выйдем на балкон, — предложила Селеста. — Немного подышим свежим воздухом.

— Конечно, — согласилась Джейн.

Сегодня Джейн кажется такой юной и беззаботной, подумала Селеста. Как тинейджер. В зале было душно и жарко. По спине Селесты скатывались капельки пота. Одна туфля ужасно натирала пятку. Этот вечер никогда не закончится. Она останется здесь навсегда и будет принуждена слушать обрывки раздраженных разговоров.

— Как я сказала, это неприемлемо...

— Совершенно некомпетентные, у них есть обязанность соблюдать осторожность...

— Это испорченные, невоспитанные дети, они едят только нездоровую пищу, так что...

Селеста оставила Перри беседовать с Эдом о гольфе. Перри был очарователен, пленяя каждую женщину внимательным взглядом, как бы говорящим: «Никто не сравнится с тобой», но он пил больше обычного, и она заметила, что его настроение неуловимо меняется, как медленный поворот океанского лайнера. Это было видно по желвакам, играющим на скулах, и остекленевшему взгляду.

К тому времени, как они соберутся домой, от смущенного мужчины, рыдающего в машине, ничего не останется. Она в точности знала, как, подобно корням древнего дерева, будут изгибаться и выворачиваться его мысли. Обычно после тяжелой ссоры вроде вчерашней она была бы в безопасности несколько недель кряду, но, узнав о ее квартире, Перри воспринял это как предательство. Это было проявлением неуважения к нему. Это было унизительно. У нее появилась от него тайна. К концу вечера будет иметь значение только ее обман. Получится, что все дело только в этом, словно они были идеальной женатой парой, и вот жена совершила нечто непонятное и странное: тщательно разработала тайный план, как уйти от него. Это озадачивало и ставило в тупик. И чтобы ни произошло, она это заслужила.

На огромном балконе, опоясывающем зал по всей длинс, больше никого не было. По-прежнему шел дождь, и хотя балкон был под навесом, ветер приносил мелкие брызги, от которых плитки пола стали мокрыми и скользкими.

— Может быть, не так уж здесь и здорово, — сказала Селеста.

— Нет, здесь хорошо, — откликнулась Джейн. — Там стало уже слишком шумно. Будем здоровы!

Они с Селестой чокнулись и выпили.

— Эти коктейли чертовски хороши, — сказала Джейн.

— Они какие-то странные, — согласилась Селеста.

Она приканчивала уже третий коктейль. Все ее чувства — даже неотвязный страх — были словно укутаны в пушистую вату.

Джейн вдохнула полной грудью:

— Кажется, дождь постепенно стихает. Хорошо пахнет. Солью и свежестью.

Она подошла к краю террасы, положила руку на мокрые перила и стала вглядываться в дождливую ночь. Она казалась взволнованной.

Селеста ощущала только сырость и запах болота.

— Мне надо кое-что тебе сказать, — произнесла Селеста.

Джейн подняла брови:

— Да?

Селеста заметила, что губы у нее накрашены красной помадой. Мадлен была бы в восторге.

— Перед тем как нам уехать, Джош сказал мне, что Амабеллу обижал Макс, а не Зигги. Я пришла в ужас. Прости, мне очень, очень жаль.

Подняв взгляд, Селеста увидела, как на террасу вышла Харпер и принялась рыться в сумке. Посмотрев в их сторону, она быстро зацокала каблуками в противоположный конец террасы и зажгла сигарету.

— Я знаю, — сказала Джейн.

— Знаешь? — Селеста отступила назад, едва не поскользнувшись на плитках.

— Вчера мне сказал об этом Зигги, — призналась Джейн. — Очевидно, ему сказала Амабелла и просила держать это в тайне. Не беспокойся. Все в порядке.

— Нет не в порядке! Тебе пришлось мириться с этой ужасной петицией, а люди вроде нее... — Селеста кивнула в сторону Харпер. — А бедный малыш Зигги и родители, не разрешающие детям играть с ним. Сегодня же скажу об этом Ренате, и мисс Барнс, и миссис Липман. Скажу всем. Могу подняться на сцену и сделать публичное заявление: «Вы выбрали не того ребенка».

— Не надо этого делать, — попросила Джейн. — Все хорошо. Все уладится.

— Мне правда ужасно жаль, — снова сказала Селеста дрожащим голосом.

Теперь она думала о Саксоне Бэнксе.

— Эй! — Джейн положила руку на плечо Селесты. — Все нормально. Все образуется. Здесь нет твоей вины.

— Нет, в каком-то смысле это моя вина, — возразила Селеста.

— Этого не может быть, — твердо произнесла Джейн.

— Можно к вам присоединиться?

Стеклянная дверь отъехала в сторону. Это были Натан и Бонни. Бонни выглядела как обычно, а Натан был одет в менее дорогой по виду вариант костюма Перри, правда, он успел снять черный парик, который вертел на руке, как куклу.

Селеста знала, что в знак солидарности с Мадлен она должна питать неприязнь к Натану и Бонни, но по временам это было трудно. Они оба казались такими безобидными и дружелюбными, а Скай была прелестной крошкой.

О господи!

Она совсем забыла. Джош сказал, что Макс снова столкнул Скай с лестницы. Он шел к новым жертвам. Ей следует что-то сказать. Не дав себе времени поразмыслить, она пустилась в объяснения:

— Натан, Бонни, я рада, что вы здесь. Послушайте меня: сегодня я выяснила, что мой сын Макс обижает некоторых маленьких девочек из класса. Думаю, он мог столкнуть вашу дочь с лестницы, гм, и не один раз. — Селеста чувствовала, что у нее горят щеки. Пытаясь успокоить ее, Джейн положила ей ладонь на плечо. — Мне так жаль, что я только что...

— Все нормально, — спокойно проговорила Бонни. — Скай мне об этом рассказала. Мы обсудили действия на будущее, если такие вещи повторятся.

Действия на будущее, уныло подумала Селеста. Она говорит, как Сьюзи, словно Скай была жертвой домашнего насилия. Селеста смотрела, как Харпер потушила сигарету о мокрые перила балкона и затем аккуратно завернула ее в салфетку, после чего поспешила в зал, нарочито не глядя в их сторону.

— Мы послали сегодня электронное письмо мисс Барнс, — серьезно произнес Натан. — Надеюсь, вы не возражаете, но Скай такая робкая и не умеет постоять за себя, поэтому мы хотим, чтобы мисс Барнс контролировала ситуацию. И разумеется, улаживать такие вещи должен учитель. Полагаю, это входит в компетенцию школы. Пусть учителя занимаются подобными проблемами. Мы не стали бы обращаться к вам с этим вопросом.

— О-о! — воскликнула Селеста. — Благодарю вас. Еще раз прошу прощения...

— Не надо извиняться! Боже мой! Они же дети! — сказал Натан. — Они должны всему этому научиться. Не дерись с друзьями. Сумей за себя постоять. Как стать взрослым.

— Как стать взрослым, — дрожащим голосом повторила Селеста.

— И конечно, я продолжаю учиться сам! — сказал Натан.

— Это все составляющие их эмоционального и духовного развития, — добавила Бонни.

— На этот счет есть какое-то высказывание, верно? — спросила Джейн. — Что-то вроде этого: все, что человеку нужно знать, он узнает в детском саду: не будь злым, дружи с детьми, делись игрушками.

— Делиться — значит любить, — процитировал Натан, и все рассмеялись, услышав знакомую поговорку.

* * *

Сержант уголовной полиции Эдриан Куинлан. Во время инцидента на террасе находились восемь человек, включая жертву. Мы знаем, кто они такие. Они знают, что мы это знаем, и все они что-то видели. Самое важное, что требуется от свидетеля, — это сказать правду.

Глава 75

Мадлен была поглощена увлекательным разговором с родителями ученика второго класса о ремонте ванной комнаты. Ей очень нравились эти люди, но она понимала, что по глупости успела сильно утомить мужа, когда они с его женой долго обсуждали выигрышные фасоны платьев с запа́хом, и теперь ей приходилось выслушивать бедного мужчину.

Проблема состояла в том, что ей абсолютно нечего было сказать по поводу ремонта ванной. И хотя она согласилась, что ужасно, когда не хватает трех плиток кафеля, но надеялась, что в конечном итоге все уладится и она встретится на террасе с Селестой и Джейн, которые смеялись вместе с Бонни и Натаном, что было недопустимо. Ведь Селеста и Джейн — ее подруги.

Она огляделась по сторонам в поисках кого-нибудь, кто мог ее заменить, и ухватилась за Саманту. Ее муж — водопроводчик, и Саманту наверняка заинтересует тема ремонта ванной.

— Тебе стоит услышать эту историю! — воскликнула она. — Представляешь? У них, гм, немного не хватило кафеля!

— О нет! У нас случилось то же самое! — откликнулась Саманта.

Бинго! Мадлен оставила Саманту, которая внимательно прислушивалась к разговору, с нетерпением ожидая своей очереди поведать собственную драматичную историю ремонта ванной. Боже правый! Для нее оставалось тайной, как можно считать эту тему более интересной, чем платья с запа́хом.

Пробираясь через толпу, Мадлен прошла мимо группы из четырех Модных Стрижек, сбившихся в тесную кучку и, очевидно, передающих друг другу какие-то скандальные сплетни. Она остановилась и прислушалась.

— Французская няня! Эта смешная девчонка!

— Рената не уволила ее?

— Да, уволила, поскольку совершенно позабыла о том, что Амабеллу запугивал этот парнишка Зигги.

— Кстати, а как дела с ходатайством?

— В понедельник мы собираемся представить его миссис Липман.

— Видели сегодня эту мамашу? Она постриглась. Порхает вокруг, словно ей и дела ни до чего нет. Если бы мой ребенок был задирой, уж я бы наверняка не стала показываться в обществе. Я сидела бы дома с ребенком, которому явно не хватает внимания.

— Хорошей взбучки ему не хватает, вот чего.

— Я слышала, вчера она привела его в школу со вшами.

— Я в шоке оттого, что школа терпит все это так долго. В наше время, когда так много информации о запугивании детей...

— Верно, верно, но суть в том, что у няни Ренаты роман с Джефом!

— Зачем ей понадобилось бы заводить роман с Джефом?

— Я знаю, это действительно так.

Мадлен рассвирепела из-за Джейн и, как это ни странно, из-за Ренаты тоже, несмотря на то что Рената одобрила ходатайство.

— Вы ужасные люди, — громко сказала она. Модные Стрижки подняли головы. Их глаза и рты округлились от удивления. — Вы ужасные, ужасные люди.

Не дожидаясь их реакции, Мадлен пошла дальше. Отодвигая дверь на балкон, она заметила за спиной Ренату.

— Хочу немного подышать, — сказала Рената. — В зале становится душно.

— Да, — согласилась Мадлен. — Похоже, дождь прекращается. — (Они вместе вышли на вечерний воздух.) — Между прочим, я связалась со своей страховой компанией. По поводу машины.

Рената поморщилась:

— Извини, что вчера я устроила скандал.

— А ты извини, что въехала в тебя. В тот момент я орала на Абигейл.

— Я напугалась, — сказала Рената. — А когда я пугаюсь, то набрасываюсь на людей. Вот такой изъян характера.

Они подошли к группе людей, стоящих у перил.

— Правда? — спросила Мадлен. — Как это ужасно для тебя. Вот у меня характер очень спокойный.

Рената фыркнула.

— Мэдди! — заговорил Натан. — Не видел тебя сегодня. Как твои дела? Я слышал, моя жена облила тебя коктейлем.

Наверное, он тоже слегка нетрезв, подумала Мадлен. Обычно при ней он не называл Бонни «моя жена».

— К счастью, этот розовый коктейль подошел к моему платью, — сказала Мадлен.

— Мы празднуем счастливое завершение маленькой драмы нашей дочери, — произнес Натан. — За здоровье Ларри Фицджеральда из Южной Дакоты, ура! — И он поднял бокал.

— Ммм, — промычала Мадлен, глядя на Селесту. — Мне почему-то кажется, что Ларри Фицджеральд живет гораздо ближе, чем мы думаем.

— А? О чем это ты? — удивился Натан.

— Ты имеешь в виду веб-сайт Абигейл? — поинтересовалась Селеста. — Она закрыла его?

Ее манера говорить безупречна, подумала Мадлен, и это ее выдает. Чаще всего у Селесты бывает смущенный вид, как будто она что-то скрывает. А сейчас она была совершенно невозмутимой и спокойной, глядя Мадлен прямо в глаза. Когда люди лгут, они в основном избегают смотреть в глаза. Селеста, когда лгала, не отводила взгляда.

— Ты и есть Ларри Фицджеральд из Южной Дакоты, правда? — спросила Мадлен у Селесты. — Я знала! Ну, наверняка не знала, но догадывалась. Слишком все гладко получилось.

— Не имею ни малейшего представления, о чем ты говоришь, — невозмутимо произнесла Селеста.

Натан повернулся к Селесте:

— Вы пожертвовали «Эмнести» сто тысяч долларов? Чтобы помочь нам? Боже мой!

— Право, не надо было этого делать, — сказала Мадлен. — Как мы сможем отплатить тебе?

— Боже правый, о чем это вы все? — спросила Рената.

— Не понимаю, о чем ты говоришь, — заявила Селеста Мадлен. — Но не забывай, что однажды на плавании ты спасла жизнь Максу, и этот долг ничем не оплатить.

Из зала донеслись возбужденные голоса.

— Интересно, что там происходит? — спросил Натан.

— Ах, наверное, это я виновата в том маленьком переполохе, — с ухмылкой заявила Рената. — Мой муж не единственный, кто решил, что влюбился в нашу няню. Джульетта нашла себе развлечение в Пирриви. Как это называется по-французски? Polyamour[1]. Я выяснила, она умеет выискивать мужчин определенного сорта. Или, я бы сказала, банковские счета определенного сорта.

— Рената, — начала Селеста, — сегодня я узнала, что...

— Не надо, — перебила ее Джейн.

— Что Амабеллу обижал мой сын Макс, — закончила Селеста.

— Ваш сын? — переспросила Рената. — А вы уверены? — Она бросила взгляд на Джейн. — Ведь в ознакомительный день Амабелла...

— Я совершенно уверена, — перебила Селеста. — Ваша девочка наугад выбрала Зигги, потому что боялась Макса.

— Но... — Казалось, Рената никак не может взять это в толк. — Вы точно знаете?

— Абсолютно, — сказала Селеста. — И мне жаль.

---

1 Полиамурность.

Рената поднесла руку ко рту.

— Амабелла не хотела, чтобы я приглашала близнецов на ее А-пати, — сказала Рената. — Она так разволновалась, а я проигнорировала ее желание. Думала, она капризничает.

Рената взглянула на Джейн, и та стойко выдержала ее взгляд. Джейн и вправду чудесно сегодня выглядит, с удовлетворением подумала Мадлен, осознавая, что в последнее время подруга не жует жевательную резинку.

— Я должна перед вами извиниться, — сказала Рената.

— Да, — согласилась Джейн.

— И перед Зигги, — добавила Рената. — Прошу вас с сыном извинить меня. Мне очень жаль. Я хочу... Не знаю даже, что я могу сделать.

— Принимаю, — сказала Джейн. — Принимаю ваше извинение.

Стеклянная дверь снова раздвинулась, и появились Эд и Перри.

— Вижу, ситуация здесь немного выходит из-под контроля, — произнес Эд. Он сгреб несколько барных табуретов, стоявших у двери, и поднес их ближе. — Давайте устроимся поудобней. Привет, Рената. Прошу извинить мою жену за то, что вчера она слишком сильно нажала на акселератор.

Перри тоже принес несколько табуретов.

— Перри, — начала Рената. Мадлен заметила, что теперь, когда Рената узнала, кто на самом деле обижал ее дочь, она перестала говорить с Перри подобострастным тоном. По сути дела, в ее голосе появилась резкость. — Приятно видеть вас в наших краях.

— Спасибо, Рената. Мне тоже приятно.

Натан вытянул вперед руку:

— Вы Перри? По-моему, мы не знакомы. Я Натан. Как я понимаю, мы перед вами в большом долгу.

— Правда? — удивился Перри. — В каком смысле?

О господи, Натан, подумала Мадлен, заткнись. Он не знает. Готова поспорить, что не знает.

— Перри, это Бонни, — вмешалась Селеста. — А это Джейн, мама Зигги.

Мадлен встретилась взглядом с Селестой. Она знала, что обе они подумали о кузене Перри. Эта тайна повисла в воздухе между ними наподобие зловещего аморфного облака.

— Рад познакомиться с вами обеими. — Перри пожал им руки и любезно предложил женщинам сесть.

— Очевидно, вы с женой пожертвовали «Эмнести интернэшнл» сто тысяч долларов, чтобы помочь моей дочери в трудной ситуации, — поспешно пробормотал Натан. Он крутил в руке парик Элвиса, и неожиданно парик соскочил и улетел через перила террасы в темноту. — Ах, черт! — Натан посмотрел вниз. — Я потеряю задаток в магазине маскарадных костюмов.

Перри снял свой черный парик Элвиса.

— От них потом начинает чесаться голова, — сказал он.

Он взъерошил волосы, сделавшись по-мальчишески растрепанным, и уселся на барный табурет спиной к перилам террасы. Сидя на табурете, он казался очень высоким на фоне расчищающегося неба с облаками, подсвеченными золотым диском восходящей полной луны. И почему-то все расселись вокруг Перри, словно он был их вожаком.

— Вы что-то сказали про пожертвование ста тысяч долларов? — спросил он. — Это очередной секрет моей жены? Она удивительно скрытная женщина, моя жена. Очень загадочная. Посмотрите на выражение ее лица, как у Моны Лизы.

Мадлен посмотрела на Селесту. Та сидела на табурете, скрестив длинные ноги и сложив руки на коленях. Она сидела совершенно неподвижно, как статуя, вырезанная из камня. Статуя красивой женщины. Она сидела, слегка отвернувшись от Перри. Дышит ли она? Все ли с ней в порядке? Мадлен почувствовала, как у нее сильней заколотилось сердце. Что-то начало проясняться. Фрагменты пазла складывались в картинку. Ответы на вопросы, которых прежде не было.

Идеальный брак. Безупречная жизнь. Если не принимать во внимание, что Селеста всегда такая беспокойная. Немного суетливая. Немного раздражительная.

— Похоже, она считает, что у нас неограниченные финансовые ресурсы. Сама не зарабатывает ни пенса, но наверняка умеет тратить, — заявил Перри.

— Эй, послушайте, — резко произнесла Рената, словно делала замечание ребенку.

— По-моему, мы уже встречались, — обратилась Джейн к Перри.

Никто, кроме Мадлен, ее не услышал. Все сидели на барных табуретах, только Джейн осталась стоять. Она казалась среди них совсем маленькой. Обращаясь к Перри, она, как ребенок, откинула голову назад, глядя на него большими глазами.

Откашлявшись, она заговорила снова:

— По-моему, мы уже встречались.

Перри мельком взглянул на нее.

— Правда? Вы уверены? — Он очаровательно наклонил голову. — Извините, не припоминаю.

— Уверена, — ответила Джейн. — Только вы назвались Саксоном Бэнксом.

Глава 76

Поначалу его лицо оставалось совершенно невозмутимым и дружелюбно-вежливым. Он не узнал ее. «Я не отличил бы ее от куска мыла!» В голове Джейн не к месту возникла эта смешная фраза. Что-то в этом роде сказала бы ее мать.

Но когда она произнесла «Саксон Бэнкс», в его глазах что-то промелькнуло, но не потому, что он узнал ее, — он не стал бы даже докапываться до подходящего воспоминания, — а потому, что понял, кем она может быть. Она была одной из многих.

Он соврал ей насчет имени. Ей даже в голову не приходило, что он может это сделать. Как будто нельзя придумать себе имя, когда уже придумал себе характер, выдумал влечение.

— Я все время думала, что могу случайно встретить вас, — сказала Джейн.

— Перри? — только и смогла произнести Селеста.

Перри повернулся к Селесте.

Его лицо вновь стало незащищенным, как в машине, как будто с него сорвали маску. С того раза, как Мадлен впервые упомянула имя Саксона в их книжном клубе, Селесту изводило какое-то воспоминание из времени перед рождением детей, еще до того, как Перри впервые ударил ее.

Теперь это воспоминание встало на место. Во всей полноте. Как будто ждало, когда она восстановит его в памяти.

Была свадьба кузена Перри. Та самая, когда Саксон и Перри проделали на машине весь обратный путь к церкви, где Элени оставила свой мобильник. Они сидели за круглым столом. Белая накрахмаленная скатерть. Огромные банты на стульях. Свет играет в бокалах с вином. Саксон и Перри предавались воспоминаниям о совместном деревенском детстве: самодельные тележки, и то время, когда Саксон спас Перри от обидчиков в школе, и тот случай, когда Перри нагло стащил из холодильника магазинчика банановую шипучку, а громадный страшный грек схватил его за загривок мясистой ручищей и спросил: «Как тебя зовут?» — и Перри ответил: «Саксон Бэнкс».

Владелец магазинчика позвонил матери Саксона и сказал: «Ваш сын кое-что украл у меня», а мать Саксона ответила: «Мой сын здесь» — и передала ему трубку.

До чего же смешно. Какой же ты был наглый! Как они смеялись, когда пили шампанское!

— Это ничего не значило, — сказал Перри Селесте.

Уши у нее наполнились невнятным гулом, словно она оказалась глубоко под водой.

Джейн смотрела, как Перри отвернулся от нее и взглянул на жену. Он сразу отмахнулся от нее, не дав себе труда вспомнить или признать ее. Она для него никогда не существовала и никоим образом не повлияла на его жизнь. Он женат на красивой женщине. Джейн была для него лишь сексуальным эпизодом, фильмом для взрослых, не входящим в гостиничный счет. Джейн появилась из интернетовского порносайта, выполняющего любые желания. У вас возникло желание унизить пухлую девушку? Откройте счет вашей кредитной карты и кликните здесь.

— Вот зачем я переехала в Пирриви, — сказала Джейн. — Надеялась, что встречу вас здесь.

Стеклянная кабина лифта. Приглушенный свет гостиничного номера.

Она вспомнила, как осматривалась по сторонам — непринужденно, с удовольствием, — чтобы удостовериться в своих догадках на его счет, удостовериться в том, что у него есть деньги и стиль, что ей предстоит восхитительная ночь любви. Оказалось, смотреть почти не на что. Закрытый ноутбук. Аккуратно поставленная в угол сумка с ночными принадлежностями. Рядом с ноутбуком лежал рекламный проспект агентства недвижимости. «ПРОДАЕТСЯ». Фотография с видом на океан. «РОСКОШНЫЙ ДОМ ДЛЯ СЕМЬИ С ВИДОМ НА ВЕЛИКОЛЕПНЫЙ ПОЛУОСТРОВ ПИРРИВИ».

— Вы покупаете этот дом? — спросила она тогда.

— Возможно, — ответил он, наливая ей шампанское.

— У вас есть дети? — не подумав, бестактно спросила она. — Дом, наверное, очень хорош для детей.

Про жену она не спрашивала. У него не было кольца.

— Детей нет, — ответил он. — Когда-нибудь мне бы хотелось иметь детей.

Она заметила что-то в его лице: грусть, какую-то безысходную тоску — и со всей своей дурацкой наивностью подумала, что знает, откуда берется эта грусть.

Он только что пережил разрыв отношений! Ну конечно же! Он, совсем как она, терзается от несчастной любви. Он отчаянно хочет найти нужную женщину и завести семью, и наверное, ужасно глупо с ее стороны так думать, но, когда он улыбнулся ей своей неотразимой улыбкой и подал бокал с шампанским, она подумала, что может оказаться той женщиной. Случаются и более странные вещи!

А потом действительно случились странные вещи.

На протяжении нескольких лет после этого она однозначно реагировала на словосочетание «полуостров Пирриви» в разговоре или печати. Меняла тему разговора. Переворачивала страницу.

Но вот в один прекрасный день она неожиданно совершила нечто прямо противоположное. Она сказала Зигги, что они поедут на взморье, и они отправились на великолепный полуостров Пирриви. Она все время пыталась притворяться, что даже не вспоминает о том рекламном листке с домом на берегу, хотя на самом деле вспоминала вновь и вновь.

Они играли на пляже, и она высматривала из-за плеча Зигги мужчину, который должен выйти из волн прибоя с белозубой улыбкой на устах. Она готова была услышать, как жена окликает его по имени Саксон.

Чего она хотела?

Мести? Узнавания? Показать ему, что стала стройной? Ударить его, уязвить, предъявить обвинения? Высказать все то, что должна была сказать тогда вместо этого глупого «пока»? Дать ему понять, что он не ускользнул от наказания, хотя, конечно, ускользнул?

Она хотела, чтобы он увидел Зигги.

Хотела, чтобы он восхитился ее красивым, серьезным и способным мальчуганом.

Это было совершенно нелогично. Желание было настолько глупым, странным и неправильным, что она сама отказывалась признаться себе в нем.

Ибо каким образом смогла бы она вызвать это волшебное отцовское восхищение? «Ой, привет! Помнишь меня? У меня родился сын! Вот он! Нет-нет, разумеется, мне не надо от тебя любви, просто остановись на миг и посмотри на своего сына. Он любит тыкву. Это невероятно! Дети обычно не едят тыкву. Он застенчивый, храбрый и весьма уравновешенный. Вот такие дела. Ты подонок и придурок, и я тебя ненавижу, но взгляни на своего сына, ведь это так удивительно, да? Десять минут греха создали нечто совершенное».

Она убедила себя, что взяла Зигги на день в Пирриви, посмотрела арендуемую квартиру и, «поддавшись внезапному порыву», решила туда переехать. Она так яростно убеждала себя в этом, что почти поверила. Месяц проходил за месяцем, и все менее вероятным казалось, что Саксон Бэнкс здесь живет. В конце концов она перестала искать его.

Когда Джейн рассказала Мадлен историю о ночи, проведенной в гостинице с Саксоном, ей даже в голову не пришло сказать подруге, что этим отчасти объясняется ее переезд в Пирриви. Это было абсурдным и постыдным. «Ты хотела бы встретить его? — спросила бы Мадлен, силясь понять ее. — Ты хотела увидеть этого человека?» Как было Джейн объяснить, что хотела и в то же время не хотела увидеть его? Как бы то ни было, она совершенно забыла о той рекламной брошюре с недвижимостью! Она переехала в Пирриви, «поддавшись внезапному порыву».

И Саксона там явно не было.

А вот теперь он здесь. Муж Селесты. Должно быть, встретившись с Джейн, он уже был женат на Селесте.

Однажды во время одной из их прогулок Селеста призналась Джейн, что ей удалось выносить близнецов после нескольких неудачных попыток с беременностями. Вот почему при разговоре о детях у него был грустный вид.

Джейн почувствовала, как в прохладном вечернем воздухе ее лицо загорелось стыдом.

— Это ничего не значило, — повторил Перри.

— Для нее это что-то значило, — возразила Селеста.

Он едва заметно дернул плечами, словно говоря: «Кому до нее есть дело?» Этот жест вывел Селесту из себя. Он решил, речь идет о неверности. Решил, что его застукали за интрижкой в рабочей поездке. Посчитал, что Джейн тут совершенно ни при чем.

— Я думала, ты... — Она потеряла дар речи.

Она считала его добрым. Думала, он хороший человек с дурным характером. Думала, насилие с его стороны — это что-то личное между ними. Думала, он не способен на случайную жестокость. Он всегда так мило разговаривал с официантками, даже неумелыми. Она считала, что знает его.

— Поговорим об этом дома, — сказал Перри. — Не будем выставлять себя на посмешище.

— Ты не смотришь на нее, — прошептала Селеста. — Ты даже не смотришь на нее.

И она плеснула прямо ему в лицо шампанским из своего бокала.

Шампанское стекало с его лица.

Перри тут же инстинктивно поднял правую руку, словно спортсмен, ловящий мяч, хотя он ничего не ловил.

Он ударил Селесту тыльной стороной ладони.

Его рука изогнулась выверенным безжалостным движением, заставившим ее тело пролететь по террасе и неловко рухнуть набок с откинутой назад головой.

Мадлен едва не задохнулась от ужаса.

Эд стремительно вскочил на ноги, перевернув табурет.

— Эй, эй, потише там!

Мадлен бросилась к Селесте и опустилась на колени:

— Боже мой, боже мой, ты...

— Я в порядке, — сказала Селеста. Прижав руку к лицу, она приподнялась. — Я в полном порядке.

Мадлен оглянулась на кружок людей, собравшихся на балконе. Эд стоял с разведенными руками, одну руку угрожающе выставив в сторону Перри, а другой защищая Селесту.

Из пальцев Джейн выскользнул бокал и разбился у ее ног.

Рената принялась рыться в своей сумке:

— Я вызываю полицию. Это нападение. Я только что была свидетелем, как вы напали на свою жену.

Натан держал Бонни за локоть. Мадлен видела, как она стряхнула его руку. Бонни кипела от сжигающего ее гнева.

— Вы делали это и раньше, — заявила она Перри.

Перри проигнорировал Бонни. Он не спускал глаз с Ренаты, которая прижимала к уху телефон.

— О'кей, давайте не будем торопить события, — сказал он.

— Вот почему ваш сын обижал маленьких девочек, — произнесла Бонни.

Она говорила тем же резким и грубоватым голосом, который Мадлен недавно уже слышала. Это был голос человека «из бедного квартала», как сказала бы мать Мадлен.

Это был голос пьяницы. Курильщицы. Драчуньи. Это был голос реального человека. Удивительно было слышать этот сердитый гортанный голос из уст Бонни.

— Потому что он видел то, что вы делали. Ваш мальчуган видел, как вы это делали, верно?

Перри шумно выдохнул:

— Послушайте. Я не понимаю, на что вы намекаете. Мои дети ничего не видели.

— Ваши дети видели! — взвизгнула Бонни. Ее лицо исказилось от гнева. — И мы видим! Мы видим, черт бы вас побрал! — Упершись маленькими руками ему в грудь, она толкнула его.

Он упал.

Глава 77

Будь Перри на несколько дюймов ниже.

Будь ограждение балкона на несколько дюймов выше.

Если бы высокий табурет стоял под другим углом.

Если бы не шел дождь.

Если бы он не напился.

Впоследствии Мадлен без конца перебирала в уме возможные варианты развития событий.

Но случилось то, что случилось.

Селеста заметила выражение лица Перри, когда на него закричала Бонни. С тем же удивленно-смешливым выражением он обычно смотрел на Селесту, когда та выходила из себя. Ему нравилось, когда женщины сердились на него. Нравилось наблюдать за их реакцией. Ему это казалось забавным.

Селеста увидела, как его рука цепляется за перила и соскальзывает.

Она увидела, как он откидывается назад, высоко задрав ноги, как будто возится на кровати с сыновьями.

А потом он без звука исчез.

И в том месте, где он сидел, осталась пустота.

Все произошло слишком быстро. Поначалу Джейн оцепенела от неожиданности. Силясь осознать случившееся, она услышала, что в зале царит какая-то суматоха — крики, звон, глухие стуки.

— Господи Иисусе! — Эд перегнулся через перила балкона, ухватившись за них обеими руками и вглядываясь в темноту. Золотая накидка Элвиса смешно развивалась за его спиной наподобие маленьких крыльев.

Бонни опустилась на корточки и, спрятав голову в коленях, сцепила руки на затылке, словно ожидая взрыва бомбы.

— Нет, нет, нет, нет.

Натан взволнованно приплясывал вокруг жены, наклоняясь и дотрагиваясь до ее спины, а потом выпрямляясь и прижимая ладони к вискам.

Эд развернулся лицом к собравшимся:

— Пойду посмотрю, как он...

— Эд! — воскликнула Рената.

Она опустила руку с телефоном. От стекол ее очков отражались огни балкона.

— Вызовите «скорую»! — рявкнул Эд.

— Да, — сказала Рената. — Вызову, но, гм... я не видела, что случилось. Я не видела, как он упал.

— Что? — удивился Эд.

Мадлен по-прежнему стояла на коленях рядом с Селестой. Джейн заметила, что Мадлен смотрит мимо Эда прямо на бывшего мужа. Волосы Натана вспотели от парика и прилипли ко лбу. Он смотрел на Мадлен безумными умоляющими глазами. Мадлен перевела взгляд на Селесту, которая уставилась неподвижным взглядом на то место, где только что сидел Перри.

— Боюсь, я тоже не видела, — сказала Мадлен.

— Мадлен. — Эд сердито подергал себя за костюм, как бы стремясь сорвать его с себя. С костюма краска перешла на его ладони, ставшие золотыми. — Не надо...

— Я смотрела в другую сторону, — твердо произнесла Мадлен. Она поднялась на ноги, прижимая к себе крошечный клатч, выпрямив спину и вздернув подбородок, словно собиралась войти в бальный зал. — Я смотрела в зал и ничего не видела.

Джейн откашлялась.

Она вспомнила о том, как Саксон — Перри — сказал: «Это ничего не значило». Она взглянула на Бонни, съежившуюся у перевернутого табурета. И почувствовала, как ее горячий тягучий гнев вдруг остыл, превратившись в мощную неподвижную глыбу.

— Я тоже, — сказала она. — Я тоже ничего не видела.

— Прекратите! — Эд взглянул на нее, а потом снова на Мадлен. — Прекратите все.

Селеста ухватилась за руку Мадлен и грациозно поднялась на ноги. Одернув платье, она прижала ладонь к лицу в том месте, куда ее ударил Перри. Потом мельком взглянула на съежившуюся Бонни.

— И я ничего не видела, — произнесла она почти обыденным тоном.

— Селеста.

Лицо Эда исказилось от ужаса. Он сильно надавил ладонями себе на виски, а потом опустил руки. Его лоб засверкал золотом.

Селеста подошла к краю балкона и положила руки на перила. Обернувшись к Ренате, она сказала:

— А сейчас вызовите «скорую».

Потом она разразилась пронзительными воплями.

После всех лет притворства ей это было несложно. Селеста была прекрасной актрисой.

Но потом она вспомнила о детях, и притворяться больше не пришлось.

* * *

Стью. К этому времени все как с цепи сорвались. Два парня дрались из-за какой-то французской телки, а потом этот коротышка налетает на меня, потому что я сказал, что его жена «не может организовать секс в борделе» и что я оскорбил ее честь и все такое. Но, господи боже мой, это же просто фигура речи.

Теа. Действительно, спор по поводу нормированного тестирования стал чересчур жарким. У меня четверо детей, поэтому я кое-что смыслю в этом вопросе.

Харпер. Теа вопила, как рыночная торговка.

Джонатан. Я был в компании с родителями учеников четвертого класса, и мы стали спорить о законном и моральном аспектах этого чертова ходатайства. Некоторые стали повышать голос, некоторые толкались. Послушайте, мне за это стыдно.

Габриэль. К этому времени мне на ум стали приходить мысли о каннибализме. Кэрол выглядела восхитительно.

Кэрол. Я убиралась на кухне, когда услышала ужасный, душу леденящий вопль.

Саманта. К лестнице бежал Эд и кричал что-то о том, что Перри Уайт упал с балкона. Я посмотрела туда и увидела, как двое папаш учеников пятого класса вломились на балкон через открытую дверь.

* * *

— Произошел несчастный случай, — говорила Рената в мобильник, зажимая другое ухо пальцем. Из-за криков Селесты она с трудом слышала человека на другом конце линии. — Мужчина упал. С балкона.

— Это был он? — Мадлен взяла Джейн за плечо и притянула ближе к себе. — Это был Перри, который... — (Джейн уставилась на идеально накрашенные розовые губки бантиком Мадлен.) — Ты думаешь, он... — Она так и не закончила фразу, потому что в этот момент два сцепившихся, как в страстном объятии, Элвиса в белом атласе со всего маху врезались в Джейн и Мадлен, которые от удара разлетелись в разные стороны.

Падая, Джейн выставила руку вперед и, тяжело опустившись набок, почувствовала, как что-то отвратительно хрустнуло около плеча.

Потом она ощутила щекой мокрые плитки балкона. Крики Селесты смешивались с отдаленным завыванием сирен и тихими всхлипываниями Бонни. Джейн почувствовала во рту вкус крови. Она закрыла глаза.

О горе мне!

* * *

Бонни. Драка переместилась на балкон, и тогда бедные Мадлен и Джейн получили тяжелые травмы. Я не видела, как упал с террасы Перри Уайт. Я... Погодите минутку, Сара. Постойте, вы Сара, правда? Не Сьюзен. Я все забыла. Извините, Сара. Сара. Чудесное имя. По-моему, оно означает «принцесса». Послушайте, Сара, мне нужно забрать мою дочь.

Глава 78

Сержант уголовной полиции Эдриан Куинлан. Мы рассматриваем все имеющиеся записи системы видеонаблюдений, а также фотоснимки, сделанные в тот вечер фотоаппаратами и мобильными телефонами. И мы собираемся изучить данные судебной экспертизы, когда они появятся. В настоящее время мы опрашиваем каждого из ста тридцати двух родителей, посетивших мероприятие. Можете быть уверены, мы выясним правду относительно того, что произошло вчера вечером, и, если понадобится, я предъявлю обвинение всей чертовой толпе.

Наутро после вечера викторин

— Пожалуй, я не смогу этого сделать, — тихо произнес Эд.

Он сидел на стуле у больничной кровати Мадлен. Она лежала в отдельной палате, но Эд все время нервно поглядывал через плечо. У него был такой вид, словно его укачало.

— Я не прошу тебя ни о чем, — сказала Мадлен. — Если хочешь рассказать, расскажи.

— «Расскажи». Ради всего святого. — Эд закатил глаза. — Это не то же самое, что наябедничать учительнице! Это нарушение закона. Это ложь под... Ты в порядке? Больно?

Мадлен закрыла глаза и поморщилась. Она сломала лодыжку. Это произошло, когда на нее и Джейн налетели папаши учеников пятого класса. Сначала она подумала, что удержится на ногах, но потом заскользила по мокрым плиткам, выделывая какие-то безумные па. Сломала она здоровую лодыжку, а не ту, которая все время подворачивалась.

Ей показалось, что накануне вечером она пролежала с мучительной болью на мокром балконе несколько часов, слыша ужасные, нескончаемые вопли Селесты, рыдания Бонни и ругань Натана. Рядом с ней лежала Джейн с окровавленным лицом, а Рената кричала дерущимся папашам: «Да остановитесь же вы, ради бога!»

Днем Мадлен наложили гипс. Она должна была ходить в гипсе от четырех до шести недель, а после этого будет назначена физиотерапия. Не скоро она сможет снова носить шпильки.

Не только она попала в больницу. Насколько было известно Мадлен, полный перечень повреждений после вечера викторин включал в себя одну сломанную лодыжку (вклад Мадлен), одну сломанную ключицу (бедная Джейн), сломанный нос (муж Ренаты Джеф — меньше, чем он заслуживал), три сломанных ребра (муж Харпер Грэм, который тоже спал с няней-француженкой), три синяка под глазом, два сильных пореза, которые потребовалось зашивать, и девяносто четыре случая сильной головной боли.

И одна смерть.

В голове Мадлен кружилась сумасшедшая карусель лиц с прошлого вечера. Вот Джейн с ярко накрашенными губами стоит перед Перри и говорит: «Вы сказали, вас зовут Саксон Бэнкс». Сначала Мадлен подумала, что Джейн перепутала двух мужчин, что Перри напомнил ей кузена, но потом Перри сказал: «Это не имело значения». Выражение лица Селесты после того, как ее ударил Перри. Никакого удивления. Лишь замешательство.

Какой надо быть бестолковой, эгоцентричной подругой, чтобы не заметить подобных вещей? — думала Мадлен. То, что Селеста не жаловалась на синяки и разбитую губу, не означало, что у нее все хорошо. Если бы только Мадлен удосуживалась замечать это! Пыталась ли Селеста когда-нибудь довериться ей? Вероятно, в тот момент Мадлен тараторила про крем для век или про что-то столь же второстепенное, не давая возможности подруге выговориться. И вероятно, прерывала ее! Эд всегда возмущался. «Дай закончить», — подняв руку, бывало, скажет он. Всего три коротких слова. «Перри бьет меня». Но Мадлен никогда не давала подруге трех секунд, чтобы произнести эти слова. А Селесте между тем приходилось выслушивать бесконечные излияния Мадлен по поводу того, как она ненавидит организатора футбола для детей до семи лет, или о том, какие чувства вызывают у нее отношения Абигейл с отцом.

— Сегодня она принесла нам вегетарианскую лазанью, — сказал Эд.

— Кто? — спросила Мадлен.

Ей было тошно от угрызений совести.

— Бонни! Господи, да Бонни же! Женщина, которую мы, очевидно, пытаемся выгородить. Она ведет себя до странного нормально, как будто ничего не случилось. И все-таки она чокнутая. Сегодня утром она уже разговаривала с очень симпатичной журналисткой по имени Сара. Одному Богу известно, что она ей наговорила.

— Это был несчастный случай, — сказала Мадлен.

Она вспомнила искаженное гневом лицо Бонни, когда та кричала на Перри. Тот странный гортанный голос. «Мы видим. Мы видим, черт бы вас побрал!»

— Я понимаю, что это был несчастный случай, — откликнулся Эд. — Так почему нам просто не сказать правду? Рассказать полиции, как все в точности произошло? Не понимаю. Тебе она даже не нравится.

— Это к делу не относится.

— Все начала Рената, — заметил Эд. — А потом и прочие стали выступать. «Я не видела. Я не видела». Мы даже еще не знали, жив человек или нет, а уже думали об укрывательстве! То есть, Господи Иисусе, Рената, вообще-то, была знакома с Бонни?

Мадлен подумала, что понимает, почему Рената это сказала. Потому что Перри обманывал Селесту так же, как Джеф обманывал Ренату. Мадлен разглядела выражение лица Ренаты, когда Перри сказал: «Это ничего не значило». В тот момент Рената сама захотела столкнуть Перри с террасы. Просто Бонни успела первой.

Не скажи Рената «Я не видела, как он упал», тогда Мадлен, вероятно, не успела бы оценить все последствия происшествия для Бонни, но едва Рената произнесла эти слова, как Мадлен подумала о дочери Бонни. То, как Скай моргает ресницами, как всегда прячется за юбку матери. Если и есть ребенок, сильно нуждающийся в матери, так это Скай.

— У Бонни есть маленькая девочка, — заметила Мадлен.

— У Перри было два маленьких мальчика. И что с того? — Эд смотрел в пространство над кроватью Мадлен. В резком свете лампы его лицо казалось осунувшимся. Она разглядела черты старика, каким он однажды станет. — Просто я не знаю, как с этим жить, Мадлен.

Эд первым добрался до Перри. Именно он увидел разбитое, искореженное тело мужчины, который за несколько минут до этого смеялся и разговаривал с ним о гандикапах в гольфе. Нельзя было требовать от него многого. Она это понимала.

— Перри был плохим человеком, — сказала Мадлен. — Это он дурно обошелся с Джейн. Ты понял? Он отец Зигги.

— Это к делу не относится, — откликнулся Эд.

— Как знаешь, — бросила Мадлен.

Эд прав. Конечно, он прав, он всегда прав, но иногда правильно бывает сделать неправильную вещь.

— Думаешь, она хотела его убить? — спросила Мадлен.

— Нет, не думаю, — ответил Эд. — Но что с того? Я не судья и не присяжный заседатель. Не мое дело...

— Ты считаешь, она снова совершит нечто подобное? Считаешь, она представляет опасность для общества?

— Нет, но опять же — какая разница? — Его взгляд выражал неподдельную муку. — Просто я, пожалуй, не смогу умело врать в полицейском расследовании.

— А разве ты уже не наврал?

Она знала, что, пока накануне вечером ее увозили на одной из «скорых», стоящих перед школой, он успел кратко переговорить с полицейскими, а потом поехал к ней в больницу.

— Это было неофициально, — сказал Эд. — Какой-то офицер что-то записал, и я сказал... Господи, не знаю точно, что я сказал, ведь я был пьян. Помню, что не упоминал имени Бонни, но согласился прийти в полицейский участок сегодня в час дня и дать официальные свидетельские показания. Они будут все записывать на магнитную ленту, Мадлен. В комнате будут сидеть и смотреть на меня два офицера, пока я буду выкручиваться. Мне придется подписать письменное показание под присягой. Это делает меня соучастником...

— Эй, привет!

В палату ворвался Натан с охапкой цветов и широкой улыбкой знаменитости, выходящей на сцену.

— Господи Иисусе, Натан, ты напугал меня до смерти! — подскочил Эд.

— Извини, приятель, — сказал Натан. — Мэдди, как себя чувствуешь?

— Хорошо.

Было что-то тревожащее в том, как бок о бок стоят твой муж и бывший муж и смотрят на тебя, а ты лежишь в кровати. Это было странно. Ей захотелось, чтобы оба они ушли.

— Ну и дела! Бедная девочка! — Натан вывалил цветы ей на колени. — Говорят, тебе довольно долго придется ходить на костылях.

— Да, но...

— Абигейл уже сказала, что переедет домой, чтобы помогать тебе.

— О-о! — Мадлен принялась перебирать лепестки цветов. — Что ж, я поговорю с ней об этом. У меня все будет замечательно. Ей необязательно ухаживать за мной.

— Нет, но мне кажется, она хочет вернуться домой, — сказал Натан. — Ищет предлог.

Мадлен и Эд переглянулись. Эд пожал плечами.

— Я всегда считал, это нововведение себя изживет, — высказался Натан. — Она скучает по маме. Мы не ее настоящая жизнь.

— Верно.

— Ну, мне пора идти, — сказал Эд.

— Можешь на минуту задержаться, приятель? — спросил Натан. Широкая позитивная улыбка исчезла, и теперь он стал похож на человека, по вине которого произошло ДТП. — Я бы хотел немного поговорить с вами... о том, что, гм, произошло вчера вечером.

Эд скривился, но пододвинул второй стул к своему и жестом пригласил Натана сесть.

— О-о, благодарю, приятель, — с излишним жаром произнес Натан.

Последовала долгая пауза.

Эд откашлялся.

— Отец Бонни отличался буйным нравом, — без предисловий начал Натан. — Весьма буйным. Наверное, я не знаю и половины того, что он вытворял. Не с Бонни. С ее мамой. Но Бонни и ее младшая сестра все это видели. У них было очень тяжелое детство.

— Не думаю, что мне следует... — начал Эд.

— Я не был знаком с ее отцом, — продолжал Натан. — Он умер от сердечного приступа до моего знакомства с Бонни. Как бы то ни было, Бонни... Ну, один психиатр диагностировал у нее посттравматический стресс. В основном она чувствует себя хорошо, но у нее бывают ужасные ночные кошмары и, гм, по временам некоторые сложности.

Выдав все секреты своего трудного, как поняла теперь Мадлен, брака, он уставился пустыми глазами мимо Мадлен на стену за ее головой.

— Ты не обязан рассказывать нам все это, — сказала Мадлен.

— Она хороший человек, Мэдди, — с каким-то отчаянием произнес Натан.

Он не смотрел на Эда. Глаза его остановились на Мадлен. Он взывал к их истории. Взывал к воспоминаниям о прошлой любви. И хотя он бросил ее, но просил забыть об этом и вспомнить те дни, когда они были без ума друг от друга, когда просыпались с блаженными улыбками. Это был бред, но она понимала, что он просит именно об этом. Он просил поддержки у двадцатилетней Мадлен.

— Она чудесная мать, — сказал Натан. — Самая хорошая. И уверяю тебя, она совсем не хотела, чтобы Перри выпал с балкона, просто, когда она увидела, что он ударил Селесту...

— Что-то замкнулось, — закончила фразу Мадлен.

Мысленным взором она увидела, как Перри элегантно отводит назад натренированную руку. Услышала гортанный голос Бонни. Она вдруг поняла, как много степеней зла существует на свете. Маленькое зло, как ее собственные язвительные слова. Или то зло, когда ребенка не приглашают на день рождения. Зло покрупней, когда бросают жену с новорожденным ребенком или спят с няней дочери. И еще тот сорт зла, с которым Мадлен не доводилось сталкиваться, — проявление жестокости и насилия в гостиничных номерах и загородных домах; торговля маленькими девочками, наносящая непоправимый ущерб невинным душам.

— Знаю, ты мне ничего не должна, — сказал Натан, — поскольку я поступил с тобой совершенно непростительно, когда Абигейл была младенцем, и...

— Натан, — прервала его Мадлен.

Все это было безумием и не имело смысла, потому что она не простила его и не собиралась прощать. До конца дней он будет сводить ее с ума, и однажды он поведет Абигейл по проходу в церкви, и она будет всю дорогу скрежетать зубами, но он все-таки часть ее семьи, и ему отведено место на куске картона с изображением ее генеалогического древа.

Как было втолковать Эду, что ей совсем не нравится Бонни, что она не понимает ее, но готова лгать ради нее точно так же, как не задумываясь солжет ради Эда, своих детей и матери. И каким бы странным и невероятным это ни казалось, но получалось, что Бонни тоже ее семья.

— Мы не собираемся ничего говорить полиции, — сказала Мадлен. — Мы не видели, что произошло. Ничего не видели.

Эд встал, заскрипев стулом, и, не оглядываясь, вышел из комнаты.

* * *

Сержант уголовной полиции Эдриан Куинлан. Кто-то замалчивает правду о том, что произошло на балконе.

Глава 79

У полицейского был вид молодого симпатичного папаши из провинции, но в усталых зеленых глазах угадывались искушенность и проницательность. Он сидел у больничной кровати Джейн с ручкой и желтым блокнотом.

— Позвольте уточнить. Вы стояли на балконе, но смотрели в зал?

— Да, — ответила Джейн. — Из-за этого шума. Люди бросались разными предметами.

— А потом вы услышали крик Селесты Уайт?

— Думаю, да, — сказала Джейн. — Все это сбивало с толку. Была ужасная неразбериха. И эти коктейли с шампанским.

— Да, — вздохнул полицейский. — Эти коктейли с шампанским. Я уже много о них наслышан.

— Все здорово напились, — сказала Джейн.

— Где вы стояли по отношению к Перри Уайту?

— Гм, пожалуй, где-то сбоку.

Медсестра сказала, что скоро ее отвезут на рентген. Родители с Зигги должны были сейчас приехать. Она взглянула на дверь палаты, желая только того, чтобы кто-нибудь пришел и спас ее от этого разговора.

— А какие отношения были у вас с Перри? Вы были друзьями?

Джейн вспомнила о том моменте, когда он снял парик и стал Саксоном Бэнксом. Ей так и не доведется рассказать ему, что у него есть сын по имени Зигги, который любит тыкву. Она не дождется от него извинения. И она ради *этого* приехала в Пирриви? Потому что хотела от него раскаяния? И думала, что добьется раскаяния?

Она закрыла глаза.

— Вчера мы только познакомились, и меня ему представили.

— Мне кажется, вы лжете, — сказал полицейский, положив блокнот. Джейн вздрогнула, услышав в его голосе новые нотки — неумолимость, тяжесть и силу ударяющего молотка. — Вы лжете?

Глава 80

— К тебе пришла какая-то женщина, — сказала мать Селесты.

Селеста подняла глаза. Она сидела на диване с сыновьями, которые смотрели мультики, уютно привалившись к ней с двух сторон. Ей совсем не хотелось шевелиться.

Она не знала, о чем думают дети. Когда она сказала им об отце, они расплакались, но, может быть, они плакали оттого, что Перри обещал утром взять их на рыбалку к скалам, но этого не случилось.

— Почему папа не полетел? — прошептал Джош. — Когда упал с балкона? Почему он не полетел?

— Я знал, что он не умеет летать, — обиженно произнес Макс. — Я знал, он все выдумывает.

Она догадывалась, что сейчас они так же озадачены и потрясены, как и она, и что единственной реальной вещью им кажутся яркие мелькающие цвета персонажей мультика.

— Это не очередная журналистка, нет? — спросила Селеста.

— Ее зовут Бонни, — ответила мать. — Говорит, она одна из школьных мам и хочет буквально на несколько минут видеть тебя. Говорит, это важно. Она принесла вот это. — Мать подняла блюдо. — Она сказала, это вегетарианская лазанья.

Мать изогнула бровь, показывая свое отношение к вегетарианской лазанье.

Осторожно отодвинув мальчиков, Селеста встала. Они что-то недовольно пробурчали, но не оторвали глаз от телевизора.

Бонни дожидалась ее в гостиной. Она стояла совершенно неподвижно, глядя на океан. На спину с йоговской осанкой ей падала длинная белокурая коса. Селеста остановилась в дверях, на миг задержав на ней взгляд. Это была женщина, виновная в смерти ее мужа.

Бонни медленно повернулась с печальной улыбкой:

— Селеста.

Невозможно было себе представить, что эта тихая женщина со светящейся кожей кричит: «Мы видим! Мы видим, черт бы вас побрал!» Невозможно было себе представить, что она ругается.

— Спасибо за лазанью, — искренне поблагодарила Селеста.

Она знала, что скоро ее дом заполнится скорбящими родственниками Перри.

— Что ж, это самое меньшее... — Ее спокойное лицо мгновенно исказилось неподдельной болью. — Слово «жаль» вряд ли подходит для моего поступка, но я должна была прийти и сказать это.

— Это был несчастный случай, — прошептала Селеста. — Вы не хотели, чтобы он упал.

— Ваши мальчуганы... Как они?..

— Вряд ли они что-то всерьез понимают, — сказала Селеста.

— Да, пожалуй, — согласилась Бонни. Она медленно выдохнула через рот, как будто демонстрировала йоговское дыхание. — Сейчас я поеду в полицию. Хочу сделать заявление и рассказать, как все в точности произошло. Вам не придется лгать ради меня.

— Я уже сказала им вчера вечером, что не видела...

Бонни подняла руку:

— Они вернутся, чтобы получить надлежащие свидетельские показания. На этот раз просто скажите им правду. — Она глубоко и медленно вдохнула. — Я собиралась врать. Понимаете, я в этом поднаторела. Я опытная лгунья. Когда я подрастала, то все время врала. Полиции. Социальным работникам. Мне приходилось скрывать большие секреты. Утром я даже беседовала с журналисткой, и все было здорово, но потом — не знаю. Я поехала к матери за дочкой и, входя в дом, вспомнила тот последний раз, когда видела, как отец бьет маму. Мне было двадцать, совсем взрослая. Я приехала к ним в гости, и это началось. Мама что-то сделала, не помню что. Положила ему на тарелку мало кетчупа. Засмеялась не тем смехом. — Бонни посмотрела прямо Селесте в глаза. — Ну, вы знаете.

— Знаю, — хрипло произнесла Селеста.

Она положила руку на то место дивана, куда Перри однажды прижимал ее голову.

— Так знаете, что я сделала? Я побежала в свою прежнюю спальню и спряталась под кроватью. — Бонни удивленно хмыкнула. — Потому что именно это мы всегда делали с сестрой. Я даже не подумала, а просто побежала. А потом лежала там на животе, с колотящимся сердцем, глядя на старый зеленый ковер и ожидая, когда все закончится, и вдруг подумала: «Господи, что я делаю? Я, взрослая женщина, прячусь под кроватью».

И тогда я вылезла и вызвала полицию. — Бонни перекинула косу на плечо и поправила резинку на конце. — Больше я не прячусь под кроватью. Я не храню секретов и не хочу, чтобы люди скрывали что-то ради меня. — Она вновь перекинула косу за спину. — Как бы то ни было, правда должна выйти наружу. Мадлен и Рената смогут лгать в полиции. Но определенно не Эд. И не Джейн. И вероятно, не мой бедный безнадежный муж. Натан, пожалуй, самый безнадежный из всех.

— Я бы солгала ради вас, — сказала Селеста. — Я умею лгать.

— Знаю, что умеете. — Глаза Бонни сияли. — Думаю, вы тоже очень в этом сильны. — Шагнув вперед, она положила руку на плечо Селесты. — Но теперь можно остановиться.

Глава 81

Бонни собирается сказать правду.

Эта эсэмэска пришла от Селесты.

Набирая номер Эда, она беспокойно теребила телефон. Ей вдруг показалось, что будущее ее семейной жизни зависит от того, успеет ли она дозвониться до него перед визитом в участок.

Телефон звонил и звонил. Слишком поздно.

— Что случилось? — отрывисто произнес он.

Она с облегчением вздохнула.

— Ты где сейчас?

— Только что поставил машину. Сейчас пойду в полицейский участок.

— Бонни собирается признаться, — сказала Мадлен. — Тебе не надо врать ради нее. — Последовала пауза. — Эд? Ты слышишь меня? Можешь рассказать им в точности то, что видел. Можешь рассказать правду.

По звукам из трубки можно было подумать, что он плачет. Он никогда не плакал.

— Не стоило просить меня об этом, — грубовато произнес он. — Это было уж чересчур. Ты сделала это ради *него*. Ты просила меня об этом ради твоего бывшего чертова мужа.

— Знаю, — сказала Мадлен. Теперь она тоже плакала. — Прости меня. Пожалуйста, прости меня.

— И я собирался это сделать.

Нет, не собирался, дорогой, смахивая слезы тыльной стороной ладони, подумала она. Не собирался.

* * *

Дорогой Зигги,
не знаю, помнишь ли ты это, но в прошлом году в ознакомительный день в школе я обошлась с тобой не очень хорошо. Я думала, ты обидел мою дочь, но теперь я знаю, что это неправда. Надеюсь, ты меня простишь и твоя мама тоже меня простит. Я плохо обошлась с вами, и мне очень жаль. Амабелла устраивает прощальный вечер перед нашим переездом в Лондон, и мы будем очень рады, если ты придешь к нам в качестве особого гостя. Тема вечеринки «Звездные войны». Амабелла просит тебя захватить световой меч.
Искренне твоя,
Рената Клейн (мама Амабеллы).

Глава 82

Четыре недели спустя после вечера викторин

— Она пыталась поговорить с тобой? — поинтересовалась Джейн у Тома. — Та журналистка, которая у всех берет интервью?

Было утро прекрасного ясного и бодрящего зимнего дня. Они стояли рядом на дощатом настиле около «Блю блюз». У окна за столом сидела женщина и, нахмурившись, печатала текст на ноутбуке; под рукой диктофон, в ухе наушник.

— Сара? — спросил Том. — Угу. Я только что принес ей три бесплатных кекса и сообщил, что мне нечего сказать. Надеюсь, она упомянет кексы в своей истории.

— Она интервьюирует людей с самого утра после вечера викторин, — сообщила Джейн. — Эд считает, она пытается заключить договор на книгу. Очевидно, до своего обвинения с ней говорила даже Бонни. У нее, наверное, куча материалов.

Том помахал журналистке, и она помахала в ответ, в качестве приветствия подняв чашку с кофе.

— Пойдем, — позвал Том Джейн.

Они собирались устроить на мысу ранний ланч с сэндвичами. Накануне у Джейн сняли повязку со сломанной ключицы. Врач сказал, что она может начинать понемногу упражняться.

— Ты уверен, что Мэгги справится с работой в кафе? — спросила Джейн, имея в виду единственную помощницу Тома, которая работала на полставки.

— Конечно. Ее кофе лучше моего, — отозвался Том.

— Нет, не лучше, — возразила Джейн.

Они поднялись к лестнице, где Джейн обычно встречалась с Селестой после того, как они отвозили детей в школу. Она вспомнила, как Селеста спешила к ней навстречу, немного нервничая оттого, что снова опаздывает, не замечая джоггера средних лет, едва не налетевшего на дерево, когда он загляделся на нее.

После похорон Джейн почти не виделась с Селестой.

Самым трудным на похоронах было смотреть на мальчуганов в нарядных белых рубашечках и черных брючках, с зализанными набок белокурыми волосами. Макс написал письмо отцу и положил его сверху на гроб: слово «Папочка» неровными корявыми буквами и две фигурки, похожие на веточки.

Школа старалась поддержать родителей подготовительного класса, которые сомневались, брать ли с собой детей на похороны. Были разосланы письма по электронной почте с полезными ссылками на статьи психологов: «Стоит ли разрешать ребенку посещать похороны?»

Родители, не разрешившие детям пойти, надеялись, что у тех, которым разрешили, будут ночные кошмары и останется хоть какой-то след на всю жизнь и он повлияет, по крайней мере, на результаты контроля иерархической памяти. Родители, разрешившие детям пойти, надеялись, что их дети усвоят ценные уроки в отношении цикличности жизни, помощи друзьям в беде и, возможно, станут более «гибкими», что позволит им стойко перенести подростковый возраст, не поддаться суицидальным настроениям и не сделаться наркоманами.

Джейн разрешила Зигги пойти, потому что он хотел пойти и потому что это были похороны его отца, пусть даже он и не знал об этом. У нее не было бы другого случая разрешить ему посетить похороны отца.

Расскажет ли она ему когда-нибудь правду? *Помнишь, как в детстве ты ходил на свои первые похороны?* Но он будет пытаться придать всему какой-то смысл. Будет доискиваться до смысла, которого, как поняла наконец Джейн, там не было. Последние пять лет она бесплодно доискивалась до смысла отвратительного пьяного акта измены и не находила его.

Церковь была забита сраженными горем родственниками Перри. Сестра Перри (тетя Зигги, как сказала про себя Джейн, усаживаясь вместе с другими родителями, мало знакомыми с Перри, в задней части церкви) сделала небольшой фильм о Перри, чтобы почтить его память.

Он был настолько профессионально сделан, что казался настоящим художественным фильмом, в котором жизнь Перри представлялась более интересной, богатой и значительной, чем обычная жизнь людей. Там были четкие снимки круглолицего светловолосого младенца, пухлого мальчугана, неожиданно красивого подростка, сногсшибательного жениха, целующего сногсшибательную невесту, гордого новоявленного отца, который держит близнецов на руках. Были видеоклипы, в которых он исполняет рэп с близнецами, задувает свечи, спускается с горы на лыжах вместе с сыновьями, держа их за руки.

Для достижения максимального эмоционального воздействия красивый саундтрек был идеально синхронизирован с видеорядом, и к концу просмотра даже те родители, которые едва знали Перри, открыто рыдали, а один мужчина случайно зааплодировал.

Со дня похорон Джейн все время вспоминала этот фильм. Он казался бесспорным доказательством того, что Перри был хорошим человеком. Хорошим мужем и отцом. Ее воспоминания о нем в гостиничном номере и на балконе школы — жестокость, которую он подчас проявлял в отношении Селесты, — казались необоснованными и маловероятными. Мужчина с двумя малышами на коленях, смеющийся в замедленной съемке над чем-то за кадром, не мог совершать подобные вещи.

Она пыталась уверить себя в том, что ее воспоминания о Перри бессмысленные и мелочные, едва ли не предвзятые. Лучше уж вспоминать этот прелестный фильм.

Джейн не видела, чтобы Селеста плакала на похоронах. У подруги были красные опухшие глаза, но она не плакала. Казалось, она стискивает зубы, словно ожидая, когда минует какая-то ужасная боль. Лишь единственный раз, похоже, Селеста была готова разрыдаться, — это когда у церкви успокаивала высокого красивого мужчину, который едва держался на ногах от горя.

Джейн показалось, она услышала, что Селеста, беря его за руку, говорит: «Ох, Саксон», но, возможно, это ей померещилось.

— А ты собираешься с ней поговорить? — спросил Том, когда они поднялись по лестнице.

— С Селестой? — уточнила Джейн.

Они давно серьезно не разговаривали. У Селесты жила ее мать, помогая с мальчиками. К тому же Джейн знала, что родственники Перри также отнимают у нее много времени. Джейн чувствовала, что они с Селестой так и не смогут поговорить о Перри. С одной стороны, можно было о многом поговорить, а с другой — не о чем. Мадлен сказала, что Селеста переезжает в квартиру на Макмахонс-Пойнт. Большой красивый дом будет выставлен на продажу.

— Не с Селестой. — Том как-то странно посмотрел на нее. — С той журналисткой.

— А-а, — протянула Джейн. — Господи, нет! Не говорила и не собираюсь. Эд посоветовал, когда она позвонит, ответить: «Нет, спасибо» — твердым вежливым тоном и быстро повесить трубку, как мы делаем с телемаркетером. Он сказал, у людей бытует странное представление, что они обязаны разговаривать с журналистами, но это не так. Это же не полиция.

У Джейн не было желания разговаривать с журналисткой. Слишком много секретов. При одной мысли о беседе с полицейским в госпитале у нее перехватывало дыхание. Слава богу, Бонни решила признаться.

— Ты нормально себя чувствуешь? — Том остановился и положил руку ей на плечо. — Я не слишком быстро иду?

— Все в порядке. Немного не в форме.

— Мы вернем тебя в нормальную физическую форму.

Она ткнула его пальцем в грудь:

— Заткнись.

Кем они теперь были? Очень близкими друзьями, почти братом и сестрой? Флиртующей парой, понимающей, что дело дальше не пойдет? Она действительно не знала. Их взаимное притяжение на вечере викторин было как крошечный чудесный цветок, нуждающийся в бережном уходе или, по меньшей мере, в пьяном первом поцелуе у стены на школьной парковке. Но потом случилось все это. Маленький росток был растоптан большим черным сапогом: смерть, и кровь, и сломанные кости, и полиция, и история про отца Зигги, которую она не успела ему рассказать. Казалось, им не вернуться на счастливую стезю. Они потеряли ритм.

На прошлой неделе они вместе провели вечер — смотрели кино, потом поужинали. Все было очень мило и уютно. Они уже давно были хорошими друзьями после всех часов, проведенных ею за работой в «Блю блюз». Но ничего не произошло. Они даже не стали ближе.

Получалось, что Том и Джейн обречены на дружбу. Это немного разочаровывало, но трагедии в этом не было. Друзьями можно быть всю жизнь. Статистика здесь более благоприятная по сравнению с любовными отношениями.

Этим утром она снова получила эсэмэску от кузена подруги, который спрашивал, не хочет ли она, в конце концов, встретиться с ним и чего-нибудь выпить. Она ответила согласием.

Они подошли к садовой скамье с дощечкой, посвященной «Виктору Бергу, который любил прогуливаться по этому мысу». «Любимые нас не покинут, о нет, и будут слать нам молчаливый привет». Это всегда вызывало в Джейн мысли о деде, который родился в один год с Виктором.

— Как поживает Зигги? — спросил Том, когда они уселись на скамью и принялись разворачивать сэндвичи.

— Хорошо, — ответила Джейн. Она смотрела на голубой простор. — Отлично.

Зигги подружился с новым мальчиком из школы, который недавно вернулся в Австралию после двухлетнего пребывания в Сингапуре. Зигги и Лукас сразу стали неразлучны. Родители Лукаса, пара лет сорока с небольшим, пригласили Джейн и Зигги на ужин. У них были планы познакомить Джейн с дядей Лукаса.

Том неожиданно положил ладонь на плечо Джейн:

— О господи!

— Что такое? — удивилась Джейн.

Он всматривался в морской простор, словно что-то увидел.

— Кажется, я получил сообщение. — Том приложил палец к виску. — Да, да! Сообщение от Виктора!

— Виктора?

— Виктора Берга, который любил прогуливаться по этому мысу! — с нетерпением произнес Том. Он ткнул пальцем в дощечку. — Вик, приятель, какое сообщение?

— Господи, ну ты и придурок, — нежно проговорила Джейн.

Том взглянул на Джейн:

— Вик говорит, если я не потороплюсь и не поцелую эту девушку, то, значит, я чертов болван.

— О-о! — вскрикнула Джейн. На нее накатила волна восторга, словно она выиграла приз. Руки покрылись гусиной кожей. Зачем она пыталась успокоить себя маленькой ложью? Господи, конечно, она была разочарована тем, что ничего не происходит. Очень, очень разочарована. — Правда? Так он сказал...

Но Том уже целовал Джейн, одной рукой прикасаясь к ее лицу, а другой убирая сэндвичи с ее коленей и кладя их на скамью рядом с собой. Оказалось, тот маленький росток все же не был раздавлен и первые поцелуи не обязательно требуют темноты и алкоголя, они могут происходить на открытом воздухе, где свежесть и солнечное тепло на лице и все вокруг честное и настоящее. Слава богу, она не жевала резинку, потому что ей пришлось бы незаметно ее проглотить, и тогда она упустила бы тот факт, что Том на вкус именно такой, как она ожидала: коричный сахар, кофе и море.

— Я думала, мы обречены на дружбу, — сказала она, когда они немного отдышались.

Том отвел с ее лба локон и заправил за ухо:

— У меня достаточно друзей.

Глава 83

Саманта. Так, значит, все кончено? Получили все, что хотели? Ну просто роман, а? Теперь возвращаемся к нормальной жизни, только родители учеников стали необычайно добры друг к другу. Это даже забавно.

Габриэль. Администрация отменила весенний бал. Теперь будем тусоваться у палаток с выпечкой. Как раз то, что мне нужно. От всех этих стрессов я поправилась на пять килограммов.

Теа. Рената переезжает в Лондон. Браку конец. Сама бы я приложила больше усилий, но это я. Ничего не могу с собой поделать, у меня дети на первом месте.

Харпер. Естественно, на следующий год мы поедем к Ренате в Лондон! Когда она устроится, разумеется. Она говорит, на это уйдет какое-то время. Да, я дам Грэму второй шанс. Какая-то дрянная девчонка не разрушит мой брак. Не сомневайтесь. Он заплатит. И не только сломанными ребрами. Мы все сегодня идем смотреть «Король Лев».

Стью. Величайшая загадка вот в чем: почему эта французская пташка не попыталась подъехать ко мне?

Джонатан. Ко мне-то она точно пыталась подъехать, но это не для протокола.

Мисс Барнс. Не имею понятия, что случилось с ходатайством. После вечера викторин никто о нем не заговаривал. Мы все с нетерпением ждем нового семестра и хорошего старта. Я подумала, можно будет проводить специальные уроки по конфликтным ситуациям. Это представляется разумным.

Джеки. К счастью, теперь детей оставят в покое, и они смогут учиться читать и писать.

Миссис Липман. Пожалуй, мы все научились быть немного добрее друг к другу. И всё документировать. *Всё.*

Кэрол. Так, очевидно, книжный клуб Мадлен не имел никакого отношения к эротической литературе! Все это было шуткой! Они оказались такими ханжами! Смешно сказать, но вчера одна моя приятельница, с которой мы ходим в церковь, упомянула, что состоит в христианском клубе эротической литературы. Я уже прочитала три главы из нашей первой книги и не буду врать: это очень смешно и довольно-таки, как это сказать? Пикантно!

Сержант уголовной полиции Эдриан Куинлан. Честно говоря, я подумал на жену. Интуиция подсказывала мне, что это жена. Я бы побился об заклад. Значит, нельзя всегда доверять интуиции. Вот такие дела. Теперь у вас есть все, что необходимо, верно? Надо немного отвлечься. Я вот подумал — не знаю, уместно ли это, — но не желаете ли составить мне компанию и вы...

Глава 84

Год спустя после вечера викторин

Селеста сидела за длинным столом с белой скатертью и ждала, когда ее вызовут. Сердце ее глухо стучало. Во рту пересохло. Дрожащей рукой она взяла стакан воды и сразу же поставила на место, поскольку не знала, сможет ли, не расплескав, донести его до рта.

В последнее время она уже несколько раз выступала в суде, но сейчас был другой случай. Она не хотела расплакаться, хотя Сьюзи говорила ей, что это хорошо, и понятно, и вполне допустимо.

— Вы будете говорить об очень личных, мучительных переживаниях, — сказала Сьюзи. — Это трудная задача.

Селеста бросила взгляд на небольшую аудиторию из мужчин и женщин в костюмах и галстуках. У них были невозмутимые профессиональные лица, у некоторых был скучающий вид.

«Я всегда выбираю кого-нибудь из аудитории, — сказал ей как-то Перри, когда они говорили о публичных выступлениях. — Дружелюбное лицо где-то в толпе, и, поднявшись на сцену, я говорю с ним или с ней так, как будто нас только двое».

Она припомнила, как удивилась, узнав, что Перри нужны какие-то приемы. Выступая на публике, он всегда казался таким безупречно уверенным и спокойным, как харизматичная голливудская звезда на ток-шоу. Таков был Перри. Оглядываясь назад, она подумала, что он, по сути дела, жил в состоянии постоянного умеренного страха — страха быть униженным, страха потерять ее, страха быть нелюбимым.

На миг ей захотелось, чтобы он был здесь и слышал, как она выступает. Она никак не могла отделаться от мысли, что, вопреки предмету обсуждения, он гордился бы ею. Настоящий Перри гордился бы ею.

Было ли это иллюзией? Вероятно, да. В последнее время она пребывала в мире иллюзий, или, быть может, это всегда было ее особенностью.

Самым трудным за последний год было то, что она пыталась предугадать каждую свою мысль и каждую эмоцию, а потом начинала сомневаться в них. Всякий раз, оплакивая Перри, она думала, что предает Джейн. Глупо и неправильно горевать о человеке, который сделал то, что сделал он. Неправильно сокрушаться о слезах сыновей, когда есть другой мальчуган, который даже не знает, что Перри — его отец. Правильные эмоции — это ненависть, гнев и сожаление. Вот что она должна чувствовать, и она радовалась, испытывая эти эмоции, что бывало не так уж редко. Но потом вдруг ловила себя на том, что скучает по нему, что с нетерпением ждет его возвращения домой из командировки, и ей приходилось напоминать себе, что Перри обманывал ее, и, вероятно, не один раз.

Во снах она кричала на него: «Как ты смеешь! Как ты смеешь!» И наносила ему удар за ударом. Она просыпалась с лицом, мокрым от слез.

— Я все еще люблю его, — говорила она Сьюзи, словно признаваясь в чем-то отталкивающем.

— Вам никто не запрещает любить его.

— Я схожу с ума, — заявляла она.

— Вы справитесь с этим, — уговаривала Сьюзи, терпеливо выслушивая подробные истории Селесты о каждом проступке, за который Перри наказывал ее.

«Я знаю, что в тот день должна была заставить мальчишек убрать лего, но я устала. Не следовало говорить то, что я сказала, не следовало делать то, что я сделала». Ей зачем-то понадобилось бесконечно возвращаться к самым банальным событиям последних пяти лет, чтобы попытаться разобраться в них.

— Это было несправедливо, да? — часто спрашивала она у Сьюзи, словно та была судьей, а Перри сидел с ними и слушал этого независимого арбитра.

— А вы думаете, это было справедливо? — скажет, бывало, Сьюзи, совсем как хороший терапевт. — Вы считаете, что заслужили это?

Селеста смотрела, как мужчина, сидевший справа от нее, поднял свой стакан воды. Его рука дрожала даже сильнее, чем у нее, но он упорно донес стакан до рта, невзирая на то что позвякивали кубики льда и вода пролилась ему на руку.

Это был высокий, приятной наружности мужчина с худощавым лицом, лет тридцати пяти, с неуместным галстуком под красным джемпером. Должно быть, еще один консультант, как и Сьюзи, но он патологически боится публичных выступлений. Чтобы подбодрить его, Селесте захотелось положить руку ему на плечо, но незачем было смущать его, ведь он, в конце концов, профессионал.

Она опустила глаза вниз и увидела, что у него немного задрались черные брюки. На нем были светло-коричневые носки и начищенные черные туфли. Такого рода портновский дефект вызвал бы у Мадлен истерику. Селеста позволила Мадлен выбрать себе на сегодня новую белую шелковую блузку, узкую юбку и черные строгие туфли. «Никаких пальцев, — сказала Мадлен, когда Селеста собралась надеть босоножки. — Для такого события пальцы неуместны».

Селеста молчаливо согласилась. За прошедший год она разрешала Мадлен делать для себя множество вещей. «Я должна была догадаться, — повторяла Мадлен. — Должна была догадаться, как много тебе приходилось выносить». И пусть Селеста без конца уверяла подругу, что вряд ли та могла бы об этом узнать, что Селеста ни за что не допустила бы, чтобы она узнала, Мадлен продолжала бороться с неподдельным чувством вины. Все, что Селеста могла сделать, — это позволить ей быть рядом с собой.

Селеста стала высматривать в аудитории дружелюбное лицо и остановилась на женщине лет пятидесяти с ярким птичьим лицом, которая одобрительно кивала, слушая вводные слова Сьюзи.

Она немного напомнила Селесте учительницу первого класса из новой школы мальчиков, расположенной рядом с ее квартирой. Перед началом занятий Селеста договорилась с ней о встрече. «Они боготворили отца, и после его смерти у них появились проблемы в поведении», — сказала ей Селеста на первой встрече.

«Естественно, проблемы будут, — согласилась миссис Хупер. Казалось, ничто не может ее удивить. — Давайте будем встречаться раз в неделю, чтобы контролировать ситуацию».

Селеста едва удержалась от того, чтобы не броситься к ней на шею и не зарыдать в ее симпатичную цветастую блузку.

За прошедший год хлопот с близнецами прибавилось. Они настолько привыкли к тому, что Перри часто и надолго уезжал, что потребовалось много времени, пока они поняли, что он никогда не вернется домой. Когда что-то не ладилось, они реагировали как отец — сердито, грубо. Каждый день они жестоко дрались и каждую ночь засыпали в одной постели, положив головы на одну подушку.

Видеть их горе было для Селесты наказанием, но наказанием за что? За то, что осталась с их отцом? За то, что желала его смерти?

Бонни не пришлось отсиживать срок. Ее признали виновной в неумышленном убийстве вследствие опасного противоправного действия и приговорили к двумстам часам общественных работ. При вынесении этого приговора судья отметил, что для этого типа правонарушений моральная вина обвиняемой минимальна. Он также принял во внимание, что у Бонни не было судимостей, что она искренне раскаялась и что, несмотря на предсказуемость падения жертвы, у Бонни такого намерения не было.

Судья также учел показания свидетелей-экспертов, которые доказали, что, согласно современному строительному кодексу, высота ограждения балкона была ниже минимальных требований, что барные табуреты не предназначены для использования на балконе и что имели место такие дополнительные факторы, как дождь и вследствие этого скользкие перила, а также алкогольное опьянение как обвиняемой, так и жертвы.

Если верить Мадлен, Бонни с превеликим удовольствием занималась общественными работами и рядом с ней все время была Абигейл.

Страховые компании какое-то время обменивались письмами с юристами. Селеста дала понять, что не хочет от школы никаких денег и что будет возвращать любые выплаты, полученные в результате несчастного случая для покрытия больших страховых премий.

Дом и другие виды собственности были проданы, и Селеста перевезла мальчиков в небольшую квартиру на Макмахонс-Пойнт. Сама же стала три дня в неделю работать в семейной юридической фирме. Она была рада, что на работе отвлекается от тяжелых мыслей.

На ее мальчиков была оформлена доверительная собственность, и Селеста оформила такую же собственность на Зигги.

— В этом нет необходимости, — узнав об этом, сказала ей Джейн за ланчем в кафе неподалеку от квартиры Селесты. Она была смущена и шокирована. — Нам не нужны его деньги. То есть твои деньги.

— Это деньги Зигги. Если бы Перри знал, что Зигги его сын, он захотел бы, чтобы с ним обращались, как с Максом и Джошем, — возразила Селеста. — Перри был...

Но затем она обнаружила, что не может говорить, ибо как могла она сказать Джейн, что Перри был необычайно щедрым и справедливым. Ее муж всегда был таким справедливым, за исключением тех случаев, когда становился чудовищно несправедливым.

Но Джейн потянулась к ней через стол и взяла ее за руку:

— Знаю, что был.

Как будто она действительно понимала, каким на самом деле был Перри.

Сьюзи стояла за кафедрой. Сегодня она выглядела замечательно. Слава богу, она не так сильно, как обычно, накрасила глаза.

— Жертвы домашнего насилия часто выглядят совсем не так, как мы ожидаем, — сказала Сьюзи. — Их истории не всегда написаны в черно-белых тонах, как это нам представляется.

Селеста отыскала в аудитории, состоящей из врачей «скорой помощи», медсестер, терапевтов и консультантов, свое дружелюбное лицо.

— Вот почему сегодня я пригласила сюда этих очаровательных людей. Они великодушно согласились уделить нам время и рассказать о своем опыте.

Сьюзи широким жестом указала на Селесту и сидящего рядом с ней мужчину. Он положил руку на бедро, стараясь унять нервную дрожь в ногах.

Бог мой, подумала Селеста. Она с трудом сдержала нахлынувшие горячие слезы. Он не консультант. Он кто-то вроде меня. С ним это тоже случилось.

Повернувшись, она посмотрела на него, и он улыбнулся ей в ответ, смущенно отводя глаза.

— Селеста? — обратилась к ней Сьюзи.

Селеста встала. Еще раз взглянув на мужчину в джемпере, она перевела взгляд на Сьюзи, которая ободряюще кивнула ей. Сделав несколько шагов, Селеста поднялась на деревянную кафедру.

Потом она поискала глазами ту приятную женщину. Да, вот она — улыбается и слегка кивает головой.

Селеста перевела дыхание.

Она согласилась прийти сегодня сюда ради Сьюзи и потому, конечно, что хотела исполнить свой долг, а также убедиться в том, что профессиональные медики знают, какие задавать вопросы и как держать ситуацию под контролем. Она намеревалась изложить факты, а не открывать перед ними душу. Она будет вести себя достойно и сохранит хотя бы частичку своей независимости.

Но в тот момент ее вдруг охватило страстное желание поделиться всеми своими переживаниями, ничего не утаивая, рассказать голую правду, без всяких прикрас. На хрен достоинство!

Ей захотелось придать этому напуганному человеку в немодном джемпере смелости, которая позволила бы ему поделиться собственной голой и страшной правдой. Ей хотелось дать ему понять, что по крайней мере один человек из находящихся здесь понимает все совершенные им ошибки: когда он давал сдачи, когда оставался, а надо было уйти, когда уступал ей, когда нарочно противоречил, когда допускал, чтобы дети видели неподобающие вещи. Ей хотелось сказать ему, что она знакома со всеми приемами безупречной маленькой лжи, которой он обманывал себя все прошедшие годы, потому что она сама обманывала себя такой же ложью. Ей хотелось накрыть его дрожащие руки своими ладонями и сказать: «Я все понимаю».

Она взялась обеими руками за края кафедры и пододвинулась к микрофону. Как заставить этих людей понять что-то такое простое и в то же время такое сложное?

— Это может случиться... — Умолкнув, она немного отодвинулась от микрофона и откашлялась.

Она увидела стоящую в стороне Сьюзи, затаившую дыхание с тем выражением на лице, которое бывает у родителей, чей ребенок впервые выступает перед публикой. Чуть подняв руки, Сьюзи, казалось, была готова взбежать на сцену и защитить Селесту от опасности.

Селеста приблизила губы к микрофону и проговорила громким, чистым голосом:

— Это может случиться со всяким.

Благодарности

Как всегда, я очень признательна всем замечательным талантливым людям из «Pan Macmillan», и в особенности Кейт Патерсон, Саманте Сейнсбери и Шарлотте Ри.

Благодарю своего агента Фиону Инглис и своих издателей, в особенности Эми Эйнхорн, Селину Келли и Максину Хичкок.

Большое спасибо Чери Пенни, Марисе Велла, Мари Эткинс, Ингрид Баун и Марку Дэвидсону за то, что щедро делились со мной своим временем и профессиональными знаниями.

У меня есть ужасная привычка в поисках материала влезать в разговоры. Благодарю вас, Мэри Хассол, Эмили Крокер и Лиз Фризелл, за то, что позволили мне в творческих целях воспользоваться крошечными эпизодами из вашей жизни. Теперь самое время признать, что родители учеников чудесной школы, которую в настоящее время посещают мои дети, не имеют ничего общего с родителями школы Пирриви и поразительно хорошо ведут себя на школьных мероприятиях.

Благодарю маму, папу, Джейси, Кэти, Фиону, Шона и Николу, а также мою сестру, блестящую писательницу Жаклин Мориарти, которая всегда была и будет моим первым читателем. Спасибо моему зятю Стиву Минассу за техническую помощь по всем вопросам.

Благодарю вас, коллеги-литераторы и подруги, Бер Кэрролл и Дианна Блэклок, за то, что превратили книжные туры в девчачьи уик-энды вне дома. Бер умудряется сделать забаву даже из шопинга. Мы совместно выпускаем информационный бюллетень «Беседы о книгах». Чтобы подписаться на него, зайдите на мой сайт www.lianemoriarty.com.

Спасибо Адаму, Джорджу и Анне за то, что придают полноту моей жизни. И делают ее шумной и немного безумной.

И напоследок хочу сказать, что этот роман оказался историей про дружбу, поэтому я посвящаю его своей подруге Маргарет Палиси, с которой меня связывают свыше тридцати пяти лет воспоминаний.

В работе над романом я воспользовалась следующими книгами: «Не для людей вроде нас: скрытые злоупотребления в семьях с высоким доходом» Сьюзан Вайцман (2000 г.) и «Выживание в условиях домашнего насилия» Элейн Вайсс (2004 г.).

Мориарти Л.

М79 Большая маленькая ложь : роман / Лиана Мориарти ; пер. с англ. И. Иванченко. — М. : Иностранка, Азбука-Аттикус, 2015. — 544 с.

ISBN 978-5-389-08399-8

Мадлен, веселая, остроумная, страстная, мать троих детей. Она всегда готова прийти на помощь подруге, защитить тех, кого несправедливо обидели, однако ее возмущает, что ее бывший муж с новой женой поселились рядом, а их общая дочь-подросток больше любит отца, а не мать.

Селеста, богатая и ослепительно красивая, мать чудесных мальчиков-близнецов. Их с мужем считают самой счастливой парой в городке. Однако за внешне благополучным фасадом их брака скрывается страшная тайна.

Джейн, молодая мать-одиночка, недавно переехала в городок на побережье, а потому ее нередко принимают за няню, а не за мать собственного сына. Близнецы Селесты, младшая дочь Мадлен и сын Джейн учатся в одном подготовительном классе. Селеста и Мадлен опекают Джейн. Казалось, ничто не предвещает беды, но зачастую, когда человек начинает верить в собственную ложь, это приводит к трагедии...

Впервые на русском языке!

УДК 821(94)
ББК 84(8Авс)-44

Литературно-художественное издание

ЛИАНА МОРИАРТИ

БОЛЬШАЯ МАЛЕНЬКАЯ ЛОЖЬ

Ответственный редактор Ольга Рейнгеверц

Редактор Ольга Давидова

Художественный редактор Вадим Пожидаев

Технический редактор Татьяна Тихомирова

Компьютерная верстка Ирины Варламовой

Корректоры Елена Терскова, Нина Тюрина

Подписано в печать 17.02.2015.
Формат 84×100 1/32. Печать офсетная. Тираж 20 000 экз.
Усл. печ. л. 26,52 . Заказ № 7068/15.

Знак информационной продукции
(Федеральный закон № 436-ФЗ от 29.12.2010 г.): 16+

ООО «Издательская Группа „Азбука-Аттикус“» —
обладатель товарного знака «Издательство Иностранка»
119334, г. Москва, 5-й Донской проезд, д. 15, стр. 4

Филиал ООО «Издательская Группа „Азбука-Аттикус“»
в Санкт-Петербурге
191123, г. Санкт-Петербург, Воскресенская наб., д. 12, лит. А

ЧП «Издательство „Махаон-Украина“»
04073, г. Киев, Московский пр., д. 6 (2-й этаж)

Отпечатано в соответствии с предоставленными материалами
в ООО «ИПК Парето-Принт».
170546, Тверская область, Промышленная зона Боровлево-1,
комплекс № 3А.
www.pareto-print.ru

HJJM1640501R

ИЗДАТЕЛЬСКАЯ ГРУППА
АЗБУКА-АТТИКУС